Les nuits de la Saint-Jean

Viveca Sten

Les nuits
de la Saint-Jean

ROMAN

*Traduit du suédois
par Rémi Cassaigne*

Albin Michel

COLLECTION « SPÉCIAL SUSPENSE »

À Leo, un spectacle à lui tout seul !

1

Samedi 4 novembre 2006

MARIANNE S'ARRÊTA dans le vestibule. Les chaussures étaient en vrac. Machinalement, elle se pencha pour les ranger par paires, bien alignées. Elle découvrit alors qu'il manquait les Timberland claires de Lina.

Leur absence l'effraya. Pourquoi Lina n'était-elle pas rentrée cette nuit ?

Pensive, elle ramassa un bonnet lancé dans un coin. Sa fille laissait traîner ses affaires partout, en désordre. Elle aurait au moins pu prévenir qu'elle ne dormirait pas à la maison.

Et s'il lui était arrivé quelque chose ?

Glacée par cette idée, Marianne retint son souffle.

Et si elle s'était blessée en tombant de vélo ? En cette saison, un accident était vite arrivé. Les étroits chemins de gravier étaient glissants en automne. Elle avait dit à Lina d'être prudente quand elle était partie voir les Hammarsten à Trouville.

Malgré elle, l'inquiétude l'envahit. Le cœur lui manquait, elle avait des palpitations, tout se mettait à tourner devant ses yeux.

Du calme. Respire.

Les jambes en coton, elle gagna l'agréable cuisine rustique et se laissa tomber sur une chaise. L'été précédent,

9

elle avait repeint les chaises au soleil, près du ponton. Lina l'avait aidée. Elle avait taché son bikini, ça les avait amusées.

Marianne alla prendre un verre dans le placard au-dessus de l'évier pour boire un peu d'eau. Sa respiration se fit plus régulière. Lina devait être restée chez les Hammarsten. Forcément. Où serait-elle passée, sinon ?

Le ronronnement familier de la cafetière sur le plan de travail la rassura. Elle allait boire une tasse de café, bien tranquillement. Après, il serait dans les huit heures, et Hanna Hammarsten téléphonerait pour confirmer que Lina avait passé la nuit chez eux sans prévenir

Comme font les filles de son âge.

Et elles en riraient ensemble de bon cœur, comme deux mamans complices à propos du comportement prévisible de leurs ados.

Elle aurait un petit sourire gêné de s'être ainsi rongé les sangs, et Lina trouverait qu'elle la couvait comme une mère poule.

« Arrête de t'inquiéter, maman. Change de disque. Je ne suis plus un bébé, tu vois ? »

Hanna la comprendrait très bien. Toutes les mères s'inquiétaient. Surtout quand elles avaient des filles. Cela faisait partie du jeu.

Elle pensait en avoir fini avec les veilles et les nuits agitées maintenant que Lina était grande. Quelle erreur ! Aujourd'hui, quand elle n'arrivait pas à s'endormir avant le retour de Lina, elle regrettait l'époque où elle était petite, où ce qui pouvait lui arriver de pire, c'était de se réveiller après avoir fait un cauchemar. On y remédiait par un câlin et éventuellement un biberon de bouillie. Si cela ne suffisait pas, restait à la porter dans le grand lit, où elle ne tardait pas à se rendormir. On y gagnait des petits coups de pieds dans le dos toute la nuit, mais ce n'était rien comparé à l'anxiété qui la rongeait ces dernières années.

Le café était prêt.

Elle regarda à nouveau l'heure. Huit heures moins le quart. Elle attendrait huit heures pour appeler. Pas une minute de plus. Ça restait assez matinal, mais elle ne serait pas capable d'attendre davantage.

Sa tasse favorite, un gros mug en porcelaine bleue, l'attendait sur le devant du placard. Le seul fait de le voir la rassura. Tout était comme d'habitude. Deux morceaux de sucre, un bon nuage de lait, et son café était prêt. Fort et sucré, comme elle l'aimait. Voilà, ça allait beaucoup mieux. Marianne sourit toute seule. Qu'allait-elle imaginer ? Que pouvait-il se passer sur Sandhamn, une île que Lina connaissait comme sa poche. Elle aurait retrouvé le chemin de la maison les yeux fermés.

Entre Trouville, sur la côte est de l'île, et leur maison dans le village, il y avait tout au plus deux kilomètres. Que pouvait-il lui arriver sur un si court trajet ?

Elle but une autre gorgée de café et secoua la tête. Elle s'était affolée pour rien. Ce n'était pas la première fois que Lina dormait chez sa meilleure copine en oubliant d'appeler. Lina n'avait probablement pas eu le courage de rentrer. C'était plus simple de dormir chez Louise. Surtout quand il faisait nuit noire. Il n'y avait pas d'éclairage public et la plupart des maisons étaient fermées pour l'hiver. On avait beau être pendant les vacances d'automne, il n'y avait pas grand monde.

Marianne remua distraitement sa cuillère dans sa tasse. Le sucre s'était déposé au fond. Elle jeta un coup d'œil à la vieille cuisinière à bois qu'ils avaient conservée en rénovant la maison que sa mère lui avait laissée dans l'archipel. Les braises de la veille s'étaient éteintes pendant la nuit, mais le conduit était encore tiède. C'est fou comme ça conservait bien la chaleur.

Elle se leva pour charger du bois et rallumer le feu. Quel plaisir, en automne et en hiver, de prendre son petit déjeuner en entendant le feu crépiter ! Le froid pouvait être mordant quand le vent soufflait au nord. Alors, on était bien content d'avoir la cuisinière à bois et les vieux poêles dans la salle à manger et le séjour.

Elle regarda à nouveau sa montre. Huit heures moins trois. Elle n'y tenait plus. Elle composa le numéro.

11

« Allô ? » Une voix endormie répondit à la troisième sonnerie. C'était Hanna.

Marianne s'en voulut aussitôt. Elle l'avait réveillée inutilement.

« Bonjour, c'est Marianne. Désolée de te déranger. Je voulais juste savoir si Lina était chez vous. Elle n'est pas rentrée hier soir et n'a bien sûr pas appelé. Je sais que c'est ridicule, mais je voulais juste vérifier que tout allait bien. »

Silence au bout du fil.

Juste une seconde, mais une seconde de trop.

À nouveau, elle respirait difficilement.

« Lina ? Elle n'est pas ici. Elle est partie vers dix heures hier soir. Elle n'est pas rentrée ? » La voix de Hanna trahissait son étonnement. « Ne quitte pas, je vais vérifier.

– Oui, chuchota Marianne. S'il te plaît. »

Hanna reposa le téléphone et disparut. Marianne serra le combiné si fort que ses doigts lui faisaient mal.

Puis Hanna revint.

« Désolée, dit-elle. C'est bien ce que je pensais. Elle n'est pas là. Louise dit qu'elle est rentrée à vélo après le film. Tu es sûre qu'elle n'est pas dans son lit ? »

Marianne n'arriva pas à répondre. Elle essayait de former des mots, mais sa langue ne lui obéissait pas. Sa vue se brouilla.

Où était sa fille ?

2

« Vous habitez à Sandhamn l'été ? Je connais quelqu'un là-bas. »

La jeune femme continuait, sans remarquer qu'elle parlait dans le vide.

Nora Linde regrettait de s'être laissée entraîner à cette fête organisée par un collègue médecin de Henrik. Il l'avait très vite laissée en plan pour rejoindre des connaissances et elle se retrouvait à essayer de converser avec une inconnue qui avait au moins dix ans de moins qu'elle. Elle avait des cheveux bruns avec une frange à la mode et portait une jupe courte qui mettait en valeur ses jambes élancées.

Nora se sentait vieille et usée en comparaison.

Elle ne se rappelait pas la dernière fois qu'elle avait pris le temps d'aller faire du sport, et la coupe au carré de ses cheveux blonds aurait bien eu besoin d'être rafraîchie. Dix années avec des enfants en bas âge et son poste à plein temps de juriste de banque avaient laissé des traces. Sans compter un mari qui préférait se consacrer à sa carrière de médecin et à sa passion pour la voile plutôt que de prendre sa part des corvées.

La robe noire qu'elle portait n'était ni neuve ni à la mode, mais elle n'avait pas eu le courage de faire un effort. Pas pour Henrik, en tout cas.

L'ambiance au sein de la famille Linde avait été glaciale ces six derniers mois, depuis que Nora avait décidé de garder la villa Brand que sa voisine et grand-mère adoptive Signe Brand lui avait léguée. Henrik avait insisté pour qu'ils vendent cette villa située à l'entrée du chenal de Sandhamn, afin de pouvoir acheter une maison plus grande et plus chic à Saltsjöbaden, mais elle avait refusé.

Tout l'automne, ils avaient sauvé les apparences. Étrangers polis qui faisaient de leur mieux pour donner le change. Parents attentionnés qui accompagnaient Adam à ses matchs de foot et Simon au tennis en faisant comme si de rien n'était. Ils avaient vécu dans un vide affectif, mais cela ne marcherait pas indéfiniment.

« Pardon, j'étais distraite », dit-elle pour ne pas paraître trop impolie. Ce n'était pas la faute de cette jolie fille s'il y avait de l'eau dans le gaz entre elle et son mari.

La fille lui répondit par un grand sourire.

« Ce n'est pas grave. Je sais que je suis bavarde, des fois. Je disais juste que je connaissais quelqu'un à Sandhamn. Ou plutôt, ma meilleure amie connaît quelqu'un là-bas. Je suis venue avec elle ce soir. Elle s'appelle Marie. Elle est infirmière.

– Ah oui ? » Nora faisait de son mieux pour sembler intéressée. Elle trempa les lèvres dans son cocktail rose et l'encouragea d'un hochement de tête.

« Marie sort avec un mec qui a une maison là-bas. C'est vraiment joli, l'archipel, non ? Enfin, il a une maison avec sa femme.

– Sa femme ? »

Son interlocutrice sembla prise de remords.

« Oups, j'aurais peut-être mieux fait de me taire. » Elle semblait soudain hésiter. « Le mec de Marie est encore marié, mais il est en train de quitter sa femme. S'il ne l'a pas encore fait, c'est juste à cause des enfants.

– C'est du propre », dit Nora en se demandant quoi dire qui n'ait pas l'air idiot. Cette conversation était bizarre. Que répondre à quelqu'un qui révélait la liaison adultère d'une amie à une parfaite inconnue ?

« Marie est folle de lui. Son mec est vraiment top, brun, mignon et tout. En plus il est médecin. Pas mal, non ? » Elle adressa à Nora un clin d'œil entendu avant de boire une grande gorgée de son cocktail.

« Médecin, répéta Nora.

– Oui. Un crack.

– Comment s'appelle-t-il ?

– Je ne devrais pas le dire. D'après Marie, il veut garder le secret tant qu'il n'a pas mis sa femme au courant, mais bon, ce n'est pas si grave d'en parler, non ?

– Non, opina Nora, ce n'est pas si grave. » Il fallait à tout prix qu'elle sache.

« Il s'appelle Henrik. Il est radiologue à l'hôpital de Danderyd. »

Elle sourit à Nora et porta à nouveau son verre à ses lèvres.

3

L E GÉNÉRIQUE d'*Avis de recherche* s'acheva et le visage
bien connu de Hasse Aro apparut à l'écran. Derrière
lui, on voyait le bureau où les membres de la rédaction
travaillaient à leurs enquêtes.

« Bienvenue sur notre antenne, dit-il d'un ton grave.
Dans la dernière partie de l'émission, nous allons nous pencher sur la disparition d'une jeune fille à Sandhamn. » Il
jeta un coup d'œil à ses notes et continua. « Lina Rosén a
disparu par une sombre nuit de tempête cet automne. La
petite île de Sandhamn, aux confins de l'archipel, abrite
à peine cent vingt habitants, mais accueille cent mille visiteurs chaque année. C'est un petit paradis célèbre pour ses
belles plages de sable et ses charmantes régates. »

Il se racla la gorge et la caméra zooma sur son visage.
Ses traits étaient soucieux et son ton empreint de tristesse.

« Aujourd'hui, les habitants de l'île sont tourmentés par
le mystère de la disparition de Lina Rosén. »

Apparut alors à l'écran la photo d'une jolie fille d'une
vingtaine d'années, étendue sur un transat. Longs cheveux blonds, bronzage souligné par son chemisier blanc,
elle souriait gaiement à l'objectif. Derrière elle, quelques
rochers et une plage de sable. Elle semblait être sur une
véranda proche de la mer.

« La dernière fois que les parents de Lina ont vu leur fille
en vie, c'est le vendredi 3 novembre dernier. Elle se rendait chez une amie au sud-est de l'île. Elle serait repartie à

vélo pour rentrer chez elle vers dix heures du soir. Après, elle disparaît sans laisser de traces. Malgré les recherches de la police, elle n'a jamais été retrouvée. »

Un panoramique montrait à présent le chenal de Sandhamn. La caméra glissa du bâtiment en bois de l'Auberge de Sandhamn au débarcadère des ferries, jusqu'au bâtiment rouge du club nautique KSSS datant de 1897.

Il n'y avait personne. Le kiosque du débarcadère où se pressait la foule l'été avait baissé son rideau de fer. Les échoppes de la promenade du bord de mer étaient fermées par de gros cadenas.

Il régnait une atmosphère désolée qui semblait rappeler que les recherches de la jeune fille avaient été vaines.

La caméra zooma alors sur une maison blanche et une voix présenta la maison de Lina Rosén. Sa famille était originaire de Sandhamn et la maison lui appartenait depuis longtemps.

La caméra se détacha lentement du bâtiment pour balayer la forêt jusqu'aux courts de tennis où commençait le chemin de Trouville, que Lina Rosén avait emprunté le soir de sa disparition.

Hasse Aro se tourna alors vers un policier d'une quarantaine d'années venu le rejoindre. Grand et large d'épaules, l'homme avait des cheveux blonds coupés ras. Il avait l'air sympathique, et quand il souriait, un fin réseau de rides se formait autour de ses yeux.

« Thomas Andreasson, vous êtes inspecteur à la police de Nacka et vous êtes chargé de l'affaire depuis que la disparition de Lina Rosén a été signalée. Que pouvez-vous nous dire ? »

Le policier se racla la gorge.

« Les parents de Lina ont retrouvé son vélo le week-end de la Toussaint, le lendemain de sa disparition. Les recherches se sont ensuite prolongées plusieurs jours sans nous permettre de trouver la moindre trace.

– Étiez-vous aidés par des bénévoles ?

17

– Oui, les habitants de l'île ont été extraordinaires. Beaucoup de volontaires se sont manifestés pour participer à des battues à travers toute l'île.

– Comment est-il possible de disparaître sur une île aussi petite que Sandhamn ? »

Le visage de Thomas prit une expression découragée. Il poussa un léger soupir avant de répondre.

« Je suis d'accord, ça ne devrait pas arriver. Mais c'est la triste vérité : nous n'avons rien trouvé qui puisse nous permettre de comprendre ce qu'est devenue Lina depuis sa disparition, il y a bientôt quatre mois.

– S'est-elle noyée ?

– Ce n'est pas impossible. Comme vous l'avez dit, une sérieuse tempête faisait rage ces jours-là. Si, pour une raison ou une autre, elle s'est aventurée en mer, elle a très bien pu chavirer. Nous exhortons la population à nous communiquer tout élément susceptible de faire avancer l'enquête. Nous sommes dans une impasse. »

Hasse Aro regarda droit vers la caméra.

« Si vous détenez la moindre information sur la disparition de Lina Rosén, merci de nous contacter au plus vite, nous ou la police. Ses parents ont promis une récompense à la personne qui fournira un élément décisif. »

La musique du générique commença, tandis qu'un bandeau en bas de l'écran indiquait qu'il s'agissait d'une rediffusion et qu'il n'était plus possible d'appeler.

Thomas Andreasson se cala au fond de son fauteuil dans son appartement de Gustavberg, en banlieue de Stockholm. Il but lentement la fin de son café en réfléchissant à l'émission qui venait de passer.

D'une certaine façon, Lina Rosén avait disparu de la surface de la terre cette nuit de novembre. Il pleuvait, il y avait beaucoup de vent, une de ces tempêtes d'automne courantes dans l'archipel. Il avait fallu plusieurs jours pour que le vent retombe et que la mer retrouve sa couleur bleue.

Ils avaient mis deux jours à mesurer la gravité de la situation. Les parents de Lina avaient commencé à la rechercher par leurs propres moyens avant de contacter la police dans la soirée du samedi. Le règlement prévoyait d'attendre vingt-quatre heures avant de déployer des moyens importants. Bien trop souvent, les jeunes portés disparus étaient juste allés chez un copain sans prévenir. Les parents de Lina s'étaient donc vu répondre que leur fille rentrerait probablement au bercail d'ici le lendemain. Pas de quoi les rassurer.

Quand les recherches avaient été lancées à grande échelle, un temps précieux avait été perdu.

Un grand nombre de policiers avaient été envoyés dans l'archipel avec l'ordre de passer l'île au peigne fin. Plusieurs chiens policiers avaient été déployés, mais le mauvais temps avait eu des conséquences catastrophiques : les importantes précipitations avaient emporté toutes les traces et toutes les odeurs, l'île était propre, comme lessivée : les chiens ne trouvèrent pas la moindre piste.

Sous une pluie battante, Thomas et ses collègues avaient ratissé l'île avec la famille désespérée de Lina, leurs amis et voisins. Sa mère était si pâle qu'elle menaçait à tout moment de s'effondrer. Mieux valait laisser la police se concentrer sur son travail, avait argumenté Thomas. Et il fallait que quelqu'un soit à la maison si jamais Lina revenait malgré tout. À contrecœur, les Rosén étaient rentrés chez eux.

Thomas se souvenait encore de ce vent mordant qui se glissait sous les vêtements, des doigts et des orteils glacés. Il faisait autour de zéro, mais l'air marin humide pénétrait jusqu'aux os. Les hautes cimes des pins ployaient et leurs vieilles branches craquaient dans la tempête.

Lentement, méthodiquement, ils avaient parcouru toutes les plages. Avec l'aide de volontaires, ils avaient passé la forêt au peigne fin, de Västerudd à Trouville. Les recherches s'étaient poursuivies parmi les bunkers murés de la Seconde Guerre mondiale et les maisons de vacances fermées pour l'hiver. Attentifs au moindre indice, ils n'avaient pas ménagé leurs efforts.

19

Un des maîtres-chiens avait fini par venir trouver Thomas en secouant la tête.

« Ça ne sert à rien. Elle peut très bien être au fond de l'eau. Les chiens ont besoin de se reposer, ils sont épuisés. »

Thomas savait qu'il avait raison.

Et pourtant, il ne voulait pas abandonner. Il avait vu le désespoir qui brillait dans les yeux de Marianne Rosén, et savait exactement ce qu'elle ressentait. Il avait connu le même désespoir le matin où il avait trouvé sa fille de trois mois froide et sans vie dans son berceau et avait en vain tenté de la ranimer.

Au bout de quelques jours, les recherches avaient été suspendues. Ils avaient retourné le moindre galet, fouillé le moindre buisson. Lina Rosén était introuvable.

Peu à peu, l'enquête avait été mise en veille.

L'avis général dans la police était que la malheureuse s'était suicidée en se noyant et que le corps avait disparu en mer. Il n'y avait pas d'autre explication plausible. Certaines déclarations de sa meilleure amie Louise étayaient également cette hypothèse.

Thomas avait fait tout son possible pour retrouver la jeune fille. Mais en vain. Elle avait disparu sans laisser de traces.

Il s'étira en soupirant. Il était tard, il aurait dû aller se coucher il y a longtemps.

Pour participer à une émission comme *Avis de recherche*, il fallait le vouloir – mais les parents de Lina étaient sûrement prêts à tout pour retrouver leur fille.

Qui pourrait le leur reprocher, songea Thomas en attrapant la télécommande pour éteindre la télévision.

4

SITÔT RENTRÉS, la baby-sitter partie, Nora explosa. Elle avait réussi à donner le change toute la soirée, mais c'en était trop.

« Une infirmière. Quelle banalité ! Tu n'aurais pas pu trouver mieux ? »

Les bras croisés, elle regarda son mari. Ils étaient dans l'entrée de leur pavillon de Saltsjöbaden. Ils y avaient posé eux-mêmes un papier peint à fines rayures bleu clair. Nora était alors enceinte d'Adam et portait une salopette où logeait son gros ventre. Elle se rappelait combien elle avait été contente de ce papier peint trouvé en solde.

Henrik resta muet.

Visiblement, il ne s'y attendait pas. On aurait dit un enfant pris sur le fait.

Nora n'arrivait pas à se maîtriser. Les mots se déversaient, grossiers, durs, tout à fait inhabituels dans sa bouche.

« Comment tu as pu ? Après tout ce qui s'est passé. J'ai pris sur moi pour que notre couple tienne le coup. Je me suis battue comme une folle et tu fous tout en l'air pour sauter une minette ?

– Je suis désolé, tu n'étais pas censée l'apprendre comme ça. » Henrik détourna les yeux.

« Et j'étais censée l'apprendre comment, alors ? Qu'est-ce que tu avais prévu ? » Nora crachait ses questions. « Tu comptais me révéler en douceur que tu voulais me quitter pour une petite infirmière de ton service ? Ou tu

21

voulais juste t'amuser en douce, sans que je l'apprenne jamais ? »

Henrik se tut. D'une main, il défit sa cravate et la posa sur la table de l'entrée. Lentement, il ôta sa veste et la pendit soigneusement à un cintre.

Avec une pointe d'amertume, Nora constata combien il était encore mignon. Avec ses cheveux bruns et son profil classique, il n'avait pas changé depuis leur rencontre, plus de douze ans plus tôt.

Un mari et un médecin élégant. Un crack, selon l'expression de l'inconnue de la soirée.

« Mais réponds, quoi ! cria Nora. Tu voulais que ça se finisse comment, tout ça ? »

Sa voix se brisa. Elle se laissa tomber sur une marche de l'escalier, le visage enfoui dans ses mains.

« Tu ne dors pas dans notre lit ce soir, j'espère que c'est clair, dit-elle après un long silence. Tu n'as qu'à prendre le canapé. »

Henrik ne protesta pas. Il se contenta de la regarder, défait.

« Crois-moi, je suis vraiment désolé que ça se soit passé comme ça. Je ne voulais pas te faire souffrir. »

Nora ne répondit pas.

« Demain, je pars à Sandhamn avec les enfants, finit-elle par dire. C'est les vacances d'hiver, je vais prendre quelques jours. À notre retour, il faudra que tu aies déménagé. Je ne veux plus te voir ici. Compris ?

– Enfin, tu ne peux quand même pas me mettre à la porte ? » Henrik semblait sincèrement étonné. « Moi aussi, j'ai le droit d'habiter ici. C'est chez moi.

– Tu as perdu ce droit. Tu n'as plus rien à faire ici. »

Nora s'humecta les lèvres du bout de la langue. Sa bouche était si sèche qu'elle arriva tout juste à dire :

« Tu n'as qu'à aller habiter chez ta petite amie, elle sera sûrement contente. Elle n'attend que ça, s'installer dans ta jolie maison de Sandhamn. »

Elle respira à fond et le regarda droit dans les yeux.

« Je veux divorcer. Le plus vite possible. »

Elle lâcha un petit rire d'impuissance. Puis enfouit à nouveau son visage dans ses mains.

« Va-t'en, fit-elle d'une voix sourde.

– Mais les enfants, alors ? Pense au moins à Adam et Simon !

– Comme si tu y avais pensé, toi ? As-tu pensé une seule fois que tu avais une famille en couchant avec cette fille ? Hein ?

– Calme-toi, dit Henrik en tendant un bras pour la toucher. Il faut qu'on parle. »

Nora recula.

« Ne me touche pas, ne me touche plus jamais ! »

Elle se leva, ouvrit un des placards et sortit un sac de marin.

« Je dirai aux enfants que tu es de garde et que tu ne peux pas venir à Sandhamn. Ils connaissent la chanson, ils ne seront pas étonnés. »

Elle sortit une autre valise, sans le regarder.

« Ils sont habitués à ce que leur père n'ait pas de temps à leur consacrer, lâcha-t-elle en l'air, comme si Henrik n'était pas là. Disparais ! »

LES LÈVRES MINCES découvrirent des dents jaunâtres. On dirait une tête de mort, se dit Gottfrid avant de se ressaisir, honteux de penser ça de son père mourant. Mais il avait ce qu'il méritait, le vieux bougre.

Son corps maigre était soutenu par des oreillers dans le lit-coffre. Aux fenêtres, les rideaux à moitié tirés filtraient la lumière de l'après-midi, plongeant la pièce dans une pénombre qui accentuait les cercles sombres sous les yeux de son père.

La couverture était remontée sur sa poitrine. Un drap était replié sur l'épais édredon. À côté des guirlandes de fleurs brodées, Gottfrid vit une tache rouge séchée.

« Approche. » Son père lui fit signe. Ils avaient placé son lit dans l'alcôve pour qu'il soit au calme, mais cependant à proximité de la cuisine où le reste de la famille se trouvait le plus souvent.

Gottfrid hésita, mais il n'osait pas désobéir. La peur était profondément ancrée en lui.

L'haleine putride de son père le rebuta. Son corps dégageait une odeur aigre, comme les algues échouées qui fermentent sur les rochers au soleil printanier. Sa mère avait disposé des sachets de lavande, mais ils ne masquaient pas la puanteur.

Il déglutit pour ne pas montrer son malaise. Il avait onze ans, il n'était quand même plus un gamin. Il ôta sa casquette et fit un pas.

« Approche », lui ordonna à nouveau son père. L'écho de son autorité passée flottait toujours dans la pièce.

Gottfrid fit encore quelques pas.

Son père se mit à tousser. Une toux différente de celle de Gottfrid quand il était enrhumé. Celle-ci était rauque, sortait du fond de la poitrine. Son bruit effraya Gottfrid. Le visage de son père prit une teinte bleuâtre tandis qu'il tentait d'emplir d'air ses poumons malades. Il s'agrippait d'une main au cadre du lit et se frappait la poitrine de l'autre comme pour la forcer à aspirer l'oxygène vital.

Quand ce fut enfin fini, il cracha un gros caillot de sang dans le seau posé à terre à côté du pot de chambre.

« La pêche, tu t'en sors ? »

Gottfrid regarda ses pieds.

Depuis que la tuberculose de son père s'était aggravée au point de l'empêcher de travailler, Gottfrid était obligé de subvenir aux besoins de la famille. L'été, ils pouvaient louer une chambre à des vacanciers, mais le reste de l'année, l'argent qu'il gagnait était leur seule ressource.

Son oncle maternel fournissait les filets et le bateau, une petite barque à voile. Il gardait la moitié des bénéfices, la famille de Gottfrid avait le reste. Quelquefois, Gottfrid pouvait conserver un peu d'argent, quand la pêche avait été particulièrement bonne.

Il devait se lever à une heure et demie du matin pour prendre la mer avec l'oncle Olle et, parfois, il s'habillait à peine sorti du lit. Une fois les filets relevés, il vendait ses prises aux domestiques qui venaient chercher du poisson frais pour le dîner.

« On a posé deux nasses devant Rörskären cette nuit.

– Morue ? » Son père n'avait pas la force de faire une phrase complète.

Gottfrid hocha la tête et se redressa, fier de sa prise. Ses culottes courtes élimées commençaient à lui remonter sur les cuisses quand il bougeait. Son maillot de corps lui aussi était trop petit, les manches arrivaient juste au-dessus des poignets. La veille, sa mère s'était lamentée qu'il grandisse si vite.

25

« Demain, on ira pêcher le lavaret, du côté de Skarp-runmaren. »

Il n'y avait pas eu de vent la nuit précédente, comme souvent l'été, et ils avaient dû ramer toute la traversée. C'était toujours mieux que l'automne passé, où le vent n'arrêtait pas de souffler.

« À Sandhamn, c'est pas une tempête, c'est le diable qui pète », grommelait son oncle en se battant avec la voile dans la bourrasque. Ils plaçaient alors une grosse pierre au fond de la barque pour la rendre plus stable, mais devaient souvent accoster pour écoper les gros paquets de mer qui déferlaient sur eux.

Voilà pourquoi Gottfrid ne se plaignait jamais des nuits sans vent, même si c'était lui qui devait ramer presque tout le temps. Dès l'âge de cinq ans, il avait appris à bien ramer, muscles détendus pour que le dos et les cuisses travaillent.

Il sentit une odeur de café. Mère lui avait dit qu'elle lui en donnerait une tasse avant qu'il soit l'heure de sortir poser de nouveaux filets.

« Tu lis bien ton catéchisme tous les jours ?

– Oui, père. » Ce n'était pas vrai, mais il ne voulait pas le fâcher inutilement.

« C'est bien. »

Son père retomba sur l'oreiller. Ses gros poings, jadis si enclins à frapper, reposaient sans forces sur la couverture.

Une nouvelle quinte de toux le saisit. Quand elle fut passée, il resta étendu, les yeux clos. Gottfrid se glissa hors de la pièce. Du coin de l'œil, il aperçut son père se pencher faiblement pour cracher des glaires.

Il n'en avait probablement plus pour longtemps.

5

Samedi 23 février 2007

ILS S'ÉTAIENT ARRÊTÉS faire des courses à Mölnvik, puis avaient pris le ferry de la Waxholm pour Sandhamn juste après le déjeuner.

Henrik n'était pas là à son réveil. C'était un soulagement, elle n'aurait pas eu le courage de le voir, et encore moins de donner le change devant les enfants.

Malgré son indignation, Nora avait dormi sept heures d'une traite, d'un sommeil lourd et sans rêves. Simon l'avait réveillée en se glissant sous la couette. Sentir son corps chaud contre le sien l'avait apaisée. Il allait bientôt avoir huit ans mais recherchait toujours les câlins : elle s'était blottie contre son épaule en inspirant à fond.

Adam et Simon comptent plus que tout, avait-elle pensé. Rien n'est plus important.

Elle buvait à présent un café tandis qu'ils voguaient à travers le paysage hivernal de l'archipel. Le froid s'était installé depuis le Nouvel An et, pour une fois, la mer avait gelé. Le brise-glace avait dû ouvrir une route jusqu'à Sandhamn. La glace rugueuse formait des passages entre les îles. Les pontons semblaient flotter dessus, couverts d'éblouissantes formations de givre.

Les garçons avaient retrouvé un copain qui avait un chien avec lequel ils pouvaient jouer : elle se retrouvait seule à table.

Le malaise l'envahit.

Mère célibataire. C'était lancinant. Mère célibataire. Divorce. Arbitrage sur la garde des enfants. Partage des biens.

Les termes juridiques lui tournaient dans la tête. Elle regarda à la dérobée les autres passagers. C'était comme s'ils lisaient sur sa figure qu'elle allait se séparer. Que son mariage avait échoué, que la famille allait éclater. Ses fils seraient ballottés d'un domicile à l'autre. Ils feraient leurs petites valises, auraient des pyjamas à plusieurs endroits. Ne seraient plus chez eux nulle part.

Elle se sentait seule, abandonnée, et elle avait honte, bien qu'elle sache qu'il n'y avait aucune raison. Ce n'était quand même pas sa faute si son mari l'avait trompée. Et pourtant, un sentiment de culpabilité s'insinuait en elle depuis son réveil. Elle porta la tasse à sa bouche, mais sa main tremblait tant qu'elle dut la reposer.

« Ça va ? »

Nora sursauta. Plongée dans ses pensées, elle n'avait pas remarqué l'homme qui s'était approché. Son visage lui semblait familier. Elle ne le reconnaissait pas, mais il devait habiter à Sandhamn. Brun, la barbe poivre et sel.

Elle adressa un sourire hésitant à l'homme qui s'assit en face d'elle.

« Je ne voulais pas vous déranger, mais vous aviez l'air triste. »

Il lui tendit la main et elle la serra sans réfléchir.

« Pelle Forsberg. Et vous, c'est Nora, c'est ça ? »

Elle répondit d'un hochement de tête.

« J'habite près des courts de tennis. Et vous avez la maison près de Kvarnberget, si je me rappelle bien. Je crois qu'on est allés ensemble en colo de voile, il y a bien longtemps. »

Elle hocha à nouveau la tête. C'était bien possible, mais elle était incapable de s'en souvenir comme ça.

« Il vous est arrivé quelque chose ? »

Nora ne put empêcher ses yeux de s'emplir de larmes. Plus elle tentait de les contenir, plus elles coulaient.

« Attendez », dit Pelle Forsberg en se relevant. Il alla chercher des serviettes en papier à la cafétéria et les lui tendit. Elle les prit avec gratitude et s'essuya les yeux. Puis se moucha à fond.

« Pardon, murmura-t-elle. De quoi ai-je l'air ?

— Ne vous inquiétez pas.

— Ça ne va pas fort entre mon mari et moi en ce moment...

— Je comprends.

— Nous allons nous séparer. » Elle le disait pour la première fois. Elle détestait ça, mais, en tout cas, elle arrivait à prononcer ces mots.

Il l'arrêta d'un geste de la main. « Je suis aussi divorcé, je sais ce que cela signifie.

— Je ne voulais pas me mettre à pleurer, mais c'est tellement dur.

— Vous n'avez pas à vous justifier. » Il la regarda gentiment. « Vous voulez un autre café ?

— Merci, c'est gentil. »

Quand Pelle Forsberg revint avec le café, Nora avait repris ses esprits. Elle se moucha à nouveau et but une gorgée. Il fallait qu'elle se ressaisisse. Elle ne pouvait pas se mettre à sangloter comme ça à bord du ferry. Et si les enfants la voyaient ?

« Vous partez pour toutes les vacances ? » dit-elle, tentant une conversation normale.

Il hocha la tête.

« Je vais en profiter pour bricoler un peu dans la maison. Je suis prof de maths, je suis en congé toute la semaine.

— Ah bon. »

Pelle Forsberg se leva.

« Je ne vais pas vous déranger plus longtemps. Vous aviez l'air triste, il fallait que je vous demande si ça allait.

— C'est gentil. »

Le haut-parleur grésilla, et une voix annonça Sandhamn. Nora vit par la fenêtre la silhouette familière de l'île. Ils dépassèrent Fläskberget et approchèrent de Kvarnberget où on apercevait sa maison derrière la façade pimpante de la villa Brand.

Elle se fit violence pour respirer calmement, rassembla ses affaires et alla chercher les garçons. Ils seraient arrivés d'ici quelques minutes et devraient présenter leurs billets. Il fallait encore qu'elle ait le temps de les acheter.

6

NORA ÉTAIT ASSISE dans la petite véranda vitrée exposée plein sud. Elle avait hérité de la maison de son grand-père maternel dix ans plus tôt. Elle était située juste à côté de celle de ses parents, en contrebas de Kvarnberget, hauteur ainsi nommée en raison du vieux moulin qui y trônait avant d'être déplacé dans les années 1860.

Nora envisageait de s'installer dans la villa Brand d'ici l'été, mais pour le moment, elle restait dans sa maison. Pour elle, la grande demeure appartenait toujours à tante Signe et Nora hésitait à en prendre possession. Et puis chauffer cette vaste demeure bourgeoise n'était pas une mince affaire, avec toutes ses fenêtres et ses radiateurs insuffisants.

À travers la vitre, les branches nues d'un lilas. L'été, le jardin était encadré d'une verdure protectrice, mais à présent on voyait à travers la haie. Malgré le froid, elle avait mis les garçons dehors pour qu'ils prennent l'air. En tout cas, c'était le prétexte. La vérité était qu'elle avait besoin de se retrouver seule un moment. Il lui fallait réfléchir au calme.

Contre toute attente, les garçons ne s'étaient pas fait prier. Heureusement, Fabian, le meilleur ami de Simon, était sur l'île avec sa famille : ils avaient des copains juste à côté.

Une bénédiction dans tout son malheur.

Elle ruminait. Avait-elle poussé Henrik dans les bras de cette infirmière ? Avait-elle été une si mauvaise épouse qu'il ait dû aller chercher ailleurs ?

Elle avait été inflexible au sujet de la villa Brand, mais sa décision de garder la maison pouvait-elle vraiment l'avoir poussé à l'infidélité ?

L'été passé, leur mésentente avait débouché sur une terrible dispute près du ponton. Henrik avait perdu le contrôle et l'avait frappée. En plein visage, jusqu'au sang.

Elle n'aurait jamais imaginé que son mari puisse un jour la battre. Henrik l'avait suppliée de le pardonner. Nora avait pris sur elle et tenté de sauver leur couple, mais quelque chose s'était irrémédiablement brisé entre eux.

Pour les garçons, s'était-elle répété comme une litanie, pour les garçons nous devons rester ensemble.

Mais si elle faisait son examen de conscience, c'était peut-être davantage pour son propre compte qu'elle s'était battue. Même si leur relation s'était depuis longtemps dégradée et qu'elle se demandait même, parfois, si elle aimait encore Henrik.

Elle avait peur de la solitude, s'avoua-t-elle dans la brume de l'après-midi.

La peur de faire éclater la famille était profondément ancrée. Quelques-unes de ses amies avaient divorcé et elle voyait bien les difficultés qu'elles rencontraient. Ce n'était pas facile, toutes ces allusions à l'école, l'organisation des activités quand les enfants étaient en garde alternée. Et puis, il fallait réussir à joindre les deux bouts.

Ce n'était pas ainsi qu'elle avait imaginé sa vie quand les garçons grandiraient. Mais elle avait été naïve. Comment avait-elle pu espérer sauver leur couple ? Elle aurait dû jeter l'éponge depuis longtemps. Quand Henrik faisait toujours passer ses intérêts en premier et trouvait normal qu'elle s'adapte. Quand ses gardes passaient avant tout le reste et qu'elle devait s'occuper des enfants et du ménage tout en travaillant à plein temps. Quand elle s'était rendu compte après coup à quel point leurs valeurs et leurs opinions divergeaient.

Au lieu de quoi elle était devenue complaisante, soumise. Peu à peu, elle s'était coulée dans un moule où tout ce qu'il faisait passait d'abord. Pourquoi avait-elle accepté ça ?

Nora laissa son regard glisser sur le paysage enneigé. Dans un bouleau pleureur chez le voisin, des nids se dessinaient comme des pierres grises dans le ciel.

Qu'est-ce que c'était que ce sentiment du devoir ringard qui l'avait conduite à rester si longtemps avec Henrik ? Quand ils s'étaient rencontrés, ils étaient à égalité. Deux étudiants indépendants rêvant d'une vie professionnelle passionnante. Quinze ans plus tard, elle vivait la vie d'une femme au foyer des années 1950, sauf qu'en plus elle travaillait.

Soumise, complaisante, et trompée par-dessus le marché.

Nora s'ébroua, en colère. Quelle idiote ! Il n'y avait pas d'autre mot.

Elle poussa un profond soupir et se cala au fond du fauteuil en rotin, les yeux clos.

Elle avait beau avoir dormi toute la nuit, elle était si fatiguée qu'elle pouvait à peine bouger. Ses membres étaient tout endoloris.

D'une façon ou d'une autre, ça irait. Des milliers de femmes avant elle avaient survécu à un divorce. Beaucoup d'enfants se portaient très bien dans des familles éclatées. Une semaine avec chacun des parents.

Elle ne pouvait pas retenir ses larmes, mais elle ferait face. Elle divorcerait.

C'ÉTAIT LA PLUS BELLE FILLE qu'il ait jamais vue. Ses cheveux blonds tombaient en cascade dans son dos et sa taille était si mince qu'il aurait pu l'entourer de ses mains.

Elle s'appelait Vendela et venait de Möja.

Ses parents avaient une ferme au sud de l'île et elle avait cinq frères et sœurs. Avec ses dix-huit ans, elle avait cinq ans de moins que lui, et ses yeux avaient la couleur du ciel de juin au crépuscule.

Ils s'étaient retrouvés près de Dansberget, devant le bâtiment cossu du club nautique KSSS, là où les rochers étaient si lisses et si jolis. Sur cette piste bien plate, on devait danser au son du violon d'Arne Karlsson et de l'accordéon de Bertil Söderman.

La tour de Korsö s'élevait au loin et, en face, une belle goélette mouillait dans la rade.

Le soleil du soir brillait. Dans la journée, on avait dressé le mât de la Saint-Jean décoré de fleurs et de feuilles de bouleau. Sa flèche de verdure s'élevait à présent au-dessus des toits du village, annonçant enfin l'arrivée de l'été.

Partout s'égayaient des groupes de jeunes gens venus de Runmarö, Harö et Möja. Peu leur importait de devoir ramer plusieurs heures pour rentrer chez eux, il fallait ça si on voulait faire la fête sur une autre île. Et puis l'aube s'accompagnait d'une légère brise qui permettait de hisser la voile.

Gottfrid portait sa belle veste, qui avait appartenu à son défunt père mais n'en était pas moins élégante et soignée.

Mère l'avait bien lavée et repassée en vue du bal de la Saint-Jean. Elle l'avait sortie une semaine plus tôt et avait passé la main sur les plis avant de la lui donner.

Gottfrid cuisait au soleil, mais n'avait pas l'intention d'ouvrir le moindre bouton. Ça attendrait quelques danses, quand la mazurka et le hambo l'auraient mis en sueur.

Sur le chemin de la piste de danse, il avait croisé des touristes en villégiature qui se promenaient en bord de mer. Les femmes élégantes portaient de légères robes claires et se protégeaient du soleil sous de magnifiques ombrelles. Les messieurs portaient des chapeaux de paille et des blazers anglais, malgré la chaleur.

Il avait baissé les yeux et passé son chemin. Sa mère avait beau régulièrement louer une chambre, il manquait d'assurance face aux visiteurs venus de la capitale. Ils ne prononçaient pas les mots comme les insulaires. Leurs voix étaient autoritaires et ils s'étonnaient des nombreux bateaux à l'ancre dans le port.

En cette saison, on les voyait partout. Au salon de thé d'Anna Löfgren ou au café de Lilly Broman, à l'hôtel des Touristes ou au Sand. Le soir, ils s'installaient aux tables élégantes du club nautique KSSS ou dînaient au restaurant Solhem. Les messieurs prenaient un schnaps ou deux et se donnaient du *Mon cher ami*. Les femmes cachaient leurs jolis sourires derrière des éventails et trempaient les lèvres dans leurs verres tout en s'esclaffant sur les traits d'esprit de leurs maris.

Les grosses malles qu'on déchargeait sur le quai des vapeurs impressionnaient les insulaires. Comment pouvait-on posséder tant et tout emballer ainsi pour quelques mois seulement dans l'archipel ? Tous les biens de Gottfrid et sa mère ne rempliraient même pas une seule de ces malles.

Mais il appréciait les revenus que procuraient ces visiteurs.

Depuis la disparition du père, une froide nuit de janvier onze ans plus tôt, la situation de la famille s'était améliorée. La mère touchait une pension de veuvage, une somme modeste mais qui tombait chaque mois. Cela avait permis à Gottfrid de retourner à l'école. Il continuait à pêcher, mais pas au détriment de son travail scolaire. L'argent qu'il gagnait était un complément bienvenu, mais dont ne dépendait plus la survie de la famille.

L'année de sa confirmation, il était entré au Service royal des douanes comme garçon de courses. Le vieil inspecteur général des douanes, un certain Ossian Ekbohrn, avait connu son père et avait eu pitié de l'orphelin. Il avait fait en sorte de faire employer Gottfrid dans le bâtiment des douanes crépi de jaune qui s'élevait majestueusement à l'entrée du port depuis le dix-huitième siècle.

Assidu, Gottfrid avait été promu après quelques années au grade d'assistant des douanes, et avait reçu un élégant uniforme. La première fois qu'il était rentré chez lui ainsi vêtu, sa mère avait éclaté en sanglots.

« Mon garçon », avait-elle reniflé, et il était resté planté sur le seuil sans savoir quoi dire. À la fois fier et gêné.

Le salaire qu'il touchait désormais était un grand soulagement. À présent, ils pouvaient même réparer la maison, qui s'était dégradée pendant la maladie du père. Sa mère veillait cependant à ne pas dépenser plus que le strict nécessaire : il serait bientôt temps pour lui de trouver une chère et tendre, et il fallait garder de quoi garnir son trousseau. Elle avait malgré tout fini par accepter de s'acheter un nouveau châle en soie et une robe noire sur mesure. Elle avait aussi bien voulu qu'il l'invite à dîner au pensionnat de la veuve Wass pour fêter sa promotion.

Mais elle continuait à s'agenouiller pour récurer le parquet au sable et à l'eau, jusqu'à ce que les lattes soient bien lisses et claires. Et elle ne voulait pas entendre parler de confier leur lessive à une blanchisseuse du village. Elle continuait à aller chercher l'eau à la pompe, comme elle l'avait toujours fait, et lui faisait des reproches quand il lui achetait une pâtisserie pour lui faire plaisir.

« Allez, vas-y, invite-la ! »

Adolf Wolin, le meilleur ami de Gottfrid, lui donna un coup de coude.

« Tu ne l'as pas quittée des yeux de la soirée. Pourquoi tu ne vas pas lui demander si elle veut danser, à cette fille ? »

Gottfrid tripota sa casquette, puis risqua un regard vers la belle Vendela, qui bavardait et riait avec un groupe de filles de Möja.

Elle semblait à présent lorgner dans sa direction, mais c'était difficile a dire avec ses cheveux blonds qui lui cachaient les yeux.

Elle portait une robe qui lui couvrait les chevilles, et son chemisier blanc était brodé de jaune et de rouge. Il apercevait ses pieds sous la frange de sa robe : elle avait de jolis souliers de danse à lacets.

Il était à présent certain qu'elle lui avait adressé un timide coup d'œil, avant d'aussitôt détourner le regard. Il reconnaissait plusieurs de ses amies rencontrées lors d'autres bals dans l'archipel. L'une d'elles donna un coup de coude à Vendela en regardant vers lui d'un air entendu.

Adolf, lassé de son indécision, était parti à la recherche d'une partenaire. Gottfrid prit son courage à deux mains. Il s'approcha du groupe des filles et se dirigea vers Vendela.

Mais les mots lui manquèrent et il resta planté là sans émettre un son, de plus en plus rouge et stupide.

Vendela le regarda, interloquée, et il entendit quelqu'un pouffer dans son dos.

Il finit par réussir à sortir sa demande.

Elle sourit et son sourire était si évident, pur et spontané qu'il en pleura presque.

« Bien sûr que je veux bien danser avec toi », dit-elle d'une voix douce en glissant sa main sous son bras.

7

« QUATRE-VINGT-DIX-SEPT, quatre-vingt-dix-huit, quatre-vingt-dix-neuf, cent. Attention, me voilà ! »

Adam Linde se redressa et regarda alentour. Il était en pleine forêt, au milieu de l'île, assez loin au-delà de la chapelle de Sandhamn. Il jouait à cache-cache depuis un bon moment avec Simon, Fabian et ses deux grandes sœurs, Elsa et Agnes.

Il fit quelques mètres sans rien trouver. Le froid était vif. Le mercure indiquait moins dix et une épaisse couche de neige couvrait le sol. Les rues du village avaient été dégagées, mais dans la forêt, il fallait se frayer un chemin dans la neige.

Tous les sons étaient étouffés, comme si l'île entière avait été bordée sous une couette de coton blanc.

Mais les enfants étaient bien couverts et s'amusaient assez pour oublier d'avoir froid. Ils étaient bien trop occupés à se cacher. À chaque partie, ils s'enhardissaient à trouver des cachettes de plus en plus ingénieuses.

Au cours du jeu, ils s'étaient peu à peu éloignés du bourg pour s'enfoncer dans la forêt. Se cacher parmi les arbres et les rochers était plus amusant que derrière les coins des maisons.

Adam s'immobilisa. Ses joues étaient rouges, mais son fin visage pâle de froid. Avec son bonnet vert sombre et son anorak kaki, il se fondait dans l'environnement. De loin, on le voyait à peine dans la lumière déclinante de l'après-midi.

Il régnait parmi les troncs un calme irréel, on n'entendait que le sifflement des hautes cimes des pins qui se balançaient au-dessus de sa tête. Loin à l'est, là où la glace n'avait pas encore pris, on devinait aussi le murmure de la mer.

Il aurait déjà dû avoir trouvé les autres. Surtout Fabian et Simon, qui n'étaient que des gosses et n'avaient jamais la patience de rester cachés bien longtemps.

Adam fit encore quelques pas. Ses grosses chaussures d'hiver laissaient de profondes empreintes dans la neige et s'en détachaient avec un léger bruit de succion.

Il balaya à nouveau les troncs du regard et sentit croître un sourd malaise. La forêt semblait infinie, même s'il savait qu'elle s'arrêtait à la plage de l'autre côté de l'île. Mais de là où il était, il ne voyait rien. Il était tout seul.

C'était silencieux, bien trop silencieux.

Adam s'ébroua, irrité. Il allait avoir douze ans en avril. Il n'était plus un gamin comme Simon.

Mais son malaise persistait tandis qu'il s'enfonçait plus profondément dans la forêt.

8

ELLE VOULAIT FAIRE DISPARAÎTRE toute trace de Henrik. Dans un grand sac-poubelle, Nora entassa soigneusement tous les vêtements qu'elle put trouver. Des jeans mis de côté pour repeindre le bateau, des T-shirts délavés bons pour nettoyer le poisson. Les vieux mocassins de voile usés gardés au fond du placard subirent le même sort.

Puis elle inspecta le reste de la maison. Les larmes aux yeux, elle jeta ses livres de vacances, les lunettes bon marché achetées à la station-service et le peignoir bleu qu'il utilisait. Sans hésitation, même le blouson de voile hors de prix Helly Hansen finit en boule dans le sac plastique.

Dans un pur accès de colère, elle dégagea du garde-manger les céréales qu'il était le seul de la famille à aimer et qu'il prenait tous les matins. Son gilet de sauvetage tout neuf, qui aurait pu être utilisé par quelqu'un d'autre, prit aussi le chemin de la poubelle.

Ce n'est qu'en tombant sur la photo dans l'entrée qu'elle s'arrêta net.

Le cliché, qui datait de plusieurs années, montrait toute la famille à la plage. Henrik et elle, les garçons entre eux, en train de rire au coucher du soleil. La lumière chaude indiquait que c'était en plein été et la joie sur leurs visages bronzés était éclatante. La peau nue de Simon était mordorée et Adam souriait à son père qui avait posé son bras autour de ses épaules.

C'était une photo magnifique.

Nora hésita. Si elle la décrochait, les garçons risquaient de poser des questions et elle n'avait pas le courage de tout leur expliquer pour le moment. En soupirant, elle se détourna en laissant la photo au mur.

Un moment plus tard, le ménage était fait. C'était comme si Henrik Linde n'avait jamais habité la maison.

Nora noua l'extrémité du sac-poubelle et enfila un gros anorak. Puis elle sortit. Le sac était lourd, elle dut le porter sur l'épaule. Mais tant mieux s'il pesait son poids : comme ça, elle était débarrassée de tout ce qui lui rappelait Henrik.

Le visage fermé, elle gagna le port. Les ruelles avaient beau avoir été dégagées, il restait beaucoup de neige. Quand la sueur commença à couler le long de son dos, elle posa son fardeau pour souffler un moment.

La déchetterie était au bout du port, contre les façades rouges du bord de mer. Les bateaux s'alignaient, hissés à quai sous des bâches. Leurs coques avaient un air désolé, comme si elles attendaient impatiemment le retour de la saison de voile.

Nora gravit l'étroite passerelle qui conduisait aux différents conteneurs de tri : verre, piles, déchets ménagers. Elle ouvrit un couvercle métallique et, après une seconde d'hésitation, elle y mit le sac. Il était un peu trop gros et se coinça dans l'ouverture, mais elle appuya et il finit par passer.

Elle claqua le couvercle.

« Ménage de printemps ? »

Nora sursauta et se retourna. À quelques pas de là, Pelle Forsberg la regardait avec curiosité.

Nora se sentit prise en faute. Elle n'avait pas envie de dire ce dont elle venait de se débarrasser. Regardant le conteneur à la dérobée, elle chercha une réponse sensée.

« Oh, juste quelques vieilleries qu'il fallait jeter, finit-elle par dire en s'écartant du conteneur.

– Comment allez-vous, aujourd'hui ? »

C'était gentil de sa part, mais Nora n'était pas d'humeur à bavarder. Tout ce qu'elle voulait, c'était rentrer pleurer tranquillement à la maison, mais la politesse l'emporta.

« Mieux, merci. Ce n'était pas ma journée, hier. Merci de vous en inquiéter. »

Elle lui sourit, en évitant de prolonger la conversation.

« Il faut que je rentre m'occuper des enfants », ajouta-t-elle.

Pelle Forsberg s'écarta pour la laisser passer. Il tenait un sac plastique Konsum fermé d'un double nœud.

« C'est une période difficile que vous traversez. On est à la fois en colère et triste. On voudrait que tout redevienne comme avant, et l'instant d'après c'est la haine de son ex qui prend le dessus. »

Nora vit qu'il savait de quoi il parlait. Henrik lui manquait, et en même temps elle le détestait.

« Ce n'est pas facile, dit-elle.

– Vous étiez ensemble depuis longtemps ?

– Nous avons été mariés treize ans. » Elle ébaucha une grimace à ce chiffre de mauvais augure. « Mais nous étions ensemble depuis plus longtemps que ça.

– Vous avez étudié ensemble ? »

Elle hocha la tête.

« On peut dire ça. Sauf que je faisais mon droit et lui sa médecine. Nous nous sommes rencontrés à une soirée. »

Elle se souvint de Henrik à cette époque. Il était ami avec un de ses camarades de cours, et ils étaient sortis en bande pour fêter leurs examens. Il lui avait offert une bière et ils avaient dansé la moitié de la nuit. Dès le premier soir, elle s'était intéressée à lui, sans rien espérer en retour : c'était le genre de garçon qui pouvait se permettre de faire le difficile.

Il l'avait pourtant appelée dès le lendemain. Étonnée, et ravie, elle avait aussitôt accepté son invitation à prendre un café dans un bar branché en ville.

Les larmes montaient à nouveau. Nora cligna des yeux pour les cacher.

Pelle Forsberg compatit.

« Je sais très bien ce que c'est. On était ensemble depuis dix ans. On s'était rencontrés là-bas, au bar des Plongeurs.

Je lui avais renversé de la bière dessus, et la conversation s'était engagée. » Il rit, gêné. « C'est dur de rompre.

– Oui.

– Il était infidèle ? » Il soupira et posa son sac. « J'ai fait une bêtise à une fête au boulot, et après, c'était fichu. On s'était aussi pas mal disputés avant ça, bien sûr. Vous aussi, vous devez avoir eu des moments difficiles ? »

Nora se tortillait sur place.

La conversation prenait un tour un peu trop personnel. Pelle Forsberg ne pensait sans doute pas à mal, mais c'était gênant de discuter de son divorce devant la benne à ordures avec quelqu'un qu'on connaissait à peine.

« Il faut vraiment que j'y aille, s'excusa-t-elle.

– Passez prendre un café, si ça vous dit de parler. Je suis là toute la semaine. Mon ex a la gamine, elles sont parties faire du ski à Sälen.

– On verra, murmura Nora.

– Je vous ai dit où j'habitais, n'est-ce pas ? C'est une des maisons près des courts de tennis. La verte avec les fenêtres blanches et la clôture marron.

– Mmh. »

Elle le remercia d'un hochement de tête et s'éclipsa.

Voilà, c'était fait. Toutes les affaires de Henrik étaient au fond de la benne à ordures.

Ça faisait du bien. Vraiment du bien.

La maison de Sandhamn n'était plus la sienne. Il n'y était plus le bienvenu.

ILS DEVAIENT SE MARIER à Möja, le jour de la Saint-Jean, un an tout juste après leur rencontre. Il fit la traversée plusieurs jours à l'avance. Sa mère et les membres de sa famille devaient arriver la veille.

Les parents de Vendela possédaient une belle maison sur l'île et tout le village était en émoi à l'occasion de cette noce imposante. À son arrivée, Gottfrid fut complètement étourdi par tous les préparatifs. Dans la cour de la ferme se pressaient parents et amis venus de près comme de loin pour participer aux festivités. Le garde-manger débordait de victuailles préparées pour leur mariage, et il flottait partout une odeur de sol récuré.

Un soleil rayonnant se leva le jour de la Saint-Jean. L'église de Möja était décorée de feuillages, et une arche d'honneur avait été installée en contrebas. Les sœurs de Vendela avaient décoré le chœur de bouquets de fleurs d'été, et des pétales jonchaient l'allée centrale jusqu'à l'autel.

Vendela portait une robe noire à col haut et jabot blanc. L'élégante couronne nuptiale de la paroisse était fixée dans ses cheveux blonds.

Gottfrid pensait toujours que c'était la femme la plus belle qu'il ait jamais vue. Elle ne disait pas grand-chose, mais cela ne faisait rien. Il pouvait passer des heures rien qu'à la regarder. Quand il parlait, elle l'écoutait toujours attentivement.

Après la cérémonie solennelle, ils quittèrent l'église en une longue procession. Les violoneux ouvraient le cortège et, derrière les mariés, suivaient les invités. Sa mère avait une robe de fête neuve qu'elle avait cousue elle-même, et elle était coiffée d'un beau foulard de soie à franges. Elle avait pleuré pendant toute la cérémonie.

Elle avait passé la semaine entière à préparer des pâtisseries et des plats qu'elle avait apportés avec elle. Comme si elle voulait à tout prix montrer aux parents de la mariée qu'ils avaient un gendre à la hauteur. Gottfrid avait essayé de la raisonner, mais elle ne l'entendait pas de cette oreille. « Oui, oui », marmonait-elle en cuisinant de plus belle.

On avait dressé une longue table au centre de laquelle trônaient Gottfrid et Vendela, à la place d'honneur. Devant eux, un monceau de victuailles, gâteaux au fromage, petits pains, beurre maison, harengs variés. Des plats de viande et de pommes de terre, des pots de fromage doux répandaient leur odeur appétissante. Le garde-champêtre tira une salve tonitruante en l'honneur des mariés, puis les violoneux prirent le relais. Ils jouèrent la marche de Karl Johan et d'autres mélodies entraînantes qui mirent tout le monde de bonne humeur.

Vendela mangea très peu. Elle n'en voulait pas, murmurait-elle quand il insistait. Gottfrid pensa qu'elle s'inquiétait pour la valse de la mariée. C'était le clou de la noce : tous les invités allaient la faire danser pour essayer de provoquer la chute de sa couronne.

Ou alors redoutait-elle l'instant du coucher entre les draps amidonnés du lit nuptial qui les attendait dans une chambre jonchée de branches fraîches de genièvre.

Elle ne l'avait pas laissé l'approcher avant le mariage, alors que c'était chose assez commune dans l'archipel. Plusieurs de ses camarades s'étaient vantés de ce que leur promise ne s'était pas refusée à eux pendant leurs fiançailles. On voyait parfois une mariée avec un ventre qui pointait, cela n'étonnait pas grand monde.

Mais Gottfrid ne s'était pas imposé. Si Vendela voulait attendre, il attendrait aussi, car elle serait sienne pour le restant de sa vie. Il pouvait patienter.

Il espérait beaucoup de leur future vie commune. Il allait pouvoir fonder une vraie famille, avoir des enfants et leur donner tout ce que son propre père n'avait pas été capable de lui donner.

Gottfrid regarda son épouse à la dérobée. Les yeux baissés, elle triturait le contenu de son assiette. Il lui prit la main et la serra doucement.

Elle sursauta. Puis lui sourit. Un sourire timide, mais toujours aussi beau.

« Ma femme », essaya-t-il.

Cela sonnait bien. Il répéta ces mots :

« Ma femme. »

9

L'INQUIÉTUDE LUI NOUAIT le ventre. Où étaient passés les autres ?

Adam s'efforça d'ignorer son malaise, mais jeta malgré tout un coup d'œil par-dessus son épaule tout en continuant de se frayer un chemin dans la neige. Il aurait aimé rencontrer quelqu'un, n'importe qui, ne plus être seul.

Tout en poursuivant ses recherches, il obliqua lentement vers l'ouest. La forêt était plus épaisse, il faisait plus sombre, les ombres qui prolongeaient les troncs des pins ne se voyaient presque plus. Le sifflement du vent avait augmenté.

Adam avait froid. Il remonta jusqu'au menton la fermeture éclair de son blouson en regrettant de ne pas avoir l'écharpe dont maman lui rebattait toujours les oreilles.

Hésitant, il grimpa sur un petit pin qui avait poussé avec un angle bizarre. Le tronc s'était tordu et la cime atrophiée n'était qu'à un mètre environ au-dessus du sol. S'il ne trouvait pas rapidement quelqu'un, il allait rentrer, et tant pis pour ce que diraient les autres. Il n'avait pas l'intention de s'éterniser tout seul dans la forêt.

Soudain, il entendit des voix au loin, sans pourtant bien savoir d'où elles venaient. Il lui sembla reconnaître Fabian, ça lui ressemblait, mais il n'était pas sûr. L'avait-il juste imaginé ?

Il essuya sa goutte au nez avec son gant. Il se hâta mais, en se retrouvant devant le pin tordu, il constata qu'il avait tourné en rond : il était revenu sur ses pas.

Il aperçut alors le blouson rouge de son frère derrière un gros rocher : quel soulagement ! Haletant, il se mit à courir aussi vite qu'il put dans la neige lourde.

Soudain, son pied s'enfonça comme dans un trou, il s'étala la tête la première, et son nez heurta une grosse branche. Il se fit très mal et se mordit la lèvre dans sa chute. Un vague goût de sang envahit sa bouche. Il déglutit pour ne pas pleurer.

Il entendit à nouveau la voix de Fabian. Plus proche, mais encore très loin.

Adam essaya de dégager son pied, mais il s'était coincé sous une racine. Un bref instant, il fut pris de panique. Il tirait, tirait, sans résultat.

« Pouce ! cria-t-il d'une voix tremblante. Pouce. »

Puis il hurla d'une voix stridente.

« Venez ! Il y a un problème. Pouce, tout le monde, pouce ! » Il tira encore sur sa jambe dans tous les sens pour se libérer et, juste au moment où Fabian et Simon arrivaient en courant, il y parvint d'un coup sec, manquant d'y laisser sa chaussure.

Tandis qu'il se remettait péniblement debout, les autres enfants se rassemblèrent autour de lui. Une fois sur pied, il vit qu'ils fixaient au fond du trou quelque chose qui tranchait sur tout ce blanc. Ça avait l'air sombre, comme du plastique noir.

« Qu'est-ce que c'est ? » dit Agnes.

Adam répondit en secouant la tête.

Il se sentait bête à présent d'avoir eu si peur. C'était les gamins qui criaient pouce, pas lui qui allait entrer en sixième. Comment avait-il pu être aussi effrayé ?

Agnes le regardait toujours et il ne voulait pas la décevoir. Elle avait un an de moins que lui. Ses cheveux blonds sortaient de son bonnet rose en deux nattes nouées avec des élastiques roses. Elle avait un joli nez retroussé avec des taches de rousseur.

Il prit un bâton dans la neige et s'accroupit à côté du trou. Il était assez profond, un mètre peut-être. Il était entièrement recouvert de neige, invisible – à moins de marcher dedans comme il l'avait fait.

Adam plissa les yeux pour mieux voir. Le sable gelé était mêlé d'aiguilles de pin et, sur un bord, serpentait une racine ramifiée. C'était là que sa chaussure s'était accrochée.

Mais qu'y avait-il donc au fond du trou ?

Ça ressemblait à un sac plastique, assez gros, en fait. Il le toucha du bout de son bâton. Il y avait quelque chose dedans, semblait-il. Une branche ? Une souche ?

Les autres enfants suivaient ses gestes. Il s'enhardit, se coucha sur le ventre et tendit une main pour attraper le sac. Mais alors qu'il le soulevait, le fond se déchira. Quelque chose retomba du sac au fond du trou.

Adam se releva et resta planté là, le sac à la main. Sans un mot, il regardait fixement ce qui était tombé à ses pieds.

« C'est une vraie ? chuchota Agnes, au bord des larmes.

– Adam, dit Fabian. Je veux m'en aller. Ce n'est plus drôle. On peut partir ? »

Elsa hocha la tête.

« Moi aussi, je ne veux pas rester ici. »

Adam regarda autour de lui dans la forêt. Il faisait presque nuit au milieu des arbres, il frissonna soudain.

Malgré lui, il regarda à nouveau au fond du trou. Il tenait toujours le sac plastique noir, qu'il lâcha alors comme s'il lui brûlait les doigts.

Simon le tira par le bras.

« Viens, on s'en va, dit-il d'une petite voix. On rentre. »

Adam regarda les autres tout en se dépêchant de reboucher le trou du pied.

« On ne parle pas de ça. À personne. Ce sera notre secret. »

10

« SALUT, C'EST MOI. »
Thomas reconnut immédiatement la voix. Son timbre
doux lui rappela le bon vieux temps. Quand ils étaient
encore mariés, lui et Pernilla.

Il se souvint de cet été où elle était enceinte d'Emily.
Ce bébé qui s'était tant fait attendre, et qui allait enfin
naître. Un miracle après tous ces examens et ces tentatives.

« Salut. »

Il était sur ses gardes. Il n'y pouvait rien. La période qui
avait suivi la mort d'Emily et l'inévitable séparation avaient
laissé des traces.

Leur incapacité à faire face à cette catastrophe ne s'effa-
çait pas si facilement. Ni le sentiment de culpabilité qu'ils
avaient ruminé chacun de son côté. Le fossé s'était creusé
entre eux et avait fini par être insurmontable. Ils s'étaient
séparés quelques années auparavant.

Silence à l'autre bout du fil. Puis elle reprit :

« Comment vas-tu ? risqua-t-elle. Qu'est-ce que tu
deviens ? » Elle éclata de rire. « Pardon, on dirait un tube
de Tomas Ledin. »

Thomas fit la grimace, sans savoir quoi répondre. Il se
cala au fond de son fauteuil pour réfléchir. Il allait être
dix-neuf heures, le soleil était déjà couché depuis longtemps. Par la fenêtre, on voyait tomber de légers flocons.

L'été précédent, il avait rompu une liaison de presque
un an avec Carina Persson, une des assistantes du commis-

50

sariat, qui était en plus la fille de son patron. Depuis, il n'avait pas fait grand-chose d'autre que travailler. Il avait passé la plupart de ses soirées au poste, et ses dimanches aussi. Sa façon habituelle de gérer les crises, pensa-t-il avec lassitude.

Cette rupture avait été dure.

Carina voulait une relation durable, et elle se retrouvait avec un petit ami clandestin. Thomas avait beaucoup trop attendu avant de s'avouer et de lui avouer qu'une liaison sérieuse ne l'intéressait pas.

Il se sentait encore coupable, et avait fait profil bas ces six derniers mois.

« Tu es toujours là ? » La voix de Pernilla le tira de ses pensées.

« Pardon. Je vais bien. Et toi ? »

Pernilla rit légèrement. Elle le connaissait si bien.

« Ça va ici aussi. »

Nouveau silence. Thomas l'entendait respirer.

« Je vais revenir à Stockholm, dit-elle soudain. Je vais commencer à travailler pour une agence de publicité de Kungsgatan.

– Ah oui ? »

Sa réponse tombait un peu à plat, mais la nouvelle le surprenait.

Après le divorce, Pernilla avait pris un poste de chef de projet dans une agence de Göteborg. Elle avait mis leur appartement commun en location et quitté la capitale. Ils n'avaient presque plus eu aucun contact depuis, à peine quelques cartes postales échangées.

Et voilà qu'elle revenait.

« Je me disais qu'on aurait peut-être pu se voir. Je suis déjà en ville, je commence mon nouveau travail dans une semaine. »

Thomas était agité de sentiments contradictoires. Avait-il vraiment envie de la voir ?

Il se souvint soudain d'un soir, sur le ponton de leur maison de campagne de Harö. Le soleil couchant illuminait son visage et faisait scintiller ses cheveux. Elle était gaie, insouciante. Il était terriblement amoureux d'elle cet été-là.

Il avait envie de la revoir.

« Pourquoi pas ?

– Qu'est-ce que tu fais mardi ? »

Thomas réfléchit. Il n'avait pas de projets particuliers cette semaine.

« Mardi, très bien.

– On pourrait se retrouver vers dix-neuf heures trente chez Mama Rosa ? »

Elle proposait un de leurs restaurants favoris. Un italien de Söder, près de Medborgarplatsen.

Thomas sourit. « Volontiers. »

Il resta le téléphone à la main quand ils eurent raccroché. Il ne devait pas lui avoir parlé depuis au moins deux ans. Bientôt trois ans depuis la mort d'Emily.

11

« BONNE NUIT, mon bonhomme. » Nora borda Simon et l'embrassa sur la joue. Elle lui avait lu une histoire, et il était largement l'heure de dormir pour un petit garçon.

« Maman ? »

Sa voix traînante donna mauvaise conscience à Nora. Allait-il encore réclamer Henrik ? Il l'avait fait plusieurs fois au cours de la journée. Chaque fois, son cœur se serrait.

« Oui ? » dit-elle d'une voix douce.

Les yeux bleus de Simon la regardèrent en hésitant. Alors qu'on était au milieu de l'hiver, il n'était pas pâle. Adam avait le teint clair et devait toujours être tartiné de crème solaire, mais Simon bronzait au moindre rayon. Elle disait en plaisantant qu'il suffisait d'allumer la lumière pour qu'il prenne des couleurs.

« Il s'est passé quelque chose aujourd'hui, commença-t-il à voix basse. Pendant qu'on jouait dans la forêt.

– Ah oui ? »

Nora lissa la couverture en attendant qu'il continue. Il était vingt et une heures passées. Adam dormait chez des voisins, ils étaient donc seuls tous les deux. Simon endormi, elle avait l'intention de se servir un grand verre de vin rouge. Elle avait bien le droit de se consoler un peu.

« Mais Adam a dit que je n'avais pas la permission de te raconter. Que c'était un secret. »

Nora lui adressa un regard tendre. Il avait son nounours contre lui et le col de son pyjama était défait. Elle le reboutonna et lui caressa la joue. Il venait de se doucher et sentait le savon et le dentifrice au fluor.

« Comment tu veux faire, alors ?

– Je crois que je veux quand même te dire. » Il attendit quelques secondes. « Mais je ne veux pas qu'Adam se fâche. Et toi non plus. Promets-moi. »

Nora hésita.

Simon vénérait son grand frère et le suivait partout, qu'il pleuve ou qu'il vente. S'il était prêt à rompre une promesse faite à Adam, c'était qu'il avait quelque chose d'important sur le cœur.

« Tu ne pourrais pas me le chuchoter ? dit-elle. Comme ça, ce serait presque comme si je ne l'avais pas entendu. Et je promets de ne pas me fâcher. »

La proposition sembla satisfaire Simon. Il s'assit dans le lit et Nora se pencha.

« Dans la forêt, aujourd'hui, j'ai vu un trou par terre, souffla-t-il à son oreille.

– Quoi ? » chuchota à son tour Nora.

Il se pencha en avant et répéta tout bas. Après une courte hésitation, il continua à raconter son histoire.

Nora se redressa.

« C'est vrai ? lui dit-elle d'un ton sérieux. Tu ne me fais pas marcher ? »

Simon se rembrunit.

« Tu avais promis de ne pas te fâcher.

– Je ne suis pas fâchée, mais il faut que je comprenne bien ce que tu racontes. Tu es sûr que tu n'inventes pas ?

– Là, tu vois. Tu es en colère. Je n'aurais rien dû raconter. Adam avait raison. »

Il serra son ours, une peluche qu'il avait depuis qu'il était bébé, et enfouit profondément son visage dans sa fourrure grise.

Nora tenta de l'adoucir.

« Je voudrais juste comprendre, Simon. C'est important que tu m'expliques. Raconte-moi encore une fois ce qui s'est passé aujourd'hui. »

Simon ne répondit pas, il se contenta de serrer encore plus fort son nounours en lui tournant le dos. Elle réfléchit quelques secondes.

Il ne pouvait pas parler sérieusement. Il l'avait forcément imaginé.

Elle regarda la nuque de son fils en colère. Il n'avait que sept ans, avec l'imagination d'un enfant de cet âge. Il avait probablement tout inventé. Les jeux vidéo dont les garçons étaient friands contenaient toutes les horreurs possibles. Bien assez pour donner des pensées macabres à un petit garçon.

Au retour d'Adam, elle lui poserait la question.

Elle embrassa une dernière fois son fils, toujours fâché, et descendit l'escalier. Maintenant, elle allait ouvrir une bonne bouteille et se mettre devant la télé. Un des vins préférés de Henrik, à la cave. Si possible un de ceux qu'il gardait pour une grande occasion.

Ça aussi, ça lui faisait du bien.

QUAND IL REVINT à Sandhamn avec son épouse, Gott-frid était fou de joie. Il se réjouissait de voir la mai-son s'emplir à nouveau de vie.

Sa mère mourut moins d'un an après le mariage, à peu près au moment où Vendela tomba enceinte. Comme si elle avait accompli son devoir en mariant son fils. Dès lors, elle pouvait quitter la vie terrestre la conscience tranquille.

Elle s'était installée dans le cabanon où ils allaient vivre autrefois quand ils louaient leur maison à des vacanciers. Un matin, il la trouva morte dans son lit.

Gottfrid ne lui en voulut pas d'avoir lâché prise. Sa vie avait été dure. D'abord la tuberculose du père, puis un combat sans relâche pour survivre et élever seule son fils. Depuis longtemps, il sentait que ses forces la quittaient.

Elle avait mérité de partir en paix.

Sa grossesse avançant, Vendela gonflait, toujours fati-guée et essoufflée. Ses pieds enflés l'empêchaient de mar-cher. À la fin, elle ne quittait plus le canapé de la cuisine.

Elle restait couchée sur le côté tandis que Gottfrid s'as-seyait près d'elle pour lui raconter sa journée. De ses beaux yeux bleus, elle ne quittait pas ses lèvres.

Gottfrid faisait tout son possible pour lui faciliter la vie. Il l'aidait dans les tâches ménagères et allait chaque matin lui puiser de l'eau. Elle lui adressait un sourire de grati-tude qui lui faisait chaud au cœur.

Plein d'espoir, il contemplait le ventre arrondi où se reposait son premier-né. Le soir, il lui arrivait d'observer Vendela à son insu, étonné de se dire qu'il allait bientôt être père. Vendela, lui, et leur enfant.

Il rêvait d'un fils qu'il emmènerait à la pêche et à la chasse, un gamin à qui il enseignerait tout sur l'archipel. Ensemble, ils partiraient à la rame entre les îlots poser des filets, son fils le regarderait avec confiance, sans l'effroi qui avait marqué sa propre enfance.

À l'approche de l'accouchement, la mère de Vendela arriva de Möja pour aider. La belle-mère entreprit de préparer la maison à l'arrivée du petit. Elle récura le sol, lava les vitres et, le soir, cousait des couches et déchirait des chiffons pour confectionner des tapis en lirette. Une odeur de savon se répandit dans toute la maison.

Comme Gottfrid n'avait aucune parente proche, il reçut avec gratitude l'aide de sa belle-mère. L'enfant pouvait naître d'un jour à l'autre.

Il désirait et redoutait ce changement.

L'accouchement fut une torture qui dura trente-six heures. Une sage-femme venue de Runmarö resta jusqu'au bout.

Gottfrid se réfugia à l'auberge quand il n'arriva plus à supporter les hurlements de Vendela. Il n'osa pas revenir avant qu'un gamin du voisinage ne vienne le prévenir, casquette à la main, qu'il était le père d'un beau bébé.

Sa belle-mère l'accueillit avec un sourire las.

« Vendela dort, chuchota-t-elle, heureuse. Tu as un fils en bonne santé. »

Après l'accouchement, Vendela se mit à pleurer.

Elle pleurait sans interruption. Elle pleurait à son réveil, pleurait en allant se coucher. Le flot de ses larmes formait une plainte muette qui effrayait Gottfrid davantage que si elle avait poussé de hauts cris.

Le lait ne montait pas bien, le bébé hurlait la nuit. La belle-mère repoussa plusieurs fois son départ, mais finit par être obligée de s'en aller. On avait besoin d'elle à la maison.

Avant d'embarquer, elle tenta une dernière fois de raisonner sa fille. Elle finit par abandonner et regarda Gottfrid en haussant les épaules, impuissante.

« Ça va bientôt aller mieux, dit-elle sans conviction. C'est son premier enfant, il lui faut juste un peu de temps pour s'habituer à sa vie de mère. Ça ne vient pas naturellement à toutes les femmes. Tu verras, tout va s'arranger pour elle et le petit Thorwald. »

Gottfrid regrettait sa mère. Dieu, que Kristina lui manquait ! Elle aurait su comment s'y prendre avec Vendela.

Parfois, en rentrant du travail, il trouvait sa femme assise, les yeux dans le vague. Elle pouvait rester ainsi des heures et des heures. Elle ne s'occupait même pas du bébé, qui finissait par cesser de crier.

Elle ne disait plus un mot. Elle était plongée dans un mutisme où, il avait beau faire, elle restait hors d'atteinte.

Souvent, elle était déjà couchée à son retour. En rentrant de l'hôtel des douanes, il trouvait la maison plongée dans le noir, l'âtre éteint. Il y avait rarement de quoi souper et il s'habitua à manger froid avec un bout de pain, tout seul.

Vendela cessa de s'acquitter de ses tâches ménagères. La boue des chaussures de Gottfrid se mêlait par terre aux miettes de pain et aux restes de nourriture. Le sable, ce sable omniprésent qui s'infiltrait par les fenêtres, s'accumulait, jamais balayé. Un soir, en allumant la lampe à pétrole, Gottfrid vit détaler un rat.

L'état de la maison l'accablait. Dans son enfance, malgré le manque d'argent, sa mère avait toujours tenu son intérieur propre et coquet. Il était soigneux de nature et avait du mal à supporter la crasse et le désordre.

Gottfrid était désemparé.

Il ne savait pas comment faire avec une femme qui ne lui parlait pas et un nourrisson qui hurlait pour qu'on s'occupe de lui.

Son désespoir se mua en colère. La vie n'était pas simple, tout le monde savait ça dans l'archipel. Mais chacun portait sa croix et faisait de son mieux. Vendela était sa femme, ils étaient unis pour le restant de leurs jours devant Dieu.

Il était de son devoir d'épouse et de mère de s'occuper du garçon et de tenir sa maison.

Il chercha refuge en mer. Peu importait le temps, il passait des heures et des heures sur son bateau. Il allait très loin poser ses filets, en pleine mer, sans s'abriter derrière des îlots ou des rochers, puis, à l'aube, s'épuisait à les remonter. Il ramait jusqu'à avoir mal aux épaules et être ruisselant de sueur.

Quand ses mains s'engourdissaient de froid, il contemplait les articulations rougies et crevassées de ses phalanges avec une amère satisfaction. Il réparait soigneusement ses filets, comme si son salut en dépendait.

Mais rien ne changea. Aucune amélioration.

Un soir, il explosa. Il était dix-huit heures passées, il avait eu une journée particulièrement difficile au travail. Il avait faim et soif, et n'avait qu'une envie, se mettre les pieds sous la table.

Vendela était assise sur le canapé de la cuisine quand il franchit le seuil. Thorwald, sa couche souillée, rampait sur le sol couvert de sable. Elle fixait une mouche sur la fenêtre, le regard vide. Le feu s'était éteint, il faisait froid dans la pièce.

Elle s'essuyait de temps en temps les yeux avec un mouchoir grisâtre qu'elle gardait dans une manche.

Il lui parla d'abord gentiment. Lui demanda si le dîner était prêt, combien de temps il lui faudrait. Le gamin se mit à hurler, sans qu'elle s'en soucie.

Gottfrid répéta sa question et elle le regarda, sans répondre. Il recommença, mais elle resta muette.

Il perdit patience.

Sans vraiment comprendre ce qu'il faisait, il leva la main et la frappa. Elle se mit à saigner du nez. Comme elle continuait à le regarder fixement, elle reçut une seconde gifle.

L'image du visage furieux de son père lui vint à l'esprit, mais il se dépêcha d'en refouler le souvenir.

Le petit se mit à hurler et Vendela se leva alors pour le relever, toujours sans un mot. Puis elle gagna la cuisinière, son fils dans les bras.

À partir de ce jour, il trouva toujours un repas chaud en rentrant le soir.

12

LE PETIT DÉJEUNER ÉTAIT FINI, Nora avait rangé et essuyé la table de la cuisine. À peine sorti de table, Simon avait filé chez Fabian.

Elle entendit le bruit de la porte. Un coup d'œil lui permit de voir qu'Adam venait de rentrer. Il pendit son bonnet et son anorak à l'un des portemanteaux en laiton du vestibule. Il ôta ses grosses chaussures et les abandonna sur le paillasson.

Nora sourit. Il lui arrivait déjà à l'épaule. Dans quelques années, il la dépasserait sans doute d'une tête.

Son petit garçon. Il n'y a pas si longtemps, c'était encore un enfant de deux ans mal assuré sur ses jambes, et d'ici peu ce serait un ado. Elle s'en inquiétait. Adam avait un caractère bien trempé, mais était aussi sensible et un peu rêveur. Il tenait davantage de Henrik et elle savait qu'il souffrirait beaucoup de leur divorce.

« Tu veux manger quelque chose ? Je peux sortir des céréales et du fromage blanc, si tu veux.

– J'ai déjà déjeuné chez Filip », marmonna Adam en commençant à monter l'escalier.

Nora sortit de la cuisine et l'arrêta d'un geste. Il avait l'air fatigué, comme s'il avait mal dormi. Ses cheveux blonds lui descendaient dans le cou, où ils bouclaient un peu.

Ce n'était plus cool d'avoir les cheveux courts. Son avis à elle ne comptait plus. Un autre signe de l'approche de la puberté.

« Viens, je voulais te demander quelque chose. »

Intrigué, il la suivit dans le séjour. Elle s'assit sur le canapé rayé et lui fit signe de la rejoindre.

« J'ai un peu parlé avec Simon hier soir de ce que vous avez fait dans la forêt. Qu'est-ce qui s'est passé, exactement ? »

Le visage de son fils était fermé. Il ne dit pas un mot. La commissure de ses lèvres tremblait légèrement.

« Je n'aime pas quand tu fais peur à Simon comme ça, continua Nora. J'aimerais bien que tu me racontes toi-même ce qui s'est passé pendant que vous jouiez dans les bois. »

Adam se tortillait en évitant de la regarder dans les yeux.

« Réponds, maintenant, Adam, fit Nora d'un ton plus sec que prévu. Simon m'a parlé de quelque chose de très bizarre. Il a dit que vous auriez trouvé... » Elle s'interrompit pour chercher le mot juste.

La réaction d'Adam fut une surprise.

Sans crier gare, il fit la grimace et éclata en sanglots. Il se cacha le visage dans le bras, le dos secoué de hoquets.

Nora fut aussitôt submergée par la mauvaise conscience.

« Mon bonhomme, ce n'est sûrement pas si grave. J'étais juste inquiète que tu mettes des bêtises dans la tête de Simon. Allez, calme-toi, mon chéri. »

Elle essaya de le prendre dans ses bras, mais le corps mince du garçon restait raide et tendu.

« Mais c'est vrai, maman, dit Adam. C'était au fond du trou. »

Les sanglots prirent le dessus.

« Où ça ?

– Loin, dans la forêt. »

Il ouvrait de grands yeux brillants, où la peur se lisait clairement. Nora essuya doucement de l'index les larmes qui coulaient sur ses joues.

« Tu pourrais me montrer l'endroit ?

« – Oui, dit-il, piteux. Je crois.

– Pourquoi n'as-tu rien dit en rentrant hier soir ? » Nora l'attira contre elle et, cette fois, il ne protesta pas.

« Je pensais que si on ne disait rien, ça disparaîtrait. Comme si ça ne s'était pas passé. Je n'osais rien dire, parce que, alors, ça aurait existé pour de bon », murmura-t-il contre son épaule.

Nora serra son fils dans ses bras et sentit son ventre se nouer.

Ils passèrent devant la Mission et pénétrèrent dans la forêt de pins derrière la chapelle.

Nora avait son bonnet bien rabattu sur les oreilles et portait un épais blouson, ce qui ne l'empêchait pas d'avoir froid. L'air vif et humide se glissait sous son écharpe. Elle grelottait alors qu'ils n'étaient pas dehors depuis très longtemps.

Adam marchait quelques mètres devant elle sur l'étroit sentier. Des aiguilles de pin sèches se détachaient clairement, jaunes sur la neige blanche. Une tache sombre indiquait qu'on était venu là promener un chien.

Il n'arrêtait pas de se retourner pour s'assurer de sa présence.

Après un quart d'heure de marche, Adam s'arrêta et regarda autour de lui, hésitant.

« Je crois que c'est ici qu'on est venus jouer hier. Là, montra-t-il de son gant bleu. Là-bas, dans les buissons. »

Nora promena son regard alentour.

Ils se trouvaient à peu près au milieu de l'île. Les enfants s'étaient aventurés beaucoup plus loin qu'ils n'auraient dû. Les troncs étaient très serrés et l'épaisse couche de neige recouvrait tout. Des rochers s'élevaient à quelques mètres d'eux : certainement de bonnes cachettes pour les enfants. Un peu plus loin, des pins bas et des traces de pas d'enfants.

« Viens, maman », dit Adam en prenant sa main. Il la serra très fort, le visage blême.

Nora eut un pincement de cœur en le voyant si angoissé. Elle sourit pour l'encourager, malgré un léger malaise.

Ils continuèrent jusqu'à un endroit où la neige avait été piétinée par des petits pieds. Une trace en creux témoignait de l'endroit où son fils était tombé la veille.

Adam s'approcha d'un buisson. Il commença à dégager la neige et, bientôt, un trou apparut dans le sol. Nora estima qu'il était profond d'un mètre environ.

Sur son fond sablonneux, on devinait un sac plastique noir. À côté, on apercevait une masse plus claire. C'était grisâtre, avec une touche de vert. Ça semblait attaché à quelque chose d'allongé, plié selon un angle bizarre. Sa surface était couverte de points noirs, comme un grouillement d'insectes.

Le ventre de Nora se retourna quand elle comprit ce qu'elle était en train de regarder. Elle prit sur elle pour réprimer un haut-le-cœur. Adam était déjà assez secoué comme ça. Vomir sous ses yeux n'arrangerait rien.

Couverte de sueur froide, elle se pencha pour mieux voir. Elle s'était peut-être trompée, malgré tout ? Peut-être était-ce tout autre chose.

Adam avait reculé, il était à présent derrière elle. Elle l'entendait respirer, effrayé, le souffle court. En se retournant, elle croisa son regard apeuré, qui la suppliait de lui dire que tout ça n'était pas vrai, qu'il n'y avait pas lieu de s'inquiéter.

Mais l'évidence insoutenable s'imposait à Nora : ce que son fils avait trouvé enterré dans la forêt était bien un morceau de corps humain.

Ce n'était pas un jeu, c'était pour de bon.

13

IL FALLUT PRESQUE DIX MINUTES à Nora pour donner à Thomas une description un peu cohérente de la trouvaille des enfants. Derrière elle, Adam et Simon se chamaillaient. Elle dut les faire taire à plusieurs reprises tandis qu'elle essayait d'expliquer ce qu'elle avait vu en forêt avec Adam.

Thomas comprit la gravité de la situation et en informa rapidement Göran Persson, le chef de la police de Nacka, qu'on surnommait le Vieux. Il fut décidé que Thomas et sa collègue Margit Grankvist se rendraient au plus vite à Sandhamn.

Heureusement, un des hélicoptères de la police se trouvait justement stationné en centre-ville, à Slussen. Il pouvait les y transporter avec l'équipe de la police scientifique et le légiste. Des collègues de la police maritime les rejoindraient par bateau.

Nora les attendit près de la zone d'atterrissage sur le port, pour leur indiquer le chemin. L'après-midi tirait déjà à sa fin, mais ils arrivèrent étonnamment vite. L'hélicoptère bleu et blanc de la police ne passa pas inaperçu

La zone était à présent bouclée et les techniciens faisaient de leur mieux pour relever les indices qu'il était encore possible de recueillir, vu les circonstances. Nora était rentrée pour être avec les enfants. Thomas passerait la voir un peu plus tard. Pour l'heure, ils se dépêchaient d'inspecter le lieu de la découverte avant la nuit.

« Pas beau à voir », dit Margit en piétinant sur place pour se réchauffer. L'air humide de la mer pénétrait jusqu'à l'os. Elle était transie, malgré la couche supplémentaire de vêtements dont elle s'était munie avant de partir dans l'archipel, se souvenant à quel point elle avait eu froid l'automne précédent, pendant la recherche de la jeune fille disparue.

« Non », dit Thomas.

Il observait la scène qu'il avait sous les yeux. Sur une bâche blanche étalée sur la neige, les techniciens avaient précautionneusement posé le sac noir et son contenu, qu'ils avaient récupérés au fond du trou après les premières constatations.

Malgré l'air froid qui transformait leur haleine en panaches de fumée, Thomas crut sentir une vague puanteur, une odeur répugnante qui lui fit instinctivement froncer le nez. C'était bien sûr le fruit de son imagination, mais il avait envie de reculer. Il se força à ne plus songer à l'odeur et se pencha au contraire pour mieux voir.

Une main, un main gauche à moitié décomposée.

Les doigts étaient écartés et les ongles portaient des traces de ce qui ressemblait à du vernis mauve. Cette main prolongeait un avant-bras, dont la peau gris pâle était maculée de terre. Une montre avec un grand cadran doré était encore assez absurdement attachée autour du mince poignet.

Margit secoua tristement la tête.

« Quelle folie pousse à faire ça ? murmura-t-elle, autant pour Thomas que pour elle-même. La tuer ne suffisait donc pas ?

– Comment ? dit Thomas.

– Rien. Je parlais toute seule. » Margit fit une grimace et recula d'un pas. « Tu penses comme moi ?

– Que c'est la disparue ?

– Oui. Tu ne crois pas ?

– Certainement.

– Quelle est la probabilité de trouver des fragments d'un autre corps de femme quatre mois seulement après la disparition d'une jeune fille sur l'île ?

– Très faible, je suppose. »

Margit soupira tout en changeant de pied d'appui dans le froid. Ses cheveux courts teints dans les tons rouge vif disparaissaient sous son bonnet de laine noire. Seules quelques mèches dépassaient près des lobes de ses oreilles, presque aussi rouges que ses cheveux.

« Tu crois que ses parents pourraient identifier la montre ? dit-elle. Ça nous ferait gagner beaucoup de temps de ne pas avoir à attendre le test ADN. Ça peut prendre des semaines. »

Thomas se pencha pour examiner la montre de près. C'était un joli modèle, coûteux et sportif. Son large bracelet brillait sur la peau rongée. Ce séjour dans la terre glacée ne semblait pas l'avoir particulièrement abîmé.

« Si on leur montrait une photo, ils pourraient peut-être nous dire quelque chose. » Ignorant sa gêne, il continua. « Ce n'est pas une partie de plaisir d'aller leur demander, mais plus tôt on sera fixés... »

Il fut interrompu par un cri aigu.

En se retournant, il vit une femme arriver en courant à travers bois, sans se soucier du périmètre de sécurité. Son blouson bleu était ouvert et son visage exprimait la panique. Un policier en uniforme tenta de l'arrêter, mais elle parvint jusqu'à Thomas et Margit.

Thomas reconnut Marianne Rosén, la mère de Lina.

Il lui avait parlé à de nombreuses reprises au cours des recherches infructueuses de l'automne. À certaines périodes, ils se voyaient presque tous les jours, et il avait ressenti une profonde pitié à son égard.

C'était alors une femme enveloppée au regard désespéré, qui refusait d'accepter la disparition de sa fille. Elle était à présent maigre, avec de grands cernes sous les yeux. Ces mois d'incertitude l'avaient durement marquée.

« Ils m'ont dit que vous aviez trouvé quelque chose, haleta-t-elle. Mes voisins m'ont dit que vous étiez venus parce que vous aviez trouvé quelque chose. Est-ce que c'est Lina ? Vous devez me le dire si c'est elle. Est-ce que c'est ma petite fille ? »

Le ventre de Thomas se noua. Voir un fragment de corps était déjà dur pour un policier expérimenté. Il pouvait à peine imaginer ce que c'était pour un parent d'être forcé de voir son enfant chéri ainsi mutilé.

Thomas échangea un regard avec Margit, qui essaya de se placer devant la malheureuse. Mais avant que Thomas ait le temps de rien dire, elle continua, le contourna d'un bond d'une surprenante vivacité et aperçut les restes par terre.

Elle se figea en plein mouvement. Puis elle vacilla et tomba à genoux.

« Lina, murmura-t-elle. Ma chérie, qu'est-ce qu'ils t'ont fait ? »

Les larmes se mirent à couler sur ses joues. Elle ouvrit la bouche comme pour crier, mais il n'en sortit qu'un gémissement.

À fendre le cœur.

Ça aurait été plus facile qu'elle crie, pensa Thomas. L'hystérie, il la connaissait sous bien des formes. Mais ce chagrin sans fond lui coupait le souffle, comme s'il aspirait tout l'oxygène alentour.

Même s'il savait précisément ce que c'était de perdre un enfant, il ne savait absolument pas comment appréhender le désespoir de Marianne Rosén. Désemparé, il regardait cette femme anéantie agenouillée dans la neige.

Margit s'accroupit à côté d'elle et passa un bras autour de ses épaules secouées de sanglots. Avec douceur, elle l'éloigna de la bâche.

« Allez, venez. Ce n'est peut-être pas elle, nous ne savons rien pour le moment. Venez avec moi.

– C'est elle », chuchota Marianne Rosén.

Elle dévisagea Thomas. Sa voix était chargée de douleur.

« C'est la montre de Lina. Nous la lui avons offerte pour ses dix-huit ans. Elle la portait toujours. C'est le bras de ma fille. »

SANDHAMN, 1919

L'ARCHIPEL avait souffert des années de guerre. Le trafic des ferries ayant quasiment cessé, les touristes ne venaient plus.

Beaucoup des insulaires dépendaient d'eux, comme la veuve Wass, chaque semaine de plus en plus inquiète. Personne ne lui commandait plus sa perche à l'étouffée ou sa côte de veau aux cornichons – et de toute façon elle n'avait pas grand-chose à cuisiner en ces années de pénurie.

La difficulté d'accéder aux nouvelles du monde extérieur donnait libre cours à toutes sortes de rumeurs. Un jour, un ancien affirma qu'un traité de paix allait être conclu, et que l'archipel reviendrait aux Russes. On s'inquiéta, même si au fond on ne croyait pas trop aux spéculations du vieux.

Gottfrid s'était habitué au silence qui régnait chez lui.

Vendela faisait le minimum. Elle s'occupait du petit, tenait la maison à peu près propre et veillait à ce que ses uniformes soient lavés et amidonnés. Thorwald ne criait plus famine et ses vêtements n'étaient ni sales ni déchirés.

Gottfrid s'acquittait consciencieusement de son travail aux douanes. Chaque soir, il restait tard pour s'assurer que le registre fût correctement rempli. Chaque inspection devait être effectuée avec rigueur, quel que soit le nombre de bateaux au port. Dans son bureau, Gottfrid rangeait ses papiers et ses crayons en ordre militaire. Il n'y avait rien à reprocher à son travail, au contraire. Il recevait les louanges de ses supérieurs.

Mais il n'arrivait pas à comprendre Thorwald.

C'était sans aucun doute son fils, il voyait bien, à défaut d'autre chose, certaines ressemblances physiques entre le garçon et lui. Ils avaient les mêmes cheveux blonds et raides, les mêmes yeux enfoncés et éveillés.

Mais il ne ressentait rien pour son rejeton.

La tristesse et l'amertume face à la transformation subie par son épouse obscurcissaient tout. Au fond de lui-même, Gottfrid reprochait à son fils la métamorphose de Vendela. Avant l'arrivée du garçon, il avait conçu de telles espérances ! Mais le rêve d'une famille heureuse était resté un rêve. Ni sa femme ni son fils n'étaient à la hauteur de ses attentes.

Thorwald était un garçon timide qui évitait son père. Il restait dans son coin à la cuisine avec ses jouets, surtout des branches et des pommes de pin qu'il trouvait dans la forêt. Il aimait beaucoup un bateau en écorce que lui avait donné son grand-père maternel. Un beau jour de printemps, ils étaient partis ensemble à la recherche d'un beau morceau d'écorce. Puis son grand-père s'était assis au soleil pour le sculpter.

Les beaux-parents de Gottfrid venaient parfois en visite, mais c'était rare et toujours bref. Ils ne pouvaient pas s'absenter longtemps de Möja, il fallait s'occuper des animaux, rentrer le foin. Et puis ils avaient cinq autres enfants, dont trois étaient restés à Möja.

Un jour, son beau-père prit Gottfrid à part pour essayer gauchement de lui parler.

« Elle n'était pas bien gaie non plus, gamine », dit-il en tripotant sa pipe. Les cals de ses mains ressortaient, plus clairs. « Parfois, elle pleurait pendant des semaines pour rien du tout. Sa mère trouvait qu'il fallait la laisser tranquille. Ça passera, qu'elle disait. » Il bourra sa pipe. « Tu verras, avec le temps, ça ira mieux. »

Il tira une bouffée en secouant la tête.

« Aucun des autres enfants n'est comme Vendela. Mais elle était si jolie, nous étions certains que ça s'arrangerait. Surtout quand elle a été en âge de se marier et qu'elle t'a rencontré. Une mère de famille n'a pas le temps pour ce genre de bêtises. »

L'inquiétude se lisait dans ses yeux cernés de rides profondes. Son beau-père avait à peine cinquante ans, mais on lui en aurait donné soixante-dix.

Gottfrid se tut.

Il n'y avait rien à dire. Vendela n'était qu'une ombre. La plupart du temps, elle évitait son regard. La belle jeune fille dont il était tombé amoureux au bal de la Saint-Jean n'existait plus.

Ses longues boucles blondes étaient tirées en chignon, comme si ses cheveux étaient collés à son crâne. Cela soulignait crûment combien elle en avait perdu après la grossesse. Elle semblait toujours enceinte, son ventre était gonflé et ses seins pendaient, lourds. Les beaux traits de son visage s'étaient affaissés.

Gottfrid était pris de dégoût en la voyant arriver en traînant les pieds. Pourquoi ne se ressaisissait-elle pas ? Pourquoi fallait-il que ça tombe sur lui ? Une épouse incapable, quelle malchance !

Quand il s'approchait d'elle la nuit, elle se laissait faire. Sans bruit, sans bouger. Il s'était habitué à s'en satisfaire. Après, elle pleurait, mais ça aussi, il s'y était habitué. De toute façon, elle pleurait si souvent.

Un jour, Gottfrid rentra du travail plus tard que d'ordinaire. Il avait fallu traiter de nombreux problèmes. Avec la guerre, beaucoup de directives arrivaient de la capitale et, cette fois, une longue circulaire venait de leur parvenir, détaillant les nouvelles régulations douanières.

Ses supérieurs s'en étaient inquiétés, car ces nouvelles directives étaient entrées en vigueur depuis des semaines. Ils avaient tardé à s'y conformer. Certes, c'était parce qu'ils ne les avaient pas encore reçues, mais ce genre d'excuse était rarement admise en haut lieu.

Gottfrid était fatigué quand il ouvrit la porte. Mais pas assez pour ne pas voir son fils filer dans la chambre au seul bruit de ses pas.

« Thorwald, appela-t-il. Tu ne viens pas dire bonjour à ton père ? »

Le gamin s'approcha, sur ses gardes. Il continuait à rester dans son coin la plupart du temps, sans rechercher la compagnie de son père. Il préférait se cacher dans les jupons de sa mère.

L'attitude de son fils énervait Gottfrid.

Son aîné ne serait pas un fils à maman. Il ne le tolérerait pas. À son âge, son propre père montrait déjà les premiers signes de sa maladie, et Gottfrid avait dû commencer à aider à la maison.

Vendela était aux fourneaux, dos à lui. Elle avait à peine levé la tête à l'entrée de Gottfrid.

Gottfrid prit une voix douce.

« Viens voir ton père », sussura-t-il en avançant vers son fils. Quelque chose craqua sous sa botte. Il baissa les yeux et vit qu'il avait marché sur le bateau en écorce avec lequel le gamin jouait tout le temps.

En relevant la tête, il croisa le regard désespéré de Thorwald. L'expression de son visage enfantin était figée, comme s'il venait d'être témoin d'un terrible accident.

Le bateau en écorce était brisé en plusieurs morceaux. Il était irréparable, le mât tombé, la coque fendue. Gottfrid poussa du pied les débris vers la poubelle.

Le gamin n'avait toujours pas dit un mot, mais sa lèvre inférieure tremblait violemment. De grosses larmes pendaient à ses cils blonds.

« On t'en refera un, de bateau, dit Gottfrid pour s'excuser. Ou alors on demandera à grand-père de t'en sculpter un nouveau la prochaine fois qu'il viendra nous voir. »

Thorwald ne disait toujours rien, mais ses larmes coulaient et tout son corps tremblait.

Ses pleurs étaient comme ceux de Vendela, des pleurs silencieux, apeurés, que Gottfrid avait du mal à supporter.

« Arrête ça, maintenant. Il n'y a pas de quoi pleurer. »

71

Irrité, Gottfrid se détourna et ôta son manteau. Il passa une minute à pendre soigneusement son bel uniforme, puis regarda à nouveau son fils.

Thorwald n'avait pas bougé et le regardait comme s'il était le diable en personne. L'effroi qui se lisait dans ses yeux éveilla la colère de Gottfrid. Comme une allumette jetée dans le bûcher de la Saint-Jean.

« Ça suffit, fils ! » rugit-il en tapant du poing sur la table.

Vendela se figea devant ses fourneaux. Thorwald inspira profondément, comme s'il essayait vraiment de se calmer. Il frémit, mais se remit à pleurer de plus belle. Les larmes se pressaient à ses yeux, un filet de morve pendait à son nez.

Gottfrid bouillait. Il était fatigué, avait faim. La journée avait été difficile et il n'avait pas l'intention de supporter ces bêtises.

« Maintenant, ça suffit, compris ? »

Gottfrid leva la main, un avertissement auquel Vendela était habituée. Cela suffisait pour qu'elle lui obéisse. Gottfrid mettait en général ses menaces à exécution.

Pourtant il hésita. Gottfrid n'avait jamais levé la main sur son fils. Mais il fallait étouffer dans l'œuf la rébellion chez ce gamin. Un garçon de son âge ne devait pas pleurnicher comme une fille. Ce n'était qu'un bateau en écorce, après tout.

« Arrête. Je ne le répéterai pas. »

Thorwald hoqueta.

Cela suffit à mettre Gottfrid hors de lui.

La gifle renversa Thorwald, qui resta étalé par terre. Vendela poussa un cri, puis elle aussi se mit à geindre. Elle se précipita à genoux près de Thorwald. Avec un regard de reproche à son mari, elle serra son fils dans ses bras.

« Laisse-le tranquille, tu entends ? Ne le touche pas ! » cria-t-elle.

Gottfrid la repoussa brutalement.

« Tais-toi. Les garçons, ça ne pleure pas. » Il se tourna vers Thorwald. « Est-ce que tu es une fillette ? »

Il attrapa Thorwald par le poignet et l'arracha à Vendela. Sans ménagement, il le traîna jusqu'à la commode, dans un coin de la pièce. C'était là que sa mère avait rangé les affaires de sa sœur, morte à l'âge de huit ans. Furieux, il sortit une robe bleu clair du tiroir du bas et la jeta à la tête de Thorwald. Le gamin avait cessé de pleurer et regardait à présent son père avec une terreur sans fard. Vendela était toujours à genoux. Elle se balançait d'avant en arrière en se tenant le ventre.

Gottfrid enfila brutalement la robe sur le corps malingre. Puis il se releva et lui ajusta le col.

« Si tu te comportes comme une fille, tu seras habillé comme une fille. »

Il ouvrit la porte à la volée. Le soleil couchant les éblouit soudain. Thorwald cligna des yeux. Il semblait complètement perdu.

Les cris des enfants des voisins qui jouaient dehors parvinrent jusqu'à eux. Instinctivement, Thorwald se plaqua contre le mur, comme un animal qui cherche où se terrer.

Cela n'arrêta pas Gottfrid. Il prit rudement son fils par les épaules et le jeta sur le perron.

« Et ne reviens pas avant de te comporter comme un vrai garçon. »

La porte claqua.

Gottfrid se tourna vers Vendela qui le fixait, bouche bée. Ses yeux rougis de larmes n'arrangèrent rien à son humeur.

« Quoi ? Ce gosse a besoin d'être élevé. Si tu en es incapable, je vais m'en occuper. »

Furieux, il s'assit à la table de la cuisine. Il savait qu'il avait agi sous le coup de la colère. Mais ce qui était fait était fait, il fallait éduquer ce gosse. Les pleurnicheries continuelles de Vendela ne lui valaient rien de bon. Ça en faisait un faible.

Ce gamin, il fallait l'endurcir, comme lui-même l'avait été dans ses jeunes années.

14

ILS AVAIENT PRÉVU de revenir avec une des vedettes de la police qui devait les poser à Stavsnäs.

Le légiste avait administré un calmant à la malheureuse Marianne Rosén qui était rentrée se reposer, accompagnée par son mari. Anders Rosén était arrivé sur place après son épouse. Le visage couleur de cendre, il avait lui aussi identifié la montre au poignet du membre posé sur la bâche. Le cadeau d'anniversaire de Lina. Ils purent vérifier l'inscription sous le boîtier.

La zone resterait bouclée encore quelque temps. Il faudrait à nouveau passer l'île au peigne fin. Ne serait-ce que pour chercher d'autres fragments de corps.

Facile à dire, songea Thomas. Le sol était gelé et recouvert d'une épaisse couche de neige. Ce ne serait pas une partie de plaisir.

Staffan Nilsson, un des techniciens de la police scientifique avec lequel Thomas avait plusieurs fois eu l'occasion de travailler, le prit à part pendant que Margit s'occupait de la mère de Lina. Il l'invita à regarder le trou de plus près.

« On dirait que le trou a été creusé avant l'hiver, dit-il. Regarde : la terre est gelée jusqu'au fond. Creuser par ce froid serait extrêmement difficile. »

Il montra sur les parois inégales ce qui ressemblait vaguement à des griffes.

« Je dirais que le meurtrier a enterré le sac avant le gel. Puis un animal est venu, un renard peut-être, attiré par l'odeur, qui l'a déterré. Avant que la terre ne gèle, donc, ajouta-t-il. Et tu vois ces racines, au fond ? Il n'a probablement pas été possible de creuser plus profond. L'île en est pleine. Difficile de faire grand-chose avec une simple pelle.

– Donc le meurtrier a dû abandonner ?

– En tout cas, il s'est arrêté là. Il a peut-être sous-estimé la difficulté. Mais ce trou peu profond explique qu'un animal ait pu déterrer le sac. »

Il désigna le membre terreux sur la bâche, derrière eux.

« Il faudra bien sûr se livrer à un examen approfondi, mais il se pourrait que le sac ait contenu d'autres fragments de corps. Que le renard aura emportés. »

Thomas se blinda à l'idée qu'un animal ait pu ronger les restes de la jeune fille. Mais si cette théorie se tenait, elle expliquerait pourquoi Adam avait trébuché et s'était coincé le pied : une bête avait déterré le sac que le meurtrier avait tenté d'enfouir. Puis la neige était tombée, effaçant toutes les traces. Jusqu'à ce que le garçon se prenne le pied dans la cachette.

Mais où se trouvait alors le reste du corps de Lina Rosén ?

« D'un point de vue purement théorique, elle peut tout à fait être encore en vie, souligna Nilsson. Un avant-bras n'est pas un organe vital, on peut très bien survivre privé d'un, voire des deux bras.

– Tu veux dire qu'on lui aurait coupé un bras, puis qu'on l'aurait séquestrée plusieurs mois. » Thomas ne cachait pas son scepticisme.

« Je n'ai pas dit ça. » Le technicien semblait un peu vexé de l'accueil fait à sa remarque. « Je veux juste faire remarquer que la perte d'un bras n'est pas en soi une cause de décès. Le légiste le mentionnera sûrement lui aussi dans son rapport d'autopsie. »

Thomas savait qu'il avait raison.

Ils ne pouvaient pas avoir la certitude que la jeune fille était morte avant de trouver d'autres parties du corps, ou que l'autopsie prouve que le membre avait été coupé post-mortem.

Mais il était difficile de croire qu'elle était toujours en vie.

« Il est peu vraisemblable qu'elle ait pu être cachée vivante sur l'île, gravement mutilée en plus, dit-il pour tenter de fléchir Nilsson.

– Oui, mais d'un point de vue purement théorique, c'est possible, s'entêta Nilsson.

– Mais alors, pourquoi lui couper un bras ? Et pourquoi l'enterrer ?

– Ça, c'est ton boulot de le dire. C'est toi l'enquêteur. »

Thomas frotta ses mains engourdies. Ses doigts étaient gelés dans ses gants. Il observa le trou quelques minutes encore tout en réfléchissant.

« Quand le bras a-t-il été enterré, à ton avis ?

– Difficile à dire, répondit Nilsson en se grattant la nuque. Mais encore une fois, je pense que le trou a été creusé avant qu'il gèle.

– Le froid est arrivé assez tard cette année, dit Thomas. Vers Noël, sauf erreur. Je me souviens qu'il pleuvait pour la Sainte-Lucie.

– Quand a-t-elle disparu ?

– La police a été prévenue le 4 novembre.

– Alors le meurtrier a eu un mois et demi devant lui, nota Nilsson. Il a peut-être eu le sang-froid d'attendre que ça se tasse. Puis il s'est mis au travail pour enterrer sa victime.

– Mais pourquoi se donner la peine de l'enterrer ici ? Pourquoi ne pas simplement jeter le sac à la mer, lesté d'une grosse pierre ? » dit Thomas en regardant autour de lui dans la forêt.

Il s'étonna qu'elle soit aussi dense et étendue, alors qu'on était sur une île. Pas une maison en vue, l'endroit était vraiment désert. Ici, on se serait facilement cru seul sur l'île. Le meurtrier avait sans aucun doute pu creuser sans être dérangé.

Nilsson secoua la tête.

« Qui sait ce qui se passe dans la tête de ces cinglés. Pour moi, c'est clair, celui qui a fait ça est un malade. »

Il sortit une boîte de tabac à chiquer et s'en fourra une pincée dans la bouche.

« Il s'est peut-être dit que le plus simple était d'aller dans les bois creuser un trou là où personne ne pouvait le voir. Ou alors il a eu des remords et a décidé d'enterrer la fille malgré tout.

— Des morceaux de la fille, tu veux dire, fit Thomas, regrettant aussitôt sa pique.

— On ne sait pas ce que contenait le sac au départ. Mais ce n'est pas surprenant qu'il ait divisé les restes de sa victime en plusieurs sacs. Même une fille fluette comme cette malheureuse devait peser au moins dans les cinquante kilos. Pour n'importe qui, c'est lourd à traîner. Le meurtrier a peut-être compris qu'il lui fallait diviser le corps pour réussir à le transporter.

— Peut-être bien, opina Thomas. En tout cas, il faut chercher les autres morceaux.

— Sûrement ailleurs, dit Nilsson. Si le meurtrier a constaté qu'il était trop difficile de creuser dans la forêt, il devrait avoir cherché un autre endroit où enfouir le reste.

— Plus près des plages, peut-être, proposa Thomas. Il devrait être plus facile de faire un trou profond dans le sable que dans la forêt. » Il se frotta à nouveau les mains dans une vaine tentative d'activer sa circulation.

« Au fait, quand avez-vous cessé les recherches ? » demanda Nilsson en s'étirant.

Thomas réfléchit.

Deux jours durant, ils avaient fouillé l'île sans relâche. Puis les forces de police avaient quitté Sandhamn. Il n'y avait plus rien à faire, comme Thomas avait essayé de l'expliquer avec tact aux époux Rosén. Rien ne motivait la poursuite des battues. L'heure était aux restrictions budgétaires, il fallait chaque jour fixer des priorités.

L'enquête continuerait, mais avec d'autres méthodes.

« Au bout de quelques jours », répondit-il à Staffan Nilsson.

Sans succès, Thomas essaya d'imaginer une cachette possible. C'était malgré tout une petite île. Pas une grande ville où quelqu'un pouvait se terrer des années sans qu'on le trouve.

Pouvait-elle vraiment avoir été là depuis le début, séquestrée quelque part ?

D'une certaine façon, il espérait que non, que poursuivre les recherches n'aurait servi à rien. Imaginer le contraire était pénible : il aurait alors été possible de la sauver, avec davantage de moyens policiers.

Staffan Nilsson interrompit ses réflexions.

« On verra ce que nous apprend l'autopsie. Ils sont forts, les légistes. D'habitude, ils éclairent notre lanterne. »

Thomas hocha la tête, puis s'accroupit devant la sombre terre gelée où les restes de Lina Rosén avaient été cachés sous une lourde couche de neige.

Comment une jeune fille avait-elle pu faire l'objet d'un tel déchaînement de violence ? Et qui avait pu faire ça ?

15

« CLINIQUE SAINT-ERIK, service de psychologie post-traumatique. »

La voix du répondeur avait un timbre métallique. Nora attendit d'avoir quelqu'un au bout du fil.

« Je voudrais parler à Annie Widell. »

Revenus de la forêt, ils avaient bu un chocolat chaud avec des brioches congelées qu'elle avait réchauffées au micro-ondes. Elle avait raconté tout ce qu'elle savait à Thomas, qui essaierait de repasser plus tard pour parler aux garçons.

Nora avait fait de son mieux pour que tout semble normal et rassurant pour les enfants. Ils avaient fait du feu dans le poêle blanc du séjour et elle avait allumé quelques bougies pour l'ambiance.

Puis ils avaient sorti un Monopoly pour se changer les idées. Absorbés dans une lutte acharnée pour la possession de Norrmalmstorg ou Kunsgatan, ils s'étaient défoulés en tentant de tirer la meilleure carte.

Les deux garçons étaient à présent devant une série américaine avec des super-héros aux pouvoirs surhumains. Nora était allée téléphoner dans la chambre, pour que les enfants ne l'entendent pas.

« Annie Widell. »

Nora en aurait pleuré de soulagement. Si Annie n'avait pas décroché, elle n'aurait pas su quoi faire. À présent elle l'avait au bout du fil et Nora savait que son amie, psychologue diplômée, était exactement la personne avec qui elle avait besoin de parler.

« C'est Nora. » Un sanglot lui échappa.

« Qu'est-ce qu'il y a, Nora ? Tu pleures ? »

Nora serra très fort le téléphone en tentant de se ressaisir. Sa voix était à peine audible.

« Il s'est passé quelque chose d'horrible. »

Nora lui résuma les événements de l'après-midi en forêt. Elle lui parla aussi brièvement de Henrik, du divorce, lui dit pourquoi elle ne se voyait pas revenir tout de suite en ville.

« Ça a tout d'une expérience traumatique, dit Annie Widell, mais ce n'est pas forcément un choc psychique.

– Et si les garçons étaient traumatisés à vie ? lâcha Nora. Je ne sais pas quoi faire.

– Du calme. » Posée, Annie prit bientôt un ton professionnel. « Naturellement, ces événements sont bouleversants, et c'est vraiment malheureux que les enfants aient découvert le sac. Mais de là à provoquer un traumatisme psychique, il s'en faut de beaucoup.

– Comment ça ?

– Un événement trop dur à digérer quand il se produit peut devenir un trauma. Surtout s'il semble nous échapper et provoque un sentiment d'impuissance. On peut dire alors qu'il surcharge les défenses psychiques, d'où une réaction. »

Annie se tut quelques secondes avant de reprendre :

« Mais tu me dis que Simon t'a raconté spontanément ce qui s'était passé. Adam aussi ?

– Il a fini par le faire, oui.

– Tant mieux, cela signifie qu'ils ont pris le contrôle de la situation. En se confiant à toi, ils n'ont pas capitulé face au danger, tu vois ce que je veux dire ?

– Je crois.

– Tu dois être attentive ces prochains jours. Voir s'ils dorment mal, se mettent en colère sans raison ou sombrent dans l'apathie. Comment se sont comportés tes enfants, aujourd'hui ? »

Nora réfléchit.

Le Monopoly s'était très bien passé. Même Adam, qui n'était pas bon perdant, avait fini la partie sans se fâcher. Simon n'avait montré aucun signe de trouble. En même temps, il avait beaucoup moins le sens de la compétition que son grand frère.

« Comme d'habitude, je dirais. Adam a peut-être été un peu plus silencieux que d'habitude.

– C'est bon signe. Bien sûr, tu dois être présente et à l'écoute si l'un d'eux veut te parler de ce qu'il a vécu. Mais ne les bouscule pas. Veille juste à être disponible.

– Est-ce que je devrais rentrer en ville avec les enfants ? »

Nora osait à peine poser la question. Il faudrait alors qu'elle aille à l'hôtel, ou s'installe chez ses parents. Dans un premier temps, elle n'avait pas l'intention de revenir à leur pavillon de Saltsjöbaden. Elle se souvint alors que le bien-être des enfants devait passer avant son propre besoin de séjourner sur l'île.

« Je ne crois pas. Tu risques par la suite que les enfants associent Sandhamn à quelque chose d'horrible. Il vaut mieux que vous restiez quelques jours pour tourner la page. Cela pourra alors être vécu comme de vraies vacances, tandis que le souvenir horrible s'estompera. »

Nora soupira.

La conversation achevée, les mots d'Annie tournaient encore dans sa tête. Le plus important était de se comporter normalement et de s'en tenir aux habitudes. La confiance et beaucoup d'amour pouvaient faire des miracles.

« CE NE SERA PLUS TRÈS LONG, maintenant. »
La voix de la sage-femme réveilla Gottfrid. Il s'était assoupi et regardait autour de lui, encore tout endormi. De la chambre voisine parvenaient les gémissements de Vendela. Cela durait depuis si longtemps qu'il avait fini par s'y habituer.

La sage-femme repartit. Gottfrid se redressa et se passa la main dans les cheveux. Il avait soif et puisa une louche d'eau dans le seau près de la cuisinière.

La porte d'entrée s'ouvrit.

« Père ? » Le visage apeuré de Thorwald apparut dans l'embrasure. « Est-ce que je peux rentrer, maintenant ? J'ai froid. »

Gottfrid secoua la tête.

« Pas encore. »

La porte se referma.

Vendela en était déjà au septième mois quand elle lui annonça sa grossesse. C'était en juin, et l'enfant devait naître en septembre. Son corps volumineux qu'elle traînait sous sa robe noire n'en laissait rien deviner. Mais un soir, alors qu'elle venait maladroitement de lui renverser dessus de la bouillie brûlante et qu'il levait la main sur elle, elle le lui révéla.

« Pense au petit ! » cria-t-elle comme il allait frapper.

Il retint son geste. Thorwald, assis au bout de la table, leva des yeux craintifs. Gottfrid sentit à sa voix qu'elle ne parlait pas de son fils.

Il la regarda, interloqué.

« Je suis enceinte », chuchota-t-elle.

Il considéra les rondeurs qui n'étaient pas là quelques mois plus tôt. Les seins étaient plus gonflés qu'à l'ordinaire. Mais il n'y avait pas prêté attention.

Lentement, il essuya la bouillie collée à sa chemise.

Un autre enfant. Ce n'était pas impossible. Il leur arrivait d'avoir des rapports conjugaux. Mais Thorwald était né six ans plus tôt, et Gottfrid avait cessé de compter sur d'autres enfants. La transformation de Vendela après la naissance de Thorwald l'avait échaudé.

Gottfrid se leva de table. Sans un mot, il prit son manteau et sortit dehors. Il avait besoin de calme pour réfléchir.

Une fois encore, sa belle-mère était venue de Möja.

Cette fois, la situation n'était pas aussi critique : à présent, Vendela s'acquittait au mieux de ses tâches.

Elle n'osait pas faire autrement, arrivait-il à Gottfrid de penser, au petit matin, quand le sommeil lui faisait défaut.

Sa belle-mère se faisait du souci pour le petit Thorwald. Il était bien trop maigre et riait trop rarement. Où étaient les camarades de jeu qu'un petit garçon de son âge devrait avoir sur une île comme Sandhamn ?

Gottfrid ne savait pas quoi dire. Thorwald se débrouillait. C'était juste un enfant craintif qui ne se faisait pas remarquer.

Son fils avait continué à le décevoir. Il tenait de sa mère, à qui il ressemblait chaque jour davantage. En présence de son père, il ouvrait à peine la bouche.

Gottfrid ne le comprenait pas. À son âge, il ne manquait pas une occasion de sortir jouer avec les gamins de l'île. Il avait été triste de devoir quitter ses camarades quand il avait été forcé de pêcher avec son oncle et n'avait plus eu de temps pour aller gambader et jouer.

Il avait fait quelques tentatives d'emmener son fils en mer, mais Thorwald finissait toujours par fondre en larmes. Son fils avait peur des poissons qui frétillaient, geignait que les filets étaient lourds, l'eau froide. Quand Gottfrid perdait patience et lui donnait une gifle, il pleurait de plus belle en appelant sa mère.

Gottfrid ne savait pas comment s'y prendre avec lui. Ce gosse était sans force, songeait-il. Il fallait l'élever à la dure, sans quoi, comment se débrouillerait-il dans la vie ?

« C'est une petite fille. »

La sage-femme souriait dans l'embrasure de la porte. Elle portait dans ses bras un paquet où un visage fripé rose pâle disparaissait presque parmi les langes. Sa belle-mère était restée auprès de Vendela.

Gottfrid jeta un œil au paquet. Les yeux bleus étaient grands ouverts. Il tomba en arrêt devant sa fille. La sage-femme sourit à nouveau et lui mit le nouveau-né dans les bras.

« Là, tu peux la tenir pendant que je vais m'occuper de ta petite femme. »

La chaleur du corps de sa fille se communiqua au sien. La petite était immobile, sa petite bouche bien fermée. Son regard était fixé sur le visage de son père, comme si elle voulait graver ses traits en elle pour le restant de ses jours.

Un sentiment étrange s'empara de Gottfrid.

Le visage de la petite lui rappelait sa mère, même s'il trouvait cette pensée ridicule. Il était impossible de distinguer ces ressemblances chez un nouveau-né. Pourtant, quelque chose autour des yeux et cette bouche fermée lui évoquaient sa défunte mère.

Il la revit lui donnant une petite tape sur la joue quand il rentrait de la pêche avec oncle Olle. L'amour de sa mère était alors la seule chose qui comptait dans sa vie.

Gottfrid était immobile, sa fille qui venait de naître dans les bras. Le regard bleu sombre le dévisageait toujours, elle ne semblait pas cligner des yeux.

Un sanglot échappa à Gottfrid et cela le bouleversa.

« Kristina, murmura-t-il. Elle s'appellera Kristina, comme Mère. »

16

« QUI VEUT DU CAFÉ ? »
Hanna Hammarsten se leva de table en interrogeant du regard son mari et sa fille. Ils avaient terminé les lasagnes, il allait être dix-neuf heures trente. Il faisait nuit noire de l'autre côté de la fenêtre qui donnait sur la plage de Trouville.

« Charlie ? »

Elle commença à rassembler assiettes et couverts.

« Oui, volontiers. » Il attrapa la télécommande.

« Tu es obligé de mettre tout de suite la télé ?

– Le journal commence bientôt. On a fini de dîner, non ? Je veux juste regarder les nouvelles. »

Hanna fit une grimace. Charlie voulait toujours que la télévision soit allumée. Elle préférait la laisser éteinte, au moins pendant les repas.

Elle se tourna et commença à remplir l'évier.

« Louise, il va falloir m'aider. » Hanna jeta un regard impérieux à sa fille.

« Oui, oui.

– Maintenant, ce serait possible ? »

Louise se leva en traînant les pieds et lui passa une première assiette.

La distance entre la table de la cuisine et l'évier n'était pas bien grande, quelques mètres à peine. Ils avaient acheté cette maison à Trouville au début des années 1990, puis l'avaient rénovée et agrandie. Du vieux bungalow des années 1950 ne restait que l'ossature, autour d'une grande surface ouverte où cohabitaient cuisine, séjour et une cheminée maçonnée. Ils avaient changé les fenêtres et construit une large terrasse en bois orientée au sud-ouest, face à la plage.

Hanna adorait cette maison que leur avait conseillée un ami alors qu'ils cherchaient une résidence secondaire dans l'archipel, pas trop loin de Stockholm.

Sandhamn convenait parfaitement. De leur domicile de Bromma, il fallait une heure de voiture pour rejoindre Stavsnäs, d'où les ferries faisaient toute l'année la navette. Moins de deux heures porte à porte.

Le seul inconvénient de vivre à Trouville était de devoir faire un quart d'heure de vélo pour arriver au village, avec ses boutiques, ses restaurants et surtout sa fameuse boulangerie. D'un autre côté, c'était l'occasion de faire un peu d'exercice, alors qu'il était facile de prendre quelques kilos pendant l'été. Brioches du marin, soirées barbecue, tartes aux myrtilles : il était presque impossible de surveiller sa ligne pendant les vacances, alors se bouger un peu ne faisait pas de mal.

Mais en hiver, c'était comme vivre sur une autre planète. À part sa famille, elle n'avait vu personne de la journée : elle n'avait pas eu le courage de descendre au village par ce temps gris et avait préféré rester à la maison avec un livre.

« Bordel ! »

Hanna sursauta, surprise par le juron de Charlie, et se tourna, le plat de lasagnes encore à la main.

« Qu'est-ce qu'il y a ? »

Il montra de la télécommande l'écran où défilaient les dépêches en caractères jaunes.

Cadavre trouvé à Sandhamn : La police a trouvé aujourd'hui des fragments de corps humain sur l'île de Sandhamn, dans l'archipel de Stockholm. Le porte-parole de la police ne veut pas encore confirmer qu'il s'agit bien de la jeune fille disparue sans laisser de traces sur l'île en novembre 2006, mais admet qu'il peut y avoir un lien.

Hanna posa le plat et se laissa tomber sur une chaise. Ses jambes, soudain, se dérobaient sous elle.

« Mon Dieu, et si c'était Lina. » Elle porta la main à sa bouche. « Pauvre Marianne, pauvres, pauvres Anders et Marianne », chuchota-t-elle.

Charlie lui posa le bras sur l'épaule pour la réconforter. Son visage était blême. Louise n'avait pas dit un mot. Elle était assise face au téléviseur, figée. Elle lâcha alors un petit gémissement.

« Maman. » Son visage se défit et elle fondit en larmes.

« Ma petite. » Hanna se leva à demi pour l'attirer contre elle. « Ils n'ont pas confirmé que c'était elle. Ils ne savent encore rien. » Elle se tourna vers Charlie. « Mets le journal. C'est l'heure du flash. »

Louise était en boule dans son lit. Elle était allée se coucher tôt. Elle était encore sous le choc après ces terribles informations.

Elle songeait aux policiers qui étaient venus la voir après la disparition de Lina, le grand gentil et la femme d'une cinquantaine d'années au regard intense.

Elle était la dernière à avoir vu Lina en vie, elle se rappelait son amie s'éloignant dans le noir sur son vélo. Elle avait crié « Salut ! » par-dessus son épaule.

Puis Louise avait refermé la porte et n'avait plus jamais revu Lina.

Elles étaient les meilleures copines depuis leur rencontre au cours de natation, à neuf ans. La photo utilisée pour l'émission *Avis de recherche* avait été prise sur la terrasse de leur maison. Hanna l'avait prise et en avait donné un tirage à Marianne. Lina était souvent restée dormir chez eux, elles avaient tout le temps dormi l'une chez l'autre.

Une larme coula le long de sa joue et Louise enfouit son visage dans l'oreiller pour étouffer un sanglot.

C'était forcément elle, qui d'autre, sinon ?

Au journal télévisé, ils avaient parlé de fragments de corps, spéculé sur un meurtrier découpant ses victimes. Aussitôt, Louise se sentit toute petite et apeurée. Elle attrapa sa vieille peluche, un lapin aujourd'hui plus gris que blanc. Elle ne savait pas pourquoi elle l'avait conservé après toutes ces années, mais à présent elle le serrait fort contre elle.

Au début, après la disparition de Lina, Louise s'était demandé si elle ne s'était pas suicidée. Lina avait été tellement désespérée après l'accident où Sebastian avait trouvé la mort, elle pensait que c'était de sa faute. Son sentiment de culpabilité l'avait peut-être poussée à faire une bêtise cette nuit-là ? C'était la seule explication plausible, même si, au fond, Louise ne voulait pas croire ça de son amie.

Malgré ses doutes, elle en avait parlé à la police. Avec le temps, elle s'était persuadée elle-même que c'était ainsi que les choses avaient dû se passer. Lina n'était pas du tout rentrée chez elle cette nuit-là. Elle s'était jetée dans l'eau glacée et s'était noyée.

Exactement comme Sebastian.

Elle comprenait à présent qu'il s'était passé quelque chose de plus horrible encore. Lina avait été assassinée.

Louise serra plus fort encore la vieille peluche. Une idée l'effleura alors. Elle la repoussa, en vain.

Elle vit devant elle un visage familier.

Jakob.

Elle entendit sa voix qui s'emportait contre Lina. La colère qui débordait. La peur dans les yeux de Lina.

Jakob.

17

RENTRÉS AU COMMISSARIAT, Thomas et Margit s'étaient installés dans la petite salle de conférences à côté de la kitchenette. En revenant de Sandhamn, ils avaient englouti chacun une pizza.

Le dossier de l'enquête de l'automne sur la disparition de Lina Rosén s'étalait sur la table ovale : rapports, photos, mémos, dépositions de témoins et transcriptions d'interrogatoires effectués quelques mois plus tôt. Ils avaient passé une grande partie du mois de novembre à rechercher les amis et parents de la disparue pour tenter de comprendre ce qui lui était arrivé. Mais sans résultat. Puis d'autres enquêtes avaient réclamé leur attention.

Quelques heures plus tard, ils avaient tout relu, tandis que leurs collègues plus jeunes recherchaient dans les bases de données de la police des meurtres similaires qui pourraient fournir des pistes ou des indices.

Un mot les attendait à leur retour de Sandhamn. La nouvelle assistante qui avait remplacé Carina, Karin Ek, la cinquantaine grisonnante et élancée, les informait qu'Oscar-Henrik Sachsen, de l'institut médico-légal de Solna, avait appelé. Il promettait de donner la priorité à leur enquête. Il devrait pouvoir leur communiquer les premiers éléments dès le lendemain matin.

« Ça, c'est une bonne nouvelle », dit Margit.

Thomas hocha la tête.

« Tu te souviens, cet automne, quand on est allés à Uppsala parler à ses camarades de cours ? » dit-il.

Margit joignit les mains derrière sa tête et se pencha en arrière. Les couloirs étaient presque déserts et, dehors, la nuit était compacte. Quelques flocons virevoltaient. La température avait chuté à moins seize. Margit se sentait encore transie après ces heures passées dans la forêt.

« Bien sûr. Nous avons aussi rencontré quelques-uns de ses profs.

– Plusieurs personnes nous ont signalé que le comportement de Lina avait changé après les vacances d'été. »

Thomas se plongea dans la pile de documents qu'il feuilleta jusqu'à trouver ce qu'il cherchait.

« D'élève modèle, elle s'est mise à négliger complètement ses études, reprit-il en survolant le texte des yeux. Elle a commencé à beaucoup faire la fête et s'est plantée à plusieurs partiels. Au bout d'un mois seulement, elle a interrompu ses études pour rentrer chez elle.

– Et elle a rompu avec le petit ami qu'elle avait à Uppsala. Il avait l'air de l'avoir très mal pris, si je me souviens bien.

– Oui, mais nous l'avons disculpé. Il était à Härnösand chez ses parents le week-end de la disparition de Lina. Ils nous ont confirmé qu'il n'avait pas quitté la localité. »

Margit leva sa tasse de café froid et en but plusieurs gorgées avant de regarder pensivement Thomas.

« Il avait lui aussi songé à cette histoire de suicide, comme Louise Hammarsten. Il disait que Lina avait changé. Elle avait des sautes d'humeur et pleurait parfois sans raison.

– Et nous nous sommes contentés de cette théorie… »

Thomas ne put s'empêcher de formuler ce reproche tout haut, sachant pourtant qu'il était inutile.

Il lut dans les yeux de Margit qu'ils partageaient ce sentiment d'échec.

« Il a dû se passer quelque chose pendant le dernier été de Lina, dit Thomas. Quelque chose que nous n'avons pas compris en parlant avec les gens cet automne.

– Oui, peut-être. Il va falloir les questionner à nouveau, surtout Louise Hammarsten. »

Margit bâilla.

« Pardon », s'excusa-t-elle en mettant la main devant sa bouche.

Minuit approchait. La journée avait été longue.

« On arrête ? dit Thomas. Moi aussi, je suis épuisé. On s'y remet demain matin à huit heures. »

CELA COMMENÇA comme un rhume ordinaire. Thorwald avait été contaminé par un camarade d'école, et dut passer quelques jours au lit. Gottfrid se moqua de la fragilité de son fils, mais dut admettre qu'il était bien malade en voyant ses joues rouges de fièvre. Sur trente élèves, huit étaient malades. Il faisait rarement plus de quinze degrés dans la classe et, quand un enfant tombait malade, les autres finissaient vite par l'être aussi.

Puis Kristina tomba malade à son tour. Elle commença par tousser, puis sa fièvre monta rapidement à quarante. Ses cheveux blonds pendaient en mèches trempées de sueur autour de son visage rond, et tout son corps était secoué par des quintes de toux. Elle toussait jusqu'à en vomir, sans pour autant parvenir à s'arrêter.

Vendela envoya chercher Gottfrid, qui arriva en hâte de la douane. Sans ôter son manteau, il se précipita au chevet de sa fille et tomba à genoux près du lit.

« Ma fille, murmura-t-il. Qu'est-ce qu'il y a ? »

Ils firent appeler un médecin, mais la glace trop mince ne permettait ni d'aller à pied ni de naviguer. C'était début décembre et les périodes de gel et de dégel alternaient. Il faudrait des jours avant qu'un médecin puisse arriver à Sandhamn.

Et pourrait-il seulement faire quelque chose ?

S'il s'agissait d'une pneumonie, on ne pouvait être sûr de rien. C'était une des causes de mortalité les plus courantes chez les jeunes enfants. Ils toussaient, toussaient, jusqu'à ce que la mort vienne les libérer. Bien des familles avaient perdu un ou deux rejetons à cause de cette maladie.

Vendela fit cuire une poule et essaya de nourrir Kristina avec le bouillon, mais elle ne voulait rien avaler. La fillette maigrissait à vue d'œil, chaque heure passant, ses poignets semblaient plus minces et ses joues plus creuses.

Gottfrid souffrait.

La toux de sa fille le terrorisait. Il se souvenait de son enfance, quand la toux sanglante de son père hantait ses rêves et qu'il se réveillait couvert de sueur froide, redoutant d'attraper à son tour cette terrible maladie.

Il passa des heures au chevet de sa fille, à lui passer un chiffon humide sur le front. Seule la lampe à pétrole sur le petit bureau éclairait la pièce sobrement meublée. La lumière était douce mais ne gommait pas les cernes noirs sous ses yeux et l'effroyable pâleur de son visage.

Chaque gorgée d'eau qu'elle avalait était un effort, et la plus grande partie de ce que Gottfrid lui donnait coulait à côté.

Lui-même avait perdu l'appétit et le sommeil. Le souvenir de l'agonie de son père ne voulait pas le quitter. Il se rappelait sans cesse comment il luttait pour gonfler ses poumons. Ses lèvres bleues. Ses vains efforts pour trouver de l'oxygène. Il refoulait ces souvenirs mais ils revenaient avec insistance, surtout à l'aube, quand Kristina était au plus mal. Sa fille ne devait pas connaître le même sort que son père.

Vendela avait abandonné. Elle errait sans bruit dans la maison, et Thorwald s'efforçait de ne pas se montrer.

Neuf heures approchant, au soir du quatrième jour, comme Kristina avait toujours de la fièvre, Gottfrid n'y tint plus. Il enfila son manteau et sortit. Il tombait une neige humide dont les lourds flocons fondaient dans ses cheveux. Un vent du nord soufflait, comme toujours en décembre, et le froid s'infiltra aussitôt par son col.

Sous l'école de Sandhamn se trouvait la Mission, un local de prière bâti dix ans plus tôt par la paroisse évangéliste. Il n'y avait toujours pas d'église sur l'île. Les demandes répétées des insulaires d'avoir au moins une chapelle n'avaient trouvé aucun écho auprès des autorités. Mais les évangélistes proposaient des prêches et des cours de catéchisme le dimanche. Ils avaient beau n'être qu'une poignée parmi les trois cents habitants de l'île, bien davantage venaient participer à leurs réunions. Les soirées couture étaient assidûment fréquentées, tout comme le catéchisme.

Gottfrid n'était pas un homme religieux, mais il se dirigea vers le bâtiment blanc comme un papillon de nuit vers la lumière. Sans réfléchir, il marcha vers l'entrée. De loin, déjà, il entendit les voix et se sentit réconforté par la lueur chaude aux fenêtres.

Il gravit le perron et s'arrêta devant la porte. Une seconde, il hésita. Peut-être n'y avait-il rien pour lui ici. Kristina était mourante, il n'y avait rien à y faire. Dieu avait décidé de reprendre la vie de sa petite fille. Mais le brouhaha aimable de l'autre côté de la porte était accueillant et, dans son état d'épuisement, Gottfrid était prêt à tout essayer.

Il pressa la poignée et entra dans la chaleur de la pièce.

Il fut accueilli du regard par un groupe de femmes, leur ouvrage sur les genoux. Leurs sourires étaient aimables mais interrogateurs. Gottfrid connaissait la plupart d'entre elles, même s'il ne participait pas aux activités de la paroisse.

Un homme avec une barbe grise de marin vint à sa rencontre, et Gottfrid essaya d'empêcher sa voix de trembler en parlant de sa fille malade.

« Quelqu'un peut-il m'aider ? Ma petite fille est en train de s'arracher les poumons à force de tousser. Je ne sais plus quoi faire. »

En prononçant ces mots, il réalisa à quel point ils étaient vrais. Il était complètement désemparé, mais prêt à abandonner tous ses biens terrestres à la personne qui pourrait guérir Kristina.

L'homme alla trouver une vieille femme assise au bout de la pièce. Ses cheveux gris étaient attachés en chignon, et ses joues étaient étonnamment lisses pour une femme qui devait approcher les soixante-dix ans. Elle portait un chemisier noir et une robe qui lui descendait jusqu'aux talons.

Ils échangèrent quelques mots. L'homme à la barbe se redressa alors et la femme se leva en prenant sa canne.

« Sœur Anna-Greta va aller voir ta fille. Si quelqu'un peut quelque chose pour Kristina, c'est bien elle. »

Ils allèrent ensemble chez Anna-Greta. Gottfrid l'attendit dehors tandis qu'elle allait chercher une sacoche. Une lune pâle de décembre s'était levée et le vent avait un peu faibli. L'air marin humide et glacé arrivait par rafales. Gottfrid entendit une chèvre dans le long bâtiment voisin. Il y avait encore des miséreux sur cette île.

Ils se rendirent chez Gottfrid où Vendela s'était assoupie dans un fauteuil au chevet de sa fille. Elle se réveilla en sursaut et salua de la tête la visiteuse qu'elle semblait reconnaître. Puis elle se leva gauchement et laissa la place à l'autre femme.

Kristina était couchée, immobile. Ses yeux étaient fermés. Gottfrid se figea. Était-il déjà trop tard, alors même qu'il venait de trouver quelqu'un qui pouvait peut-être l'aider ?

Mais on entendit alors un filet de souffle rauque, puis un autre. Elle vivait encore. Gottfrid poussa un soupir de soulagement.

« Pneumonie, constata sans surprise la vieille femme. Si petite et si malade. Pauvre fillette.

– Elle est comme ça depuis plusieurs jours », murmura Vendela dans son dos.

Anna-Greta se pencha pour toucher Kristina. Elle laissa son doigt glisser lentement sur son corps et ausculta d'un œil expert la gorge et les oreilles de la fillette.

La maigre cage thoracique se soulevait imperceptiblement et les poumons émettaient un bruit rauque à chaque inspiration. Le teint de Kristina était diaphane et sa pâleur révélait les fines veines bleues qui couraient sur ses tempes.

On aurait dit une ondine.

« Pneumonie, répéta Anna-Greta. Beaucoup de petits l'ont cet hiver. Mais nous en viendrons à bout. »

Elle caressa la joue de la fillette et remonta sa couverture. Elle sortit alors de sa sacoche un sachet fermé par un lacet noir. Le sachet à la main, elle se tourna vers Vendela qui attendait, la mine tendue.

« Tu peux mettre de l'eau à chauffer ? On va préparer une tisane pour la petite. »

Elle prit quelques flocons bruns et les montra à Gottfrid.

« Ce sont des feuilles d'airelles et deux ou trois autres bonnes choses qui peuvent faire du bien à la fillette. Il n'est pas encore trop tard. Avec l'aide de Dieu, nous allons la guérir. »

Cette nuit-là, Gottfrid resta agenouillé au chevet de sa fille. À intervalles réguliers, il l'aidait à boire un peu du breuvage brunâtre qu'Anna-Greta avait préparé. C'était laborieux, il dut insister, ruser, mais à la fin il réussit à tout lui faire prendre.

Doucement, il lui épongea le front en murmurant des mots d'encouragement. Serrait sa main fluette, où le ton bleuâtre des ongles ressortait sur sa peau blême.

En la veillant, il récita toutes les prières qu'il connaissait. Anna-Greta avait elle aussi prié pour la guérison de sa fille avant de s'en aller. Supplié Dieu de ne pas leur enlever leur fille et de montrer sa miséricorde.

La confiance dans sa voix ne lui échappa pas, ni la force qui émanait de ses prières.

La nuit d'hiver venteuse céda au matin et la fièvre tomba. La toux n'était plus aussi violente et Kristina était plongée dans un profond sommeil. Quand il se rendit compte que sa fille respirait à nouveau régulièrement, il éclata en sanglots. Ça ne lui était pas arrivé depuis son enfance.

Et il remercia Dieu.

Il tomba à genoux, la tête appuyée au bord du lit. Dans le silence où seule s'entendait la respiration de sa fille, Gottfrid s'emplit de la paix de Dieu.

Il comprit qu'il fallait qu'il consacre le reste de sa vie à servir Dieu, en remerciement de son miracle. Il avait une grosse dette à payer, et la paierait avec joie et de toutes ses forces.

Quand les ténèbres laissèrent lentement place à la lumière de l'aube, Gottfrid eut la révélation que le Tout-Puissant avait sauvé Kristina pour lui montrer la voie.

18

IMPOSSIBLE DE DORMIR. Nora était restée plusieurs heures éveillée dans son lit. Malgré elle, elle imaginait Henrik avec l'autre femme.

Des images de son corps, ce corps qu'elle connaissait si bien, la hantaient. Elle l'imaginait faisant l'amour avec cette infirmière, lentement, voluptueusement, comme avec elle les premières années, quand ils ne pouvaient se passer l'un de l'autre.

Était-ce comme cela avec elle ? Poussait-il à son oreille le même soupir de satisfaction quand approchait la fin de l'acte ?

Elle les fantasmait blottis l'un contre l'autre, après. Se chuchotant leurs projets d'avenir, voyages passionnants, excursions. Tout ce que Henrik ne ferait jamais plus avec elle, mais seulement avec l'autre.

Des larmes d'amertume lui échappaient, mais elle se détestait d'être si faible. Elle avait le visage déjà assez bouffi pour que les garçons se posent des questions le lendemain matin. Mais les images de Henrik avec son infirmière ne voulaient pas la lâcher. Elle avait la nausée à l'idée qu'il ait couché avec sa maîtresse avant de rentrer partager son lit.

La première chose qu'elle avait fait en arrivant à Sandhamn avait été de changer les draps. Elle en avait mis des neufs, tout propres, où il n'avait jamais dormi. Et où il ne dormirait jamais, d'ailleurs. Les anciens avaient fini fourrés dans le sac-poubelle, avec toutes ses affaires.

Elle avait tellement honte. Elle se sentait bête et naïve de n'avoir rien vu venir. Elle aurait dû se douter de ce qui se tramait dans son dos.

Il s'était bien moqué d'elle.

Il pensait sans doute que c'était bien fait pour elle : elle n'avait à s'en prendre qu'à elle-même si leur couple avait fait naufrage.

Leur vie conjugale avait été en berne tout l'automne. L'atmosphère pesante qui régnait dans la maison ne disparaissait pas comme par enchantement une fois passé la porte de la chambre. Mais ils ne s'étaient pas complètement délaissés. Ils avaient parfois couché ensemble et, ces fois-là, elle avait trouvé ça assez bien. En tout cas, elle avait voulu le croire, persuadée qu'ils retrouveraient leur vie d'avant. Malgré tout, ils formaient une famille.

Chaque fois que l'idée d'une séparation l'avait effleurée, elle avait reculé en se disant que tout finirait par s'arranger. D'une façon ou d'une autre.

À présent, elle se maudissait d'avoir été aussi lâche. Lâche et faible.

Elle aurait dû quitter Henrik dès l'été dernier. Séance tenante, quand il l'avait giflée. Elle n'aurait jamais dû le laisser la toucher après ça.

Il était naïf de croire que tout allait s'arranger en se contentant de se taire et de prendre son mal en patience. C'était digne d'un mauvais roman d'amour, où la noble héroïne supporte tout et se voit récompensée par un amour et un bonheur éternels. Mais il n'y avait que dans les livres qu'il suffisait à une femme de se sacrifier pour résoudre ses problèmes. Dans la vraie vie ne restait que la sensation dévastatrice d'avoir été roulée dans la farine.

Elle se retourna à nouveau dans son lit, à la recherche d'une position plus confortable. La fatigue lui brûlait les yeux, mais elle ne trouvait pas le sommeil.

Elle se mit à penser aux événements de l'après-midi. Tout ce qu'elle voulait, c'était quelques jours de calme sur l'île. Et voilà qu'elle se retrouvait avec deux enfants terrorisés, au milieu d'une vaste opération de police.

Pourquoi fallait-il que cela arrive justement cette semaine ? N'avait-elle pas déjà assez de problèmes à gérer ?

Aussitôt, elle eut mauvaise conscience en songeant aux malheureux parents de Lina Rosén. Elle raisonnait en égoïste Ses enfants étaient en vie. Leur fille était morte.

Nora s'assit dans le lit et ralluma la lampe. Impossible de dormir. Elle attrapa un livre sur la table de nuit. C'était un thriller primé qui flirtait avec le surnaturel et se déroulait sur l'île d'Öland. Elle aimait beaucoup cet auteur, mais ce soir, c'était peine perdue. Au bout d'un moment, elle se surprit à relire le même paragraphe pour la troisième fois sans avoir la moindre idée de son contenu.

Peut-être qu'un peu de vin lui permettrait de se décontracter ? Elle était tendue comme un câble, ses épaules et sa nuque lui faisaient mal. Mais elle avait déjà bu la moitié de la bouteille, il valait mieux arrêter.

Henrik l'avait à nouveau appelée sur son portable, mais elle n'avait pas décroché. La seule idée de parler avec lui la répugnait. Elle avait préféré s'affaler devant la télé. Au journal du soir, on avait parlé des événements de Sandhamn. Les enfants étaient couchés, elle pouvait regarder sans avoir à s'inquiéter de leur réaction.

Le reporter n'avait rien de nouveau à apporter, mais Nora comprit que Henrik serait fou quand il apprendrait la nouvelle. Encore une bonne raison pour qu'elle ne reste pas là avec Adam et Simon.

Nora lâcha le livre. Ça ne servait à rien, elle n'arriverait pas à s'endormir en lisant. Elle décida de descendre se préparer un lait chaud au miel. Le vieux truc de son grand-père pour faire dormir les enfants surexcités. Pas aussi bon que le vin rouge, mais nettement meilleur pour la santé.

Elle esquissa un sourire en songeant à son grand-père maternel. Artur Ekman était l'habitant typique de l'archipel. Il avait disparu quand elle n'avait que vingt-cinq ans, et elle avait hérité de sa demeure. Sa grand-mère avait vécu en maison de retraite une grande partie de l'enfance de Nora. Elle était diabétique, comme Nora, et avait été sénile très tôt.

Artur était né à Sandhamn, dans cette maison. Son père, l'arrière-grand-père de Nora, avait été pilote de remorqueur, comme le père de Signe Brand, et Artur avait grandi sur l'île. Il ne l'avait quittée que pour aller en ville travailler chez un armateur.

Nora enfila son peignoir et glissa ses pieds dans une paire de pantoufles grises qui avaient beaucoup servi. Tout était absolument silencieux et, dehors, il faisait nuit noire. Elle en était presque à regretter de n'être pas rentrée en ville avec les enfants. Tout d'un coup, elle se sentit seule et vulnérable. Mais elle avait bien verrouillé la porte d'entrée, laissé la lumière dans la cuisine et contrôlé une fois de plus que la porte de la véranda était bien fermée.

Elle resserra son peignoir et tenta de chasser cette appréhension. C'était la première fois que rester seule à la maison la mettait mal à l'aise. D'habitude, elle s'y sentait toujours en sécurité, même tard dans la saison.

Mais rien à présent n'était comme d'habitude.

En arrivant à la cuisine, elle se félicita d'y avoir laissé la lumière. Il faisait froid, elle monta le radiateur d'un cran. Elle jeta machinalement un coup d'œil par la fenêtre. Et sursauta. À quelques centaines de mètres, elle vit une silhouette, juste au bord du halo lumineux d'un réverbère.

La personne semblait immobile. Elle paraissait regarder une maison un peu plus loin, vers l'école.

Nora savait précisément laquelle : celle de Marianne et Anders Rosén. La maison des parents de la victime. Elle était entièrement plongée dans le noir, éclairage du jardin compris.

Nora frissonna.

Il était bientôt minuit et demi, bien trop tard pour une promenade du soir ordinaire. Pourquoi cette personne regardait-elle fixement dans la direction des fenêtres de la famille Rosén ?

D'instinct, elle recula de deux pas pour ne pas être vue. Vivement, elle éteignit la lumière. Aussitôt, il fit aussi noir dans la cuisine que dehors. Elle attendit quelques minutes avant de se lever.

La personne était toujours là.

Nora se mit à claquer des dents, sans savoir si c'était de peur ou de froid. Elle vit alors la silhouette inconnue tourner les talons et s'en aller. Un homme ou une femme ? Sa capuche était rabattue, c'était impossible à dire.

Toujours claquant des dents, Nora remonta dans sa chambre et se cacha sous les couvertures. Elle se recroquevilla et ferma les yeux.

Cette personne qui guettait en cachette dehors avait quelque chose de sinistre.

Que voulait-il – ou elle – à la famille Rosén ?

19

QUAND THOMAS avait téléphoné, juste après huit heures, Oscar-Henrik Sachsen lui avait répondu qu'il était en pleine autopsie : s'ils passaient d'ici quelques heures, il en saurait davantage.

Ils se tenaient à présent devant une table en inox où le bras découvert avait été placé. Encore pire à voir à présent qu'il avait dégelé. Sa peau abîmée s'était encore fripée davantage, et l'odeur qui s'en dégageait était repoussante. Autour du moignon, là où l'avant-bras avait été tranché, la peau s'était retroussée en crevasses. Le bout d'os qui dépassait était grisâtre, et son extrémité un peu fendue.

Sachsen montra le membre en décomposition avec une pincette métallique. « Il s'agit de l'avant-bras d'un sujet de sexe féminin, âgé de vingt à vingt-cinq ans.

– Quand saurez-vous avec certitude qu'il s'agit bien de celui de Lina Rosén ? » dit Thomas.

Sachsen eut un sourire las.

« Nous avons envoyé des échantillons de tissus pour une analyse ADN. Il faut attendre. La montre et le sac plastique sont au labo.

– Mais à ton avis ? insista Thomas.

– Tu sais aussi bien que moi que ça peut prendre un bout de temps. Patience. Ils font tout ce qu'ils peuvent.

– Qu'est-ce que tu as pour nous, alors ? »

Le légiste désigna d'une branche de ses lunettes le membre coupé. « Je dirais qu'on a utilisé un couteau. »

Il écarta les jambes et se mit à se balancer légèrement.

« Quel genre de couteau ? demanda Thomas, sans quitter la table des yeux.

— Peut-être un couteau de chasse. Pas trop gros. » Sachsen utilisa la pincette pour tourner un peu le moignon. « Vous voyez le bord, là ? »

Thomas et Margit hochèrent la tête en même temps.

« C'est typique d'une coupure au couteau. Une scie ou une hache laissent des traces complètement différentes.

— Un couteau, dit Margit. Qu'est-ce que ça nous dit ?

— Dans l'archipel, beaucoup de gens ont des couteaux. Surtout ceux qui y vivent à l'année, qui chassent et qui pêchent. On a toujours besoin d'un couteau.

— Le bras a été coupé après le décès », continua Sachsen sans se soucier des considérations de Thomas sur le mode de vie des habitants de l'archipel. « La circulation sanguine avait déjà cessé.

— Combien de temps après la mort ?

— Pas beaucoup, au plus quelques heures, à mon avis. La raideur cadavérique n'a pas eu le temps d'arriver jusque-là. »

Thomas regarda le moignon qu'ils avaient sous les yeux sans rien voir qui puisse soutenir l'affirmation de Sachsen. Mais c'était lui l'expert.

Ils savaient à présent que, selon toute vraisemblance, Lina Rosén était morte. La possibilité que le membre appartienne à une autre jeune femme était infime, d'autant plus que les époux Rosén avaient identifié la montre. D'ici une semaine, on saurait avec certitude si l'ADN correspondait à celui des cheveux prélevés en novembre sur la brosse de Lina Rosén.

« Tu es vraiment certain qu'elle était morte quand le bras a été coupé ? » demanda malgré tout Thomas.

Sachsen hocha la tête.

Thomas était soulagé, même si cela signifiait que la jeune fille n'était plus en vie et qu'il faudrait en informer ses parents. Il savait d'expérience combien l'incertitude rongeait. Au moins, à présent, ils seraient fixés.

« Je suppose que tu ne peux rien nous dire sur la cause du décès ?

– Non, sans davantage de matière, c'est impossible. Elle peut avoir été étouffée, étranglée, avoir reçu une balle dans la tête, on ne peut pas savoir. Le meurtrier peut avoir utilisé d'autres instruments pour découper le reste du corps. Vous n'avez pas trouvé d'autres morceaux ? »

Thomas secoua la tête. Les recherches avaient repris dès le lever du jour, mais jusqu'alors en vain.

« Nous avons une équipe qui fouille l'île avec des chiens spécialisés, mais c'est sans grand espoir par ce temps. Les morceaux peuvent être enterrés n'importe où sous la neige. Dans le pire des cas, il faudra attendre plusieurs mois le dégel avant de pouvoir chercher correctement.

– Les chiens sont bluffants, mais la neige étouffe les odeurs, compléta Margit.

– Combien de temps ce bras a-t-il pu rester au fond du trou ? demanda Thomas.

– Difficile à dire, mais au moins plusieurs mois. Le froid complique les choses. Il me faut plus de temps, j'y reviendrai.

– Que savons-nous des assassins dépeceurs ? demanda abruptement Margit.

– Des oiseaux rares, dit Sachsen. Je crois n'en avoir vu passer qu'un seul depuis le début de ma carrière. »

Thomas se pencha sur la table d'autopsie pour regarder les lésions de près tout en digérant les paroles de Sachsen. Le légiste avait raison, les dépeceurs n'étaient pas monnaie courante en Suède.

« Il a fallu une certaine force pour faire une chose pareille, dit-il.

– Probablement, opina Sachsen.

– On aurait donc affaire à un homme ? fit Margit en lui adressant un regard interrogateur. Une femme aurait-elle la force physique nécessaire pour trancher ainsi des chairs et des os ?

– Je ne crois pas, mais je n'en jurerais pas. Il y a sûrement des femmes qui y arriveraient aussi. » Il jeta un œil aux bras secs et nerveux de Margit. « Personnellement je pencherais pour un homme. Il faut indéniablement une certaine force pour dépecer un corps de cette manière.

– Est-ce que ça a l'air d'être fait par quelqu'un qui connaît son affaire ? dit Margit.

– Bonne question. » Sachsen se caressa le menton. « On n'a pas beaucoup d'éléments pour en juger, mais le coup de couteau n'est pas particulièrement joli.

– Joli ?

– Je veux dire pro. Ce ne sont que des spéculations, mais je parierais plus sur le chasseur que sur le chirurgien.

– Serait-il possible d'identifier l'arme du crime en comparant le tranchant de la lame avec les lésions ? demanda Thomas.

– Oui, ça devrait pouvoir se faire. »

Il ôta ses lunettes puis les remit, tout en réfléchissant.

« Mais à condition que la lésion ait touché un tissu osseux, si possible le crâne ou de gros os comme la colonne vertébrale ou le fémur. Les tissus mous ne font pas l'affaire, les lésions n'y sont pas permanentes. »

Il dirigea son regard vers le bout d'os qui dépassait de la masse grisâtre de la peau.

« Indéniablement, mon travail serait facilité si vous aviez d'autres morceaux, redit-il. Ça nous permettrait de déterminer la cause du décès.

– Crois-moi, dit Thomas, nous faisons de notre mieux.

– On ne peut quand même pas confisquer tous les couteaux de Sandhamn, remarqua Margit d'un ton acide.

– Vraisemblablement, le couteau qui nous intéresse a été depuis longtemps jeté à la mer, dit Thomas. On n'imagine pas que le meurtrier l'ait gardé. »

Margit ignora sa remarque et se mit à tripoter la pincette que Sachsen avait reposée. Elle désigna le bras coupé.

« Autre chose, avant qu'on y aille ? » finit-elle par dire.

Sachsen secoua la tête.

« Pas pour le moment. Mais si je trouve quelque chose, je vous appelle.

– Quand comptes-tu nous remettre le rapport d'autopsie ?

– Je vous l'envoie par mail dès que j'ai fini. J'ai encore un certain nombre d'examens à faire.

– Le plus tôt sera le mieux. »

Le regard de Sachsen leur dit qu'il comprenait.

ONCLE OLLE vivait dans une petite maison rouge voisine, tout près de Mangelbacken. Elle n'avait qu'une seule pièce, avec une grande cuisinière qui servait aussi au chauffage. Le long d'un mur, un lit et, devant la fenêtre, une table de cuisine usée et quelques chaises.

Olle avait presque soixante-dix ans, il était veuf, las et raide. Il avait contracté de douloureux rhumatismes à force de peiner tant d'années avec ses filets dans le froid et l'humidité. Ses gros poings s'étaient recroquevillés : le matin, il avait du mal à déplier les doigts. Il avait dû cesser de récolter les baies et les champignons, mais il savait encore où aller pour que la pêche soit bonne. Une seule ligne lui suffisait pour remonter morue et flétan, et parfois une belle anguille par-dessus le marché.

De temps en temps, Gottfrid lui glissait une pièce, mais il menait une vie simple et sans façons. Le petit potager derrière la maison produisait assez de pommes de terre pour lui. Il achetait son lait aux habitants de Harö qui venaient en barque avec leurs bidons le vendre trente öre le litre.

Thorwald aimait venir le voir, et Olle s'illuminait dès que le garçon apparaissait dans l'embrasure de la porte. Ils s'asseyaient sur un vieux banc qu'Olle avait fabriqué avec du bois flotté. Ils pouvaient rester là des heures tandis que le vieux parlait des temps passés. Il avait une bonne mémoire et un riche fonds de vieux proverbes où il puisait à tout bout de champ. Il bourrait lentement sa pipe

107

et s'appuyait contre le mur de la maison, puis se mettait à raconter, tandis que Thorwald l'écoutait religieusement.

Oncle Olle aimait se souvenir de la pêche au hareng au début de l'automne. On utilisait des nasses spéciales aux mailles fines pour capturer le hareng encore maigre mais délicieux, tant attendu, qu'on salait légèrement avant de le servir. Il lui arrivait aussi de captiver Thorwald avec des histoires de pêcheurs pris dans la tempête, voile arrachée, disparaissant corps et biens.

Un jour, il terrorisa le garçon avec une histoire d'inspecteur des douanes ayant eu les deux mains coupées lors d'une inspection. Oncle Olle jurait qu'il s'agissait d'un parent.

L'inspecteur s'apprêtait à aborder un brick français soupçonné de contrebande. Le bateau des douanes était parti par gros temps et eut toutes les peines du monde à rattraper le brick. Une fois enfin flanc contre flanc, le douanier zélé se jeta à l'abordage et attrapa de justesse le bastingage de l'autre bateau. Mais au moment où il allait se hisser à bord, le capitaine des contrebandiers leva une grande hache. D'un seul coup, il trancha les deux mains du pauvre inspecteur des douanes. Le malheureux tomba à l'eau et se noya, tandis que le contrebandier s'échappait.

Des nuits entières, Thorwald rêva de mains sanguinolentes qui essayaient de l'attraper. Il se réveillait en sueur et essoufflé, avant de s'apercevoir que tout était comme d'habitude et que ce n'était qu'un mauvais rêve.

Mais cela ne l'empêchait pas de réclamer d'autres histoires des temps passés.

Chez oncle Olle, Thorwald était toujours le bienvenu. Malgré ses conditions de vie très précaires, il offrait au garçon une biscotte ou une tartine.

« On ne te donne donc rien, à la maison ? disait-il parfois d'un air préoccupé en voyant Thorwald engloutir tout ce qui était servi. Ta mère n'a donc rien à te donner à manger ? »

Le garçon se contentait de secouer la tête, trop occupé à mâcher pour répondre.

Il arrivait que le regard d'oncle Olle s'attarde sur les bleus qu'il avait sur les bras ou les joues. Mais le vieux n'en avait jamais demandé la provenance, se contentant de secouer la tête en murmurant tout seul.

Parfois, Thorwald recevait une tape affectueuse sur la joue quand ils s'asseyaient pour manger à la table branlante.

Chaque fois, Thorwald se demandait pourquoi son père ne le touchait pas de la même façon.

20

LES COUPS DISCRETS étaient presque imperceptibles. Quand ils se répétèrent, un peu plus forts cette fois, le bruit parvint jusqu'à la conscience de Marianne Rosén.

Elle était couchée sur le canapé du séjour, un plaid sur les genoux. Elle avait beau lutter contre le sommeil dans l'attente de nouvelles de sa fille, elle avait dû s'assoupir.

Elle chercha Anders des yeux, mais il n'était pas là. Il était peut-être monté se coucher : aucun des deux n'avait dormi plus de quelques minutes la nuit précédente. Allongée près de lui, elle savait qu'il n'avait pas fermé l'œil non plus.

On frappa à nouveau.

Encore engourdie de sommeil, elle alla ouvrir. Le vent glacial, comme un coup de poing, lui coupa presque le souffle. Le froid la réveilla, mais elle mit quelques secondes à reconnaître la silhouette emmitouflée qui attendait sur le perron.

« Ingrid ? Qu'est-ce que tu fais là ?

– Pardon de te déranger. » Ingrid Österman baissa les yeux. « Je peux entrer ? »

Sa voix était faible, presque couverte par le vent. L'écharpe remontée sur le nez étouffait les mots.

Marianne la regarda, surprise. Ingrid était mariée à son cousin et vivait dans une des petites maisons près de la chapelle. Les dernières années n'avaient pas été faciles pour elle. Son mari s'était retrouvé au chômage lors des réductions d'effectifs aux Affaires maritimes et, peu après, leur fils unique avait disparu dans un tragique accident de bateau.

Au milieu de son chagrin, Marianne la plaignait.

« Entre. »

Marianne s'effaça pour laisser passer Ingrid Österman. Ingrid défit son écharpe et fourra son bonnet dans sa poche.

« Je fais un café ? » demanda Marianne.

La question lui était venue automatiquement. Elle s'étonna d'agir de façon si normale dans de telles circonstances. Anders avait tenté de la convaincre de quitter l'île pour rentrer en ville, mais elle ne parvenait pas à se résoudre à partir. Pas tant qu'il y avait sur l'île des policiers à la recherche de sa chère Lina.

Ingrid acquiesca de la tête. Elle ôta son manteau et le pendit dans l'entrée. Sans un mot, elle suivit Marianne jusqu'à la cuisine. Elle ne disait rien mais suivait des yeux les gestes de Marianne.

Marianne mit de l'eau à chauffer et sortit deux tasses. Elle y versa l'eau bouillante et donna à Ingrid le bocal de café soluble. Elle se servit à son tour et ajouta deux morceaux de sucre.

Ingrid n'avait toujours pas dit un mot. Elle n'était pas peignée, ses mèches grises pendaient autour de son visage. Elle évitait le regard de Marianne.

« Comment vas-tu ? » finit par dire Marianne. Elle remua son café pour faire fondre le sucre, puis se leva pour prendre du lait.

Elle ne tenait pas en place.

Marianne refusait de croire que Lina était morte. Elle était vivante et ils la trouveraient bientôt, ce n'était qu'une question de temps. Elle le saurait, si Lina n'était plus en vie. On pouvait vivre sans bras, elle le sentait.

Ingrid attrapa sa tasse de café. Sa main tremblait. Elle ouvrit la bouche comme pour dire quelque chose, mais la referma. Puis elle prit à nouveau son élan.

« Toutes mes condoléances, dit-elle. Je sais ce que c'est de perdre un enfant. Je sais combien ça fait mal. J'aimerais pouvoir t'aider. »

La compassion de Marianne se mua brusquement en colère. Ses yeux la brûlaient.

« Je n'ai pas perdu d'enfant ! » éclata-t-elle.

La phrase d'Ingrid l'avait mise hors d'elle. Elles n'étaient pas du tout dans la même situation. Le fils d'Ingrid s'était noyé, mais sa fille vivait toujours.

« Lina n'est pas morte. Je le sentirais. Je suis sa maman. Elle n'est pas morte, tu comprends ?

– Pardon. Ce n'est pas ce que je voulais dire. Je voulais juste... » La voix d'Ingrid mourut, mais la panique s'empara de son regard.

Marianne perdit le contrôle. Comment osait-elle affirmer que Lina n'était pas en vie ?

Il y avait encore de l'espoir.

« Va-t'en. »

Ingrid regarda avec effroi Marianne qui s'était levée et lui indiquait la porte. Dans sa précipitation, elle avait renversé sa tasse qui s'était brisée par terre.

« Sors d'ici ! Va-t'en. Je ne veux plus entendre tes mensonges. »

Ingrid Österman pâlit encore et ses yeux se remplirent de larmes.

« Je n'aurais pas dû venir », murmura-t-elle en se levant. Elle trébucha vers la sortie. « Pardon. Pardon. »

Elle attrapa son manteau et disparut dans le froid. La porte claqua.

« Ma fille n'est pas morte, répéta Marianne. Tu entends, ma fille n'est pas morte. »

21

IL AVAIT BEAU ESSAYER de penser à autre chose, la perspective de dîner avec Pernilla travaillait Thomas.

À dire vrai, il avait songé à se décommander, mais avait changé d'avis au dernier moment. Bien sûr qu'il fallait qu'il soit capable de la voir. Il ne pouvait pas se dégonfler comme ça, quelques heures avant le rendez-vous.

Mais il avait à présent le ventre noué. Il mit ça sur le compte du hamburger gras qu'il avait avalé en vitesse en revenant de l'institut médico-légal, et se promit d'éviter les fast-foods le reste de la semaine.

Comme si ça allait changer quelque chose, se dit-il avec une grimace.

Ses collègues étaient déjà rassemblés dans la salle de conférences quand il arriva pour le briefing. Margit s'était installée à côté d'Erik Blom et Kalle Lidwall, le Vieux était en bout de table. Karin Ek était à côté de lui, avec un bloc-notes et un stylo. Elle était ordonnée et avait vite trouvé sa place dans l'équipe.

Thomas salua de la tête quelques autres membres du groupe de recherche. Ils avaient reçu des renforts. Une dizaine de policiers en uniforme étaient en ce moment à pied d'œuvre à Sandhamn, où ils fouillaient la terre gelée, espérant découvrir de nouveaux fragments de corps.

Le Vieux avait déjà les résultats de l'autopsie, mais les autres n'étaient pas au courant. Thomas résuma les conclusions de Sachsen.

« Très vraisemblablement, la fille est morte, conclut-il, même si on attend encore les analyses ADN. La famille doit être informée, si c'est là notre hypothèse de travail.

– Vous vous en chargerez dès que vous pourrez vous rendre sur l'île », dit le Vieux.

Thomas opina du chef.

« Les pauvres gens, murmura Margit, qui avait elle-même deux filles adolescentes.

– Des tuyaux ? demanda le Vieux.

– Pas grand-chose, dit Erik Blom. On n'a rien reçu de sérieux. » Il revenait tout juste d'une semaine de ski dans les Alpes, bronzé et reposé. À côté de ses collègues fatigués et ternes, il affichait une forme insolente.

Le Vieux se racla la gorge.

« Nous devons nous demander pourquoi quelqu'un voudrait tuer Lina Rosén. »

Thomas hocha la tête. La question avait été posée dès l'automne. Ils n'avaient pas pu trouver de mobile plausible pour enlever ou assassiner la jeune fille. Cela avait été un argument de plus en faveur de la thèse du suicide.

« Nous avons à nouveau fouillé son ordinateur », dit Kalle Lidwall. C'était le plus jeune, en général assez effacé. Depuis le départ de Carina, il était officieusement devenu l'expert informatique du groupe : assez jeune pour avoir grandi avec Internet, mais avec déjà une certaine expérience du terrain dans la police.

Kalle était sans doute plus appliqué qu'intelligent, mais représentait néanmoins une ressource appréciable dans le travail d'investigation, surtout quand on lui confiait une tâche bien délimitée.

« Rien de neuf dans ses mails, mais en surfant un peu sur ses pages favorites, j'ai trouvé un site que j'avais manqué. Un forum anonyme.

– Qu'est-ce que c'est ? dit Thomas.

– Ça a l'air d'un groupe de types louches qui s'occupent de mythologie nordique. J'ai trouvé toutes sortes de symboles et d'expressions bizarres. »

Erik le coupa aussitôt.

« Ça ne pourrait pas être une sorte de rituel ? Un cinglé qui se serait livré à une forme de sacrifice humain ?

– C'est ce que j'ai pensé », dit Kalle. Il passa la main sur ses cheveux châtains taillés si court qu'ils rappelaient la coupe des marines américains.

Erik chercha dans ses notes.

« Il y a bien un hangar qui a brûlé à Sandhamn le week-end de la disparition de la fille ?

– Exact », dit Thomas.

Les pompiers volontaires avaient informé la police qu'un hangar avait complètement brûlé au sud de l'île. La police avait inspecté le lieu de l'incendie, sans pouvoir trouver le moindre lien avec la disparition de Lina Rosén. Il était en revanche clair qu'il s'agissait d'un incendie criminel : on avait trouvé des traces d'essence. Le petit bâtiment avait été réduit en cendres.

On avait fini par conclure à une mauvaise blague de gamins inconscients du danger.

« Le feu et le sang, dit lentement le Vieux. Une combinaison classique pour des esprits dérangés. On devrait peut-être regarder ça de plus près ? »

Thomas réfléchit. L'île de Sandhamn pouvait-elle abriter des adorateurs des dieux nordiques prêts à pousser leurs rituels jusqu'à se livrer à un sacrifice humain ?

Il y avait à peine cent vingt habitants permanents sur l'île. Tout le monde connaissait tout le monde. Pouvait-on vraiment garder ce genre de secret dans l'archipel ?

Ou au contraire, se corrigea lui-même Thomas : dans des communautés isolées, les pires horreurs pouvaient se produire derrière les portes closes.

Que savait-on vraiment de ses voisins ?

L'été précédent, Thomas avait participé à l'enquête sur la mort du vice-président du club nautique KSSS, Oscar Juliander, brutalement abattu au départ d'une régate autour de Gotland. Il s'était avéré que le célèbre avocat était en réalité un menteur invétéré qui trompait sa femme et touchait des millions en pots-de-vin. Cela avait été un choc pour sa famille et ses proches.

« On va quand même suivre cette piste, dit Thomas. Kalle, tu chercheras tout ce que tu peux sur les sacrifices humains. En particulier ceux en rapport avec l'archipel. »

On frappa alors à la porte.

« J'ai demandé à quelqu'un de venir se joindre à nous, dit le Vieux. C'est un analyste, un *profiler* du GPC. »

Il prononça le mot avec l'accent américain, ce qui fit lever le nez à Thomas. Le Vieux n'était pas trop du genre à faire entrer dans l'équipe une personne extérieure au milieu d'une enquête. La réticence à faire appel à la Criminelle était profondément ancrée en lui. Mais en l'occurrence, faire appel à un expert semblait une bonne idée.

« Qu'est-ce que c'est, le GPC ? » demanda Karin Ek.

Le Vieux soupira, mais Thomas lui adressa un regard admiratif. Mieux valait demander que se taire et rester dans l'ignorance. Karin Ek avait de l'intégrité.

« Le Groupe de Profilage Criminel, explicita le Vieux. Comme son nom l'indique, c'est un groupe spécialisé dans le profilage des meurtriers. »

La porte s'ouvrit et un homme aux courts cheveux gris entra dans la salle de conférences. Il tenait une tasse de café. Ses cheveux lui donnaient l'air plus âgé, mais Thomas estima qu'ils devaient avoir le même âge. Il portait une veste en velours bleu sur un jean et était très petit.

« Voici Mats Larsson », dit le Vieux.

Mats fit le tour de la table pour serrer la main à tout le monde. Il était visiblement un fin observateur : ses yeux perçants s'arrêtèrent quelques secondes sur chacun. Sa poignée de main était ferme et sa paume sèche, nota Thomas. Ce profiler inspirait confiance.

Le Vieux indiqua une place libre et Mats Larsson s'y assit.

« Mats et ses collègues ont pu consulter le dossier et ont été informés des derniers développements. Mats est psychiatre, avec une grande expérience du profilage. Il a même étudié à l'école du FBI à Quantico, Virginie. Je pense qu'avec le reste de son groupe il va nous être d'une grande aide. »

Le Vieux regarda l'assistance.

116

« Des questions ? »

Personne ne dit rien, mais ce silence était chargé de curiosité. Tous les regards étaient braqués sur Mats Larsson, qui sortit un mouchoir de la poche de sa veste et se moucha. Puis il chaussa ses lunettes et prit la parole.

« Pour commencer, je veux souligner que le profilage n'est pas une science exacte. La police suédoise n'y a recours que depuis quelques années : jusqu'alors, c'était plus ou moins considéré comme une fumisterie, sourit-il, et certains continuent naturellement de le penser. »

Personne ne le contredit, et Mats Larsson poursuivit :

« Au sein du GPC, vous ne trouverez personne pour vous désigner précisément un coupable, mais je pense que nous pourrons être utiles à votre enquête et, espérons-le, vous aider à trouver plus vite le meurtrier.

– Et comment ? » dit Karin Ek.

Mats Larsson ne sembla pas trouver la question illégitime.

« Nous allons construire un profil du meurtrier qui puisse étayer l'enquête. Et vous permettre, je l'espère, de concentrer vos recherches. Pour le moment, pour être franc, vous pataugez dans le noir. »

Thomas dut reconnaître qu'il avait raison.

Ils avaient certes une zone géographique délimitée comme point de départ, mais l'assassin n'était pas forcément originaire de Sandhamn.

« Tu es le bienvenu, dit-il spontanément à Mats Larsson. A-t-on déjà une première idée ? Qui est ce malade ? »

L'homme aux cheveux gris fixa Thomas.

« Il est exact que nous recherchons une ou plusieurs personnes à l'esprit passablement dérangé, selon la norme commune en tout cas. Ce qu'on doit se demander, c'est ce qui a provoqué le passage à l'acte cette fois-là, et de cette façon-là.

– Tu sais sans doute déjà que le meurtrier a utilisé un couteau pour découper le corps ? dit Thomas.

– Oui. Le couteau est le meilleur outil pour ça, à part peut-être la tronçonneuse, précisa Mats Larsson. La hache est sans doute le pire. »

Il s'interrompit pour boire une gorgée de café.

« En Suède, à l'époque moderne, on recense environ vingt condamnations de meurtriers dépeceurs. Tous connaissaient leurs victimes. Le dépeçage le plus connu en Suède, et qui demeure d'ailleurs non résolu, est celui de la prostituée Catherine da Costa, censée avoir été tuée et découpée au scalpel.

– Quelle horreur ! » dit Karin Ek avec une mine dégoûtée.

Mats Larsson hocha la tête.

« Ces derniers temps, deux cas ont défrayé la chronique : une femme de dix-huit ans originaire de Lycksele, retrouvée étranglée et découpée en morceaux. L'autre cas est celui d'un homme qui a assassiné et découpé sa compagne quand elle a voulu le quitter et rentrer en Finlande avec leurs enfants.

– Je connais cette affaire, dit Erik. J'ai participé au porte-à-porte lors de l'enquête. Je sortais juste de l'école de police.

– Ah ? fit Mats Larsson en buvant une autre gorgée de café. La raison qui pousse un meurtrier à découper sa victime peut varier, mais ce n'est pas toujours aussi terrible qu'on pourrait le penser. »

Cette affirmation en forme de provocation captiva l'attention de tous.

« Tout d'abord, une dépeceur se distingue par sa maîtrise technique : c'est quelqu'un qui sait comment faire. Ensuite, le découpage est presque toujours une façon de cacher son crime. Il s'agit donc rarement de profanation pure et simple, ou de l'assouvissement d'une vengeance. Il y a malgré tout une logique : les traces doivent être effacées, et un dépecage est la façon la plus rationnelle de le faire.

– Tu veux dire que le meurtrier sait comment s'y prendre ? demanda Kalle.

– C'est ça. Typiquement, c'est un boucher ou un chirurgien, quelqu'un qui sait comment est fait un corps, et comment inciser les tissus pour le découper efficacement.

– Et pourquoi pas un chasseur ? glissa Thomas, en se souvenant de l'avis du légiste.

– C'est également possible. Un chasseur sait comment s'y prendre pour découper un corps mort.

– Et normalement, un chasseur porte un couteau.

– Oui, c'est exact.

– Beaucoup chassent, dans l'archipel, dit Thomas. Surtout du petit gibier et des oiseaux de mer, bien sûr, mais sur les plus grandes îles on chasse aussi l'élan, et parfois le chevreuil.

– Un habitué de la chasse pourrait donc être le meurtrier, dit Margit. Nous devrions regarder les titulaires du permis de chasse à Sandhamn et dans les îles environnantes. Tu t'en occupes, Erik ? »

Elle jeta un coup d'œil à Erik Blom, qui prenait note dans son carnet.

Le raisonnement de Mats Larsson est séduisant, songea Thomas. Une question lui brûlait pourtant la langue.

« Est-ce un meurtre isolé, ou penses-tu que l'assassin pourrait recommencer ?

– C'est une question très pertinente. Le problème, c'est que je n'ai pas de réponse.

– Et pourquoi ? » s'impatienta Margit.

Mats Larsson réfléchit avant de répondre.

« Parce que nous ignorons encore trop de facteurs. Le mobile, par exemple ? Nous ne savons pas si le meurtre de cette jeune fille était voulu, ou si sa mort est le résultat d'un acte incontrôlé. Ni si le dépeçage était une façon de faire disparaître le corps ou une fin en soi, même si je penche plutôt pour la première option. »

Il fit un geste d'impuissance en se tournant vers Thomas.

« Voilà pourquoi je ne peux pas répondre à ta question pour le moment. Désolé.

– Je comprends », dit Thomas.

Il n'était pas surpris, mais avait espéré autre chose. La mort de Lina suffisait bien. Un autre meurtre était impensable

À L'EXTÉRIEUR DU VILLAGE, derrière Dansberget, des villas cossues fleurissaient depuis la fin du dix-neuvième siècle.

Là se côtoyaient la villa du négociant Lindgren et la villa Rådberg. À côté, une splendide demeure régulièrement louée par le peintre Bruno Liljefors et, au milieu de Dansberget, le journaliste Möllersvärd avait une petite maison. Y logeaient ses jolies filles que venait courtiser une foule de soupirants.

L'été, les rires fusaient d'un jardin à l'autre. On se fréquentait assidûment, on prenait le café à la bonne franquette, on dînait gaiement. Des magistrats et des architectes fréquentaient des industriels attirés par la tranquillité de l'archipel. On pratiquait l'hospitalité, dans la plus grande décontraction. Une simplicité appréciable, comparé à l'étiquette qui était de mise dans la capitale.

On s'efforçait sans compter de rendre la vie en bord de mer aussi confortable que dans les vastes appartements de Stockholm. On bâtissait parfois une annexe sur le terrain pour loger la gouvernante, le jardinier et la cuisinière. On pouvait aussi y entreposer filets et outils.

C'était à regret qu'on faisait ses malles à la fin de la saison, quand il fallait rentrer en ville. Un dernier steak à bord du vapeur et l'été était fini. Il faudrait attendre de longs mois avant de revenir sur l'île.

Pour les insulaires, tout revenait à la normale après le départ des vacanciers. Septembre était froid et pluvieux. En quelques semaines seulement, les feuilles des arbres abandonnaient leur vert luxuriant pour des jaunes et des rouges.

Venaient ensuite les tempêtes d'automne qui laissaient les arbres nus et ébouriffés. Les ruelles étaient pleines de flaques où l'on pataugeait en marchant. Le bas des jupes des femmes était raide de boue, et les pantalons des hommes crottés de gris jusqu'aux genoux.

Thorwald passait la plupart de ses après-midi à cueillir des airelles ou à ramasser des pommes de terre dans le potager. C'était salissant et il avait froid en fouillant la terre imbibée d'eau à la recherche des tubercules.

Ce jour-là, l'île était sous la bruine, et il n'avait aucune envie de rentrer après l'école. Il savait les tâches qui l'attendaient à la maison.

« Personne n'a cueilli les pommes chez le docteur Widerström », dit Arvid Black, un de ses camarades de classe, qui habitait une maison blanche près de Fläskberget.

Arvid avait quatre frères plus âgés et une sœur cadette. Il n'avait jamais porté un vêtement neuf de sa vie et avait toujours faim, car le casse-croûte que lui préparait sa mère lui suffisait rarement.

« Personne ne s'occupe des pommes de la vieille Widerström, répéta-t-il.

— Ah ? » Thorwald donna un coup de pied dans une pierre en se demandant comment couper à la corvée de patates.

« Ses pommes sont les meilleures de l'île. Elle n'est plus là depuis août. Et elle ne devrait pas revenir avant le printemps. »

Arvid regarda d'un air entendu Thorwald, qui s'arrêta au milieu du chemin.

« C'est du vol.

— Mais non. On s'en occupe, c'est tout. De toute façon, elles vont finir par tomber. Le gaspillage est un péché, la Bible le dit. »

Thorwald se tortilla sur place. Il connaissait parfaitement les dix commandements, et il savait exactement ce que dirait son père s'il apprenait qu'il avait pris le bien d'autrui.

Mais il avait faim, et pas envie de ramasser les pommes de terre. Et puis Arvid avait raison. Le docteur Widerström n'était pas là l'hiver. Elle rentrait à Stockholm, comme les autres. Quand elle séjournait sur l'île, elle passait son temps à jardiner. Une fois, elle avait donné quelques fraises à Thorwald, un jour qu'il avait fait une course pour elle. C'était les meilleures fraises qu'il ait jamais mangées. Grosses, rouge sombre, avec un parfum d'été. Ses pommes étaient sûrement aussi bonnes.

L'image de son père lui revint à l'esprit.

« Il faut que je rentre », hésita-t-il. D'un pied, il traçait un cercle dans le sable.

« Allez, viens. On peut quand même aller jeter un œil.

– Et si quelqu'un nous surprenait ? »

Arvid ne l'écoutait pas. Il se dirigeait déjà vers Sandfälten. Thorwald hésitait encore. Mais comment son père pourrait-il l'apprendre ?

Thorwald se décida. S'il se contentait de regarder, ça ne faisait rien. Et puis, il n'était pas forcé de prendre quoi que ce soit.

Ils trouvèrent le jardin désert. Les fleurs étaient fanées depuis longtemps, mais on voyait que la propriétaire en avait pris grand soin tout l'été.

Les plates-bandes bien taillées conduisaient de la grille jusqu'à la maison et, dans le petit bassin, flottaient encore quelques nénuphars jaunis. Les graviers de l'allée étaient si bien ratissés que Thorwald crut un moment que le docteur Widerström était encore là.

Mais en s'approchant de la maison peinte en jaune, il vit que les rideaux étaient tirés et les meubles de jardin rentrés. En appuyant son visage à la fenêtre, il vit entre deux rideaux que tout le mobilier était recouvert de housses blanches. Tout était clos et fermé. La maison était prête pour l'hiver.

Deux pommiers poussaient devant la façade. Ils étaient chargés de grosses pommes rouges qui lui mirent l'eau à la bouche. Beaucoup étaient déjà tombées. Il était grand temps de cueillir le reste, n'importe qui pouvait voir ça.

Dans leur propre jardin, les pommes n'étaient pas si belles. Ils en avaient des jaunes, farineuses, dont Vendela faisait de la compote, et des petites rouge et vert qu'on gardait sur du papier journal pour l'hiver. Leurs pommiers étaient noueux, vieux. C'étaient des arbres utilitaires, et non plantés pour réjouir leur propriétaire comme ceux-ci.

Thorwald imaginait déjà combien ces beaux fruits devaient être savoureux.

Il regarda rapidement alentour, sans voir personne : ils étaient seuls.

Arvid se tourna vers lui.

« Personne ne saura. Viens. »

Il jeta son cartable sur l'herbe humide et attrapa une branche, avant de se hisser à cheval dessus, jambes ballantes. Il choisit soigneusement une belle pomme et la mordit à pleines dents.

Son ravissement était visible.

« Attrape ! »

Une pomme vola. Et une autre. Ils en mangèrent à s'en donner mal au ventre. Le jus leur coulait au coin des lèvres, des bouts de peau collaient à leurs vêtements. Quand ils ne purent plus rien avaler, ils s'affalèrent dans un coin du jardin, heureux et repus. Comme des chats rassasiés, ils se reposèrent pour digérer.

Dès lors, cela devint pour eux une habitude de se glisser en douce dans le jardin du docteur Widerström. Une demi-heure durant, ils se bâfraient des bonnes pommes dont le verger regorgeait. Puis se dépêchaient de rentrer, ventre plein et cœur battant.

Thorwald faisait taire sa conscience avec les mots d'Arvid.

S'ils ne mangeaient pas ces fruits, ils seraient gâchés. Le gaspillage était un péché. C'était dans la Bible, et même son père le disait.

Il fallait s'occuper au mieux des dons de Dieu. Ils ne faisaient rien de mal.

22

THOMAS POUSSA LA PORTE du petit restaurant italien. Ils venaient souvent y dîner quand Pernilla et lui étaient encore mariés. Elle travaillait dans une agence de publicité du quartier. C'était une de leurs cantines préférées après les longues journées de travail, quand aucun d'eux n'avait le courage de faire la cuisine.

Il la vit aussitôt.

Elle était dans un box, calée contre le cuir bordeaux. Le visage tourné vers la porte, elle lisait le menu. Elle avait une nouvelle coiffure, beaucoup plus courte qu'avant. C'était différent, ça lui donnait plus de chien.

Elle avait aussi pris du poids, ce qui lui allait bien. Dans les derniers mois de leur vie commune, elle était maigre, presque diaphane. À présent, son visage avait mûri, pris du caractère. Elle ne ressemblait plus à la jeune fille insouciante qu'il avait épousée à l'église de Värmdö un beau jour de juin, huit ans auparavant. Mais elle était toujours aussi jolie.

La dernière fois qu'ils s'étaient vus, c'était chez l'avocat, pour signer les derniers papiers du divorce. Thomas n'avait pas protesté quand Pernilla avait tenu à mettre un terme légal à un mariage qui ne fonctionnait plus.

Après la mort d'Emily, il avait été comme une ombre. À la fin, il se montrait à peine à la maison. Il se réfugiait dans le travail et prenait toutes les heures supplémentaires qu'il pouvait. Longtemps, il avait tout fait pour fuir ses propres pensées, tout comme l'ambiance de plus en plus tendue qui régnait à la maison.

Devant l'avocat, une heure avait suffi pour dissoudre leur vie commune. Ils avaient à peine échangé un mot, juste fait ce que le juriste leur disait, signé là où il le leur indiquait.

Le rendez-vous fini, il s'était produit quelque chose que Thomas avait eu du mal à digérer. À l'accueil du cabinet, Pernilla l'avait regardé d'un air désolé, lui adressant un sourire qui n'arrivait pas jusqu'à ses yeux. Puis elle lui avait tendu la main pour lui dire adieu.

Ce geste l'avait profondément blessé.

Elle l'avait salué comme s'ils venaient de se rencontrer, et il lui avait serré la main avec la même froideur.

C'était la femme avec laquelle il avait voulu partager sa vie. À qui il avait juré fidélité et amour éternels, et avec qui il avait fini par avoir un enfant tant désiré.

Tandis qu'ils étaient là comme deux étrangers, il revoyait leur vie. Les chaudes nuits d'été où ils avaient fait l'amour dehors, les matins où ils se réveillaient ensemble à Harö, le bonheur quand Emily gazouillait entre eux.

Tout tournait dans sa tête et, pendant ce temps, elle avait poussé la porte pour sortir de sa vie.

Elle quitta le menu des yeux et l'aperçut dans l'entrée du restaurant. Son visage se fendit d'un large sourire.

Thomas eut chaud au cœur.

Il ne savait pas trop comment se comporter, mais elle se précipita pour l'embrasser. Étonnant, combien il était facile d'y répondre. Comme la tenir dans ses bras lui semblait familier. Même son parfum était le même.

Elle recula d'un pas. « Tu n'as pas changé. Même blouson de cuir, même chemise bleue. » Elle l'examina alors d'un air un peu triste. « Mais quelques nouveaux cheveux gris… »

Ils s'installèrent et Thomas commanda à boire. Bercé par le léger brouhaha, il se cala au fond de son siège avec un sentiment de paix.

« Et au fait, comment va Nora ? demanda Pernilla quand ils eurent bavardé un moment. Je n'ai plus eu de contact avec elle non plus. Tu dois comprendre. » Elle fit une drôle de mine.

Thomas hésita.

Que pouvait-il raconter de la situation de Nora à son ex-femme ? Elles s'étaient toujours bien entendues. Pernilla n'avait jamais rien trouvé à redire sur la profonde amitié qui le liait à Nora, qu'elle avait toujours considérée comme une parente proche. Presque une petite sœur.

« Pas très bien, finit-il par dire. Henrik et elle vont divorcer. C'est tout frais, alors ça ne va pas fort en ce moment. Elle est à Sandhamn avec les garçons. Je lui ai parlé hier. »

Volontairement, il omit de mentionner les événements qui s'étaient produits sur l'île. Il n'avait aucune envie de s'apesantir sur les découvertes macabres de la veille.

« Je suis étonnée qu'ils aient tenu si longtemps », dit Pernilla avec une franchise qui étonna Thomas. Il n'avait jamais remarqué que Pernilla n'aimait pas Henrik. Ils avaient passé beaucoup de temps ensemble tous les quatre.

« Ils sont tellement différents, dit-elle. C'est un vrai snob, et elle, la personne la moins prétentieuse que j'aie rencontrée. »

Thomas opina du chef. Pernilla avait tout à fait raison.

« Et son horrible mère, ajouta Pernilla. Nora a du mérite de l'avoir supportée.

– Ça fait un moment que ça ne va plus entre eux.

– Je parierais qu'il a séduit une jolie infirmière de l'hôpital.

– Tu ne crois pas si bien dire, admit Thomas, qui avait entendu toute l'histoire lors d'une longue conversation téléphonique entrecoupée de larmes dimanche soir.

– Je devrais peut-être l'appeler dans la semaine. Je m'y connais un peu en divorces. » Elle sourit légèrement.

Le serveur les interrompit en leur apportant leurs plats : linguine pour Pernilla, spaghettis à la carbonara pour Thomas.

Tout en lui racontant sa vie et son travail au commissariat de Nacka, Thomas regardait Pernilla à la dérobée. Elle avait l'air d'aller bien, vraiment bien. Il lui posa quelques questions et, comme d'habitude, elle gesticula beaucoup en y répondant. D'un ton léger, elle lui raconta comment elle avait pris goût à la côte ouest.

Quand elle sortit ensuite quelques blagues typiques de Göteborg, ils rirent tant tous les deux que les autres clients les regardèrent de travers.

« Pardon, fit Pernilla en essuyant une larme. Mais ils ont un sacré humour là-bas, tu ne trouves pas ?

– Pourquoi es-tu revenue ? » La question échappa à Thomas malgré lui.

Pernilla reprit son sérieux. Elle porta son verre à ses lèvres avant de répondre.

« J'avais le mal du pays, dit-elle simplement. Göteborg était exactement ce qu'il me fallait pour passer un cap difficile. Mais Stockholm, c'est chez moi. »

Elle regarda au fond de son verre comme si elle allait ajouter quelque chose, puis sembla changer d'avis.

Ils se turent un moment, mais ce silence n'avait rien de gênant.

Curieux, songea Thomas. Comme si les événements des dernières années n'avaient pas eu lieu. Comme si, après avoir réglé l'addition, ils allaient rentrer ensemble chez eux.

Il s'aperçut que Pernilla avait dit quelque chose qu'il n'avait pas saisi.

« Pardon, tu disais ?

– Que c'était très agréable, répéta Pernilla. Ça m'a fait plaisir de te revoir, Thomas. »

Elle toucha légèrement sa main posée sur la table. Une seconde, il se plut à imaginer garder cette main dans la sienne. Ne pas lâcher prise, cette fois. La chaleur du bout de ses doigts dura plusieurs secondes.

Puis ce fut fini.

« On devrait peut-être recommencer, dit-elle. Si tu veux, bien sûr. »

Le regard de Pernilla se fit soudain pensif. Tout au fond de ses yeux, Thomas devina une hésitation. Et autre chose qu'il ne sut pas identifier.

Pour se donner une contenance, il attrapa l'addition.

« Bien sûr, murmura-t-il en sortant son portefeuille pour payer. Volontiers. »

23

« MAINTENANT, tu vas ramener les enfants à la maison.
Tu entends ? »

Henrik criait, clairement furieux. D'un geste las, Nora
coupa le message et ferma son téléphone.

C'était le quatrième appel de Henrik depuis leur arrivée sur l'île. Quand elle voyait son nom s'afficher, elle ne
répondait pas. Elle refusait toujours de lui parler et encore
plus de le voir. Mais, pour les enfants, il allait bien falloir
établir une forme de contact. À travers eux, elle était à
jamais liée à celui qui serait bientôt son ex-mari. Elle aurait
beau faire, ce ne serait jamais fini avec lui.

Elle soupira.

Que ses enfants puissent à ce point l'enchaîner à lui, elle
n'y avait jamais songé jusqu'alors. Mais elle n'avait jamais
non plus demandé le divorce.

Elle l'éviterait encore quelques jours. Elle attendrait
lundi, la fin des vacances, pour rentrer à Saltsjöbaden
s'occuper de son existence en miettes. Elle ne pourrait
pas repousser ce moment plus longtemps. Mais elle avait
vraiment besoin d'être tranquille jusqu'à la fin de la
semaine.

Nora était à demi couchée sur le canapé à rayures bleues
du séjour. Elle avait couvert ses jambes d'un plaid et le
poêle répandait sa chaleur dans toute la pièce. Elle sentait sa faïence bien chaude sous sa main.

Ses portes entrouvertes laissaient passer la lueur tremblante des flammes. Regarder leur danse toujours recommencée était apaisant.

Au bout d'un moment, elle alla à la cuisine se resservir du vin. Elle aurait dû cesser de boire, mais l'alcool l'endormait. Avec un peu de chance, un dernier verre lui permettrait de s'assoupir à une heure raisonnable. Elle n'avait pas la force de passer une nouvelle nuit blanche à ruminer.

Hier, elle était restée jusqu'à deux heures et demie du matin sans pouvoir dormir, la tête pleine des mêmes interminables monologues où elle assaillait Henrik en déversant sur lui toute la tristesse et l'amertume accumulées ces dernières années. Elle s'imaginait déroulant ses griefs comme elle ne s'était jamais permis de le faire, sans pour autant se sentir mieux.

L'haleine chaude de Simon contre sa joue l'avait réveillée, elle avait les yeux irrités et le corps endolori par le manque de sommeil.

Elle était allée l'après-midi à la piscine couverte de l'hôtel des Marins. Fabian et sa famille y étaient aussi. Nora ne leur avait pas parlé de son prochain divorce : elle s'était contentée de murmurer que Henrik était de garde à l'hôpital. C'était trop dur de leur dire ce qu'il en était vraiment.

En tout cas, cette sortie à la piscine avait été un succès. Les enfants étaient restés plusieurs heures dans l'eau. Ils s'étaient bien amusés et semblaient avoir surmonté les événements horribles de la veille. Une consolation pour Nora.

Les enfants oublient vite, se dit-elle. Dieu merci.

Elle se demandait à présent combien de temps ils mettraient à oublier leur vie dans une famille unie. Simon n'avait que huit ans. Se souviendrait-il de l'époque où papa et maman vivaient ensemble ? Où ils s'aimaient encore et s'amusaient ensemble ?

Adam n'avait pas beaucoup parlé de ce qui s'était passé dans la forêt. Nora avait suivi de son mieux les conseils d'Annie. Ne pas sur-dramatiser, être comme d'habitude et à l'écoute si un des garçons avait besoin de parler.

Être comme d'habitude.

Nora étouffa un rire nerveux. Elle était comme une plaie à vif. Comment être comme d'habitude quand le moindre acte de la vie quotidienne était une souffrance ? Elle aurait préféré dormir les prochains mois, jusqu'à ce que ça ne fasse plus aussi mal. Se ficher de tout et de tous, et disparaître sous les couvertures.

Elle s'étonnait pourtant de la force qu'elle trouvait en elle. Malgré tout ce qui s'était passé, elle s'en sortait assez bien, sans rien montrer aux enfants. C'était peut-être cela, l'instinct maternel : protéger à tout prix ses petits.

Henrik ressentait-il la même chose ? Elle en doutait.

Même ce soir-là, elle avait ravalé ses larmes et préparé le dîner : un chili con carne et en dessert de la glace au chocolat avec du caramel. Vers vingt et une heures, Simon s'était endormi et, à peine une demi-heure plus tard, Adam était de lui-même allé se coucher.

Une nouvelle fois, Nora bénit cette capacité des enfants à s'endormir en oubliant les expériences pénibles. Étonnant comme le sommeil guérissait tout.

Elle jeta un œil à l'horloge murale de la cuisine. D'aussi longtemps qu'elle s'en souvienne, elle avait toujours été là. Elle venait de sa grand-mère maternelle : en porcelaine blanche avec de fines décorations florales bleues au pinceau. Il était minuit moins le quart. Depuis longtemps il n'avait pas fait aussi froid dans l'archipel.

Sans allumer, elle alla prendre le bib de vin dans le garde-manger. En passant devant la fenêtre sud, elle s'arrêta net. Là-bas, près du réverbère, au même endroit que la dernière fois, elle vit une silhouette inconnue qui regardait fixement la maison des Rosén.

Que se passait-il ?

Elle écarquilla les yeux pour mieux voir dans la nuit d'hiver, mais elle avait beau faire, les détails lui échappaient.

Cette personne inconnue portait un gros blouson à capuche et, comme la nuit précédente, il était impossible de dire s'il s'agissait d'un homme ou d'une femme. Malgré le froid, la silhouette restait là, immobile, tel un fantôme aux aguets. Elle avait les mains dans les poches.

Devait-elle sortir voir ce qui se passait, ou téléphoner à Thomas pour lui parler de cette mystérieuse apparition ?

La peur de la veille avait disparu.

À vrai dire, elle avait un peu honte de s'être laissée effrayer. Elle était adulte, elle ne devrait plus avoir peur du noir. Et puis elle n'avait pas envie de passer la nuit à ruminer en se demandant qui c'était. Autant sortir tout de suite tirer ça au clair, et savoir qui surveillait ainsi la maison des parents de la morte et pourquoi.

Assez réfléchi. Nora se dépêcha d'enfiler ses bottes et son manteau. Elle mit des gants et un bonnet et ouvrit la porte. Son cœur battait un peu plus fort, mais elle ignora la voix intérieure qui lui murmurait que c'était imprudent. Elle en avait au plus pour quelques minutes. Tout se passerait en un clin d'œil.

Après un dernier regard vers l'étage, où dormaient les enfants, elle sortit.

Le froid lui piquait le nez. Elle essaya de respirer par la bouche, mais ça n'y changeait rien. Ses yeux pleuraient. À peine dehors, elle était déjà transie.

Le village semblait désert, les toits couverts d'une épaisse couche de neige, les maisons rouges étaient noires dans la nuit. Tout semblait différent.

Elle se surprit à regretter que quelques fenêtres au moins ne soient allumées. La lumière ténue des rares réverbères ne suffisait pas à éclairer les rues. Dès qu'elle quittait un cône de lumière, les ténèbres compactes se refermaient autour d'elle.

Elle avança de quelques pas mais, soudain, hésita. Était-ce de la folie d'aller toute seule voir qui c'était ? Peut-être aurait-elle dû prendre un outil pour se défendre, un marteau ou une clé anglaise ? Un instant, elle s'immobilisa devant la clôture. Mais elle chassa cette idée. Elle avait déjà fait le tour de la maison et marché un peu, il faisait trop froid pour revenir sur ses pas.

Elle allait se renseigner pour savoir qui était cette personne plantée à une centaine de mètres seulement de sa cuisine. Puis elle rentrerait se coucher. D'un pas décidé, elle se dirigea vers l'endroit où elle avait vu la silhouette.

« Qu'est-ce que vous faites là, si tard ? »

Nora, le souffle coupé, fit volte-face, les bras levés pour se protéger.

« Du calme, je ne voulais pas vous faire peur. »

Pelle Forsberg était à trois mètres seulement, l'air ébahi. Il était nettement plus couvert qu'elle, avec un épais anorak bleu et un bonnet noir.

« Pardon si je vous ai fait peur, répéta-t-il. Ce n'était vraiment pas mon intention. Je voulais juste savoir si ça allait. Il est tard pour sortir comme ça, seule, par ce froid. »

Nora sourit, gênée. Que dire qui ne soit pas trop bizarre ? Dire la vérité, qu'elle était sortie jouer les détectives amateurs, il n'en était pas question.

« Ce n'est rien, j'ai juste été un peu surprise. J'étais sortie prendre l'air. » Elle essaya de faire comme si c'était la chose la plus naturelle du monde. « Mais je pourrais vous demander la même chose : c'est un peu tard pour sortir se promener ? »

Il hésita un peu.

« Oui, vous avez raison. Je rentrais. J'étais chez les Granlund, vous savez, ceux qui ont la maison rouge à Fläskberget. »

Nora connaissait bien les Granlund, dont la fille cadette avait l'âge de Simon.

« Bon, fit Pelle Forsberg en se battant les flancs, je crois que je vais rentrer. Sauf si vous avez un petit café pour moi ?

— Euh… C'est que j'allais me coucher. Il est tard.

— Bien sûr. Au revoir, fit-il avec un signe de la main.

— Au revoir. »

Nora tourna les talons et se dépêcha de rentrer. Elle ne pouvait pas continuer dans la direction des Rosén avec Pelle Forsberg qui la regardait. Tout ça était idiot. Mais qu'est-ce qui lui avait pris ?

Une minute plus tard, elle était chez elle. Elle verrouilla vite la porte derrière elle. Sans ôter ses bottes, elle alla à la cuisine regarder par la fenêtre.

La silhouette n'était plus là. Il n'y avait personne sous le réverbère du côté de chez les Rosén.

U<small>N JOUR</small>, ils s'attardèrent un peu trop longtemps. Il n'y avait plus de pommes sur les branches les plus basses, et il fallait grimper toujours plus haut pour en attraper.

Arvid finit par atteindre la plus haute branche. La mine triomphante, il envoya à Thorwald les dernières pommes. Ils en avaient trois chacun, qu'ils mangèrent aussitôt, car la nuit commençait déjà à tomber. Thorwald en garda une. Il avait souvent faim le soir, et il aimait aller manger une pomme en cachette avant de se coucher.

Ils quittèrent Sandfälten en courant. En approchant de chez lui, Thorwald aperçut la silhouette de son père par la fenêtre. Plusieurs personnes avaient l'air d'attendre avec lui dans la cuisine.

Son ventre se serra. Qui étaient ces inconnus ?

Il ouvrit doucement la porte. La conversation s'interrompit à son arrivée.

Dans la cuisine se tenaient deux messieurs, l'air grave. Il les reconnut tous deux. L'un était le doyen de la paroisse, Gustav Klingberg, plus de soixante-dix ans, dont le petit-fils allait à l'école avec Thorwald. L'autre était plus jeune, Karl Johansson, lui aussi membre de la paroisse. Il avait d'épais sourcils noirs à présent relevés comme s'ils ne faisaient qu'un.

Le doyen regarda Thorwald d'un air sévère. Il avait croisé les bras sur sa poitrine.

On dirait deux corbeaux, songea Thorwald. Deux corbeaux prêts à déployer leurs ailes pour le percer à coups de bec.

Ils savaient, Thorwald le comprit aussitôt. Quelqu'un l'avait vu avec Arvid dans le verger et avait mouchardé. Au début, ils avaient fait attention, puis s'étaient peu à peu enhardis. Les dernières semaines, ils étaient entrés dans le jardin presque sans regarder alentour. Il était si facile de se servir, et Thorwald avait fini par se convaincre lui-même qu'il fallait manger ces délicieuses pommes.

Mais ce n'était pas le cas.

Le docteur Widerström en avait promis la récolte à quelqu'un sur l'île.

Quelqu'un qui avait été très désagréablement surpris de constater qu'on cueillait les pommes dans son dos.

Peut-être s'était-il alors caché pour découvrir qui le volait.

La gorge de Thorwald s'emplit d'un goût de bile. La pulpe des fruits volés pesait comme du plomb dans son ventre. Il aurait voulu tout vomir, et que tout redevienne comme avant.

Son père n'avait encore rien dit, mais Thorwald savait qu'il était furieux. Ses mâchoires bougeaient, ses poings étaient serrés. Les mouvements muets de ses lèvres effrayaient Thorwald.

Pourquoi s'était-il laissé entraîner dans le jardin du docteur Widerström ?

Les larmes lui montaient aux yeux, mais il savait d'expérience que cela ne ferait qu'empirer les choses. Gottfrid détestait tout manque de virilité. Il ne tolérerait pas qu'il pleure, surtout en public.

« Thorwald, s'exclama Vendela en arrivant de la chambre. Qu'est-ce que tu as fait, cette fois ?

– Laisse-nous régler ça », dit Gottfrid.

Vendela s'arrêta net et regarda autour d'elle, désemparée. Thorwald aurait voulu la supplier de rester, mais il n'osait pas. Il la dévisagea, comme si, par la seule force de sa volonté, il pouvait lui faire comprendre qu'elle ne devait pas l'abandonner.

135

« Disparais ! » dit Gottfrid, et Vendela tourna les talons. Elle jeta un dernier regard à son fils avant de partir.

Thorwald était campé les pieds écartés : il n'était pas certain que ses jambes le portent autrement. Il sentit alors quelque chose de chaud couler le long de ses jambes, et baissa les yeux. Une flaque claire s'était formée à ses pieds. Le rouge lui monta aux joues.

Gottfrid le regarda avec dégoût.

« Nous te laissons, frère, dit le doyen. Il vaut mieux que vous restiez seuls, ton fils et toi, dans un moment pareil. »

Il leva son chapeau noir et se dirigea vers la porte. Karl Johansson le suivit sans un mot.

La peur de Thorwald redoubla. Si on le laissait seul avec son père, tout pouvait arriver. Il resta figé, tandis qu'à ses pieds la flaque teintait de sombre les lattes du plancher.

« Viens ici ! éructa Gottfrid. Assied-toi sur cette chaise. »

Thorwald obéit. Il s'assit sur la chaise en sapin. Elle était un peu bancale et émit un craquement dans le silence de la pièce. Son pantalon humide collait à l'intérieur de ses cuisses. Le tissu était déjà froid. L'odeur d'urine et de laine mouillée lui donna un haut-le-cœur.

Son père se plaça derrière lui.

« Mon fils n'est donc qu'un voleur », dit-il tout bas à son oreille.

Thorwald resta figé.

« Très bien. Alors, autant prévenir tout le monde sur l'île. Comme ça, ils sauront qu'il faut t'éviter. Jusqu'à nouvel ordre. »

Thorwald avait le souffle court. Du coin de l'œil, il vit Gottfrid remplir un bol d'eau à l'évier. Puis il ouvrit un tiroir du placard. Il en sortit l'étui de cuir où il rangeait son rasoir. Il l'en tira doucement et le leva pour l'examiner. Il passa le pouce sur la lame pour en éprouver le tranchant.

La lame luisait dans la pénombre.

C'était juste quelques pommes, père, voulait chuchoter Thorwald, juste quelques pommes, mais aucun mot ne sortait de sa bouche.

Ses larmes se mirent à couler sans qu'il puisse les arrêter. Il sentait leur sel sur ses lèvres et n'osait pas lever la main pour s'essuyer.

Gottfrid se tourna vers Thorwald, le regard furieux.

« Maintenant, tu ne bouges plus, Thorwald, sinon ça risque de très mal se passer. Et nous ne voulons pas ça, ni toi ni moi. »

Son père éprouva à nouveau le fil du rasoir. Il s'apprêta à l'aiguiser, mais se ravisa.

« Ça suffira bien », murmura-t-il tout seul.

Le rasoir dans la main droite, il fit le tour de la chaise pour se replacer dans le dos de Thorwald.

Quelques secondes passèrent sans que le père fît un geste.

Thorwald retenait son souffle. Il ferma les yeux en se souvenant comment Vendela tranchait le cou aux poules pour les cuisiner.

Il rouvrit les yeux et balaya la pièce du regard, comme à la recherche d'une issue pour s'enfuir. Mère, songea-t-il, aide-moi !

« Tu ne voleras pas, souffla Gottfrid si bas que Thorwald l'entendait à peine. Le septième commandement. Tu ne voleras pas. »

Soudain, Thorwald sentit son père l'attraper durement par les cheveux.

« Mon fils ne volera plus jamais, ne serait-ce qu'un centime », chuchota-t-il.

Une touffe de cheveux blonds tomba à terre. Puis encore, et encore. À chaque fois, son père trempait la lame affûtée dans l'eau, ce qui n'empêchait pas celle-ci de lui entailler le cuir chevelu.

Par terre, les cheveux blonds se teintèrent de rouge. Thorwald n'osait toujours pas bouger, le regard fixé sur la lampe à pétrole. S'il regardait la flamme assez longtemps, peut-être pourrait-il éviter la douleur.

Quand son père eut fini, le sol était jonché de mèches blondes. La tête de Thorwald tambourinait, et son crâne était couvert de coupures après ce traitement sans ménagement.

« Si jamais tu recommences… »

Le père ne finit pas sa phrase. Ce n'était pas nécessaire.

La tête baissée, Thorwald essayait de ne pas regarder les cheveux par terre. La honte était aussi forte que la douleur. Comment oserait-il aller à l'école, le lendemain ? Il ne pourrait plus jamais se montrer au village.

24

L E PREMIER FERRY pour Sandhamn partait de Stavsnäs à sept heures du matin.

Margit n'avait pas passé beaucoup d'heures chez elle. La veille, elle avait fait l'aller-retour pour informer les Rosén que leur fille était morte. Elle avait proposé de s'en charger elle-même : Thomas, qui savait n'avoir pas très bien géré la réaction de Marianne Rosén dans la forêt, lui en était reconnaissant.

Accompagnée d'un prêtre, Margit avait annoncé de son mieux l'horrible nouvelle. Tandis qu'Anders Rosén avait fait preuve d'une certaine retenue, à la limite de la résignation, Marianne Rosén les avait arrosés d'insultes avant de s'effondrer en sanglots. C'était dur, et c'est encore sous le choc que Margit embarqua ce matin-là avec Thomas dans le froid mordant.

La mer était grise et le vent violent arrachait aux vagues des crêtes d'écume. Grelottants, ils se dirigèrent vers la cafétéria, guidés par un arôme de café frais.

« Qui part pour l'archipel, si tôt ? demanda Margit tandis qu'ils faisaient la queue.

– Pas mal de monde, dit Thomas. Beaucoup font l'aller-retour tous les jours pour travailler à Sandhamn.

– Mais pourquoi ? » demanda Margit tout en commandant deux cafés accompagnés d'une brioche à la cannelle.

La fille de la cafétéria avait les cheveux teints en noir avec une mèche blanche au milieu et un des sourcils percé d'un anneau. Margit s'estima heureuse que ses filles n'aient pas de piercing. Puis elle songea aux époux Rosén et se souvint qu'il y avait pire qu'un anneau d'argent dans le nez.

« Aujourd'hui, beaucoup de gens travaillent sur l'île. L'hôtel des Marins est ouvert toute l'année et l'auberge ne ferme que quelques mois en hiver. Sans oublier la plateforme d'appels de la police nationale. »

Margit hocha la tête.

« Le problème est plutôt le manque de logements, continua Thomas. Tu sais les prix faramineux que peuvent atteindre les résidences secondaires. Il n'y a pas d'alternative raisonnable pour ceux qui veulent travailler et vivre sur l'île. C'est pourtant nécessaire à la survie de Sandhamn. » Thomas s'interrompit avec un sourire gêné. « On dirait un discours électoral, non ? Pardon, je ne voulais pas pontifier. »

Margit secoua la tête.

« Non, non, c'est intéressant. Je n'imaginais pas qu'on puisse aller travailler tous les jours à Sandhamn. Je pensais que les résidents permanents avaient déjà du mal à trouver du travail. »

Elle but une gorgée de café et sauta du coq à l'âne.

« On arrive dans vingt minutes. On commence par les Hammarsten ?

– Oui, très bien. Je me demande si leur fille n'a pas quelque chose d'autre à nous raconter. »

Thomas et Margit se frayèrent un chemin dans la neige.

Depuis le port, le chemin vers Trouville passait devant les terrains de tennis et traversait la forêt de pins jusqu'à la plage, de l'autre côté de l'île.

Encore mal réveillée, Louise Hammarsten leur ouvrit. Elle avait fait du thé, et ils s'installèrent dans le séjour. Par la grande baie vitrée, on apercevait la plage de Trouville à travers les arbres. Aussitôt, Thomas imagina les soirées grillades sur la large terrasse en bois orientée au sud-ouest. Ce devait être un endroit magnifique pour passer l'été.

« Tu es seule ? demanda Margit.

– Maman vient de partir au village, pour être avec Marianne. Elle ne voulait pas la laisser seule dans un moment pareil. »

Thomas et Margit échangèrent un regard.

« Son mari n'est pas là ? » demanda Thomas. Il revit Anders Rosén : un homme de cinquante ans au visage poupon qui avait brutalement vieilli pendant l'automne.

« Il devait rentrer en ville aujourd'hui. Marianne ne voulait pas l'accompagner. Pas tant que vous êtes là. »

Thomas comprenait ce qu'elle voulait dire. Les recherches d'autres fragments du corps se poursuivaient, et Marianne Rosén refusait d'abandonner l'espoir qu'on trouve encore quelque chose, même si sa fille était tenue pour morte.

Assise dos à la fenêtre, Louise tambourinait nerveusement du pied. Elle portait de grosses chaussettes.

« Il faut qu'on te parle, Louise », dit doucement Margit en jetant un coup d'œil à son collègue comme pour décider par quel bout commencer, « de quelque chose que tu sais peut-être déjà ».

Louise les regarda avec appréhension.

La veille, quand ils l'avaient appelée pour prendre rendez-vous, sa voix trahissait son inquiétude. Mais Margit avait juste dit qu'ils voulaient la voir, sans davantage de précisions.

« Nous pensons que Lina a été assassinée sur l'île cet automne, au moment de sa disparition, dit Thomas avec précaution. Tu en as peut-être entendu parler à la télé ? »

Louise hocha la tête. Puis ses yeux se remplirent de larmes et elle poussa un petit gémissement.

« C'est vrai ? Vous ne vous trompez pas ?

– J'ai bien peur que non, hélas, dit Margit. Ses parents ont identifié sa montre.

– La jolie ? fit Louise d'une voix serrée.

– Exactement, dit Margit. Tu la connais ? »

141

– Elle la portait toujours. Elle l'a reçue en cadeau de ses parents pour ses dix-huit ans. Elle l'aimait beaucoup. » Les larmes se mirent à couler sur ses joues.

« Nous voudrions savoir si tu as autre chose à nous raconter au sujet de Lina. » Margit sortit un paquet de mouchoirs en papier et en tendit un à la jeune fille.

« C'était ma meilleure amie. On se connaissait depuis qu'on était toutes petites. On passait tous nos étés ensemble. »

Margit posa sa main sur le bras de Louise et le serra pour l'encourager.

« Je comprends que c'est dur, dit-elle.

– La dernière fois, tu étais très affectée par la disparition de Lina, dit Thomas. Tu disais qu'elle pouvait s'être suicidée, mais sans vraiment nous expliquer pourquoi.

– C'est très important pour nous de savoir si tu nous as vraiment tout dit cet automne », compléta Margit.

Louise se moucha avant de parler.

« Je suis désolée de vous avoir fait croire ça, finit-elle par dire.

– Ça ne fait rien, dit Thomas. Mais dis-nous pourquoi tu le pensais. Si tu sais quelque chose, il faut le dire maintenant. »

Ce n'était pas sa faute, songea-t-il amèrement, si la police s'était contentée de cette théorie de l'ado malheureuse qui se suicide.

Louise se tortilla sur son siège, comme si elle n'arrivait pas à se décider à parler. Puis elle leva les yeux vers eux.

« Lina ressentait une énorme culpabilité pour un accident de bateau qu'elle avait eu.

– Que s'était-il passé ?

– Un garçon s'était noyé quand leur bateau était entré en collision avec un autre. Lina en faisait des cauchemars. Elle pensait que c'était sa faute s'il était mort.

– Pourquoi ne pas nous en avoir parlé cet automne ? » Margit la dévisagea.

« J'avais promis à Lina de ne pas en parler. » Louise avait un regard coupable. « Elle m'avait fait jurer de ne rien dire. Personne ne devait savoir.

« – Qui s'est noyé ? dit Margit.

– Seb. Je veux dire Sebastian.

– Sebastian Österman ? » dit Thomas.

Louise hocha la tête, et une ombre tomba sur le visage du policier.

Il avait été présent lors de l'accident. Avec Henrik Linde, il était en route vers le phare de Grönskär pour sauver Nora qui était enfermée dans la tour et risquait de mourir d'un choc insulinique. C'était en pleine nuit. Un zodiac avait soudain surgi du détroit de Sandhamn. Sans feux de position et beaucoup trop vite.

La collision avait été violente. Une dizaine de jeunes gens avaient été projetés dans l'eau et le conducteur, coincé sous la coque, n'avait pas pu se dégager. Thomas lui-même avait plongé pour essayer de le sauver, mais quand il avait réussi à le remonter, il était trop tard. Il était déjà mort.

L'enquête avait montré que l'adolescent avait un taux élevé d'alcool dans le sang, et Henrik avait témoigné de la vitesse excessive du zodiac. En outre, il y avait beaucoup trop de passagers à bord.

Thomas avait été entièrement blanchi, mais il s'était souvent demandé ce qui se serait passé s'il était parti ne serait-ce qu'une minute plus tard, ou s'il avait réagi à l'arrivée du zodiac quelques secondes plus tôt.

La question de Margit le ramena à la réalité.

« Mais ce n'est pas la faute de Lina, si Sebastian est mort ?

– C'était son zodiac.

– Elle en était la propriétaire ?

– Oui, son père le lui avait offert quelques années plus tôt.

– Je ne comprends toujours pas pourquoi elle se sentait coupable, dit Margit.

– Elle m'a raconté… » Louise s'interrompit avant de continuer : « … que c'était elle qui avait demandé à Seb de conduire cette nuit-là. Elle ne voulait pas prendre le volant.

– Alors qu'il avait bu ? » demanda Margit.

Louise hocha la tête.

« Elle voyait mal dans le noir. En tout cas, elle n'aimait pas naviguer de nuit. Et elle avait sans doute bu, elle aussi.

– Tu n'y étais pas ?

– Non, j'étais chez ma grand-mère ce week-end-là.

– Tu sais où ils allaient ? demanda Thomas.

– Non. » Elle hésita. « Nous n'avons jamais beaucoup parlé de l'accident, à part la fois où elle m'a tout raconté. Elle passait la nuit ici, mes parents étaient en ville. »

Les yeux de Louise se remplirent à nouveau de larmes.

« Elle était triste, elle n'arrêtait pas de pleurer, pendant des heures. Elle m'a dit qu'elle avait songé à se suicider, et c'est la première chose à laquelle j'ai pensé quand vous m'avez dit qu'elle avait disparu. » Elle pencha la tête, de sorte que ses cheveux retombèrent sur ses yeux. « Qu'elle avait fini par passer à l'acte. Depuis qu'elle m'en avait parlé, j'avais parfois peur qu'elle le fasse.

– Il aurait mieux valu nous raconter tout ça la dernière fois, dit Margit.

– Je ne pouvais pas. Je lui avais promis de ne rien dire. » Il y avait de la colère dans sa voix, mais en même temps elle semblait s'excuser. « Elle avait changé, aussi, elle ne passait plus autant de temps avec moi. Elle s'était mise à beaucoup faire la fête. Au début, je l'accompagnais, mais j'en ai eu vite assez. Je voulais réussir mes examens. Elle, elle s'en fichait, apparemment. L'automne dernier, elle a interrompu ses études. »

Thomas se cala au fond de son siège pour réfléchir. Ce que racontait Louise différait de l'image que les Rosén avaient de leur fille.

« Quand nous avons parlé à ses parents cet automne, ils avaient du mal à imaginer qu'elle ait pu se suicider, dit-il. Ils ne savaient pas qu'elle n'allait pas bien ?

– Je ne crois pas qu'elle ait eu le courage de leur raconter que c'était elle qui avait demandé à Seb de conduire. J'étais la seule au courant. Elle avait trop honte pour le leur dire.

– Honte ? reprit Margit.

144

– De lui avoir demandé de conduire le bateau, s'impatienta Louise. Je vous l'ai déjà dit. Si elle ne l'avait pas convaincu de conduire, il serait sûrement encore en vie aujourd'hui.

– On n'en sait rien, dit Margit. Il aurait peut-être malgré tout pris le volant. Juste parce qu'il avait envie de conduire un joli bateau de luxe.

– Je sais que Lina a été très affectée, dit Louise. Je n'invente pas. Elle se reprochait la mort de Seb.

– Nous te croyons, dit Margit. Nous essayons juste de faire coller ensemble différentes images de Lina.

– Personne ne devait savoir », chuchota Louise.

Vendela se figea en entendant les pas lourds sur le perron.

Thorwald regarda sa mère à la dérobée, assise à la table de la cuisine, les yeux baissés. Sur sa robe noire, son tablier fermait à peine.

Seule Kristina ne réagit pas, mais elle était si petite, tout juste six ans. Elle ne savait pas ce que signifiait le bruit funeste des bottes de son père. Au contraire, elle était sa préférée et se réjouissait quand il rentrait.

La porte s'ouvrit et un courant d'air froid se répandit dans la cuisine.

La mère se leva et alla remuer la bouillie dans la casserole. Elle évita de croiser le regard de son mari.

Il alla tout droit se mettre les pieds sous la table. Puis joignit les mains.

« Nous te remercions, Père tout-puissant, pour tous tes dons, et te prions de bénir ce repas », commença-t-il.

Thorwald avait lui aussi joint ses mains et marmonnait de son mieux avec lui. Kristina aussi.

Vendela apporta la bouillie d'avoine fumante dont ils allaient souper et la posa sur la table. Les bols étaient déjà remplis d'une eau de mélasse aromatisée au vinaigre, dans laquelle on trempait les cuillérées de bouillie. Le père ne leva pas les yeux quand elle le servit, et commença aussitôt.

Ils mangèrent en silence.

Thorwald finit le premier et lorgna avec envie la bouillie, sans oser en redemander avant que son père n'ait fini. Sa mère le comprit et tendit la main vers la cuillère pour le resservir.

« Tu es un goinfre, fils ? »

La voix du père trancha le silence.

Thorwald baissa les yeux en secouant la tête.

« Non, père.

– Très bien. »

Sa mère se laissa retomber contre le dossier de la banquette. Thorwald continuait de fixer obstinément la table. Il avait les pieds gelés malgré les chaussettes en laine que sa mère lui avait tricotées.

Le froid était mordant dehors. La Saint-Charlemagne, le 28 janvier, avait annoncé un long et froid hiver, et c'était les semaines les plus froides. La baie était entièrement prise par les glaces et, le matin, le givre couvrait les fenêtres.

Thorwald avait encore faim, et jeta un coup d'œil au plat de bouillie. Son père se resservit, puis il vit sa mère l'encourager de la tête à en reprendre.

Il mangeait toujours autant qu'il pouvait.

Une des façons que son père avait de le punir était de l'envoyer dans la cabane de pêche sans souper. Il devait y passer toute la nuit parmi les filets et les nasses, sans rien à manger. Le froid, il s'y était habitué, mais jeûner était plus difficile à supporter.

Parfois, sa mère lui passait une tartine par la fenêtre mais, généralement, elle n'osait pas s'opposer à la volonté de Gottfrid.

Après le souper, son père se rendrait à la Mission, Thorwald le savait. Alors sa mère respirerait mieux et sortirait le sac des chaussettes à repriser. Elle se mettrait près du feu pour reposer ses jambes pendant que ses mains travailleraient. Avec deux enfants et un mari, il y avait toujours plus de chaussettes qu'elle n'avait le temps d'en repriser.

S'ils avaient eu les moyens d'avoir une bonne, sa mère aurait eu la vie beaucoup plus facile, Thorwald le comprenait bien. Mais le salaire d'assistant des douanes de

147

son père n'y suffisait pas, surtout avec ce qu'il donnait à la paroisse.

Ils se rassemblaient tous les dimanches pour prier et écouter les prédicateurs venus de la terre ferme ou d'autres îles comme Möja ou Nämdö. Après la collecte, on buvait le café avec les gâteaux apportés par les femmes. Les hommes sortaient leurs pipes et les femmes restaient entre elles.

Thorwald s'éclipsait alors pour aller jouer au ballon avec les autres garçons. Il aurait fallu respecter le sacro-saint repos dominical, mais ils bravaient malgré tout l'interdiction. S'ils se faisaient prendre, il s'en tirait d'habitude avec un simple avertissement. La paix du Seigneur adoucissait même son père.

Ce soir-là, Thorwald eut du mal à dormir, même s'il était tard et qu'il devait se lever tôt pour aller à l'école.

Il n'arrêtait pas de penser au dimanche précédent, quand il avait une fois encore raté son interrogation de cathéchisme. Son père s'était mis en colère quand il s'était trompé et n'avait pas réussi à donner la bonne réponse.

Thorwald était persuadé de savoir sa leçon en quittant la maison, mais quand on l'avait interrogé, c'était le blanc. Parfois, dès la veille, il se mettait à appréhender le cours de cathéchisme, et cette inquiétude lui pesait sur la poitrine plusieurs heures avant d'y aller.

Dans le lit voisin, on entendait la respiration régulière de Kristina. Sa sœur était la seule dont son père s'occupait. Gottfrid ne frappait jamais sa fille, au contraire, il lui parlait d'une voix douce et il lui arrivait de lui donner une petite tape affectueuse sur la joue. Parfois, elle recevait quelques pièces pour s'acheter des friandises à l'épicerie

Thorwald avait cessé d'être jaloux. C'était comme ça. Et puis ça ne faisait pas grand-chose à Thorwald, qui ne résistait pas non plus à son charme enfantin. Elle était jolie comme une poupée, avec ses yeux bleus et ses joues rondes. Tout le monde était attiré par elle, y compris les vacanciers aisés qui s'arrêtaient en la voyant sur la promenade du bord de mer. Ils lui offraient des bonbons tout en admirant ses boucles folles.

Quand Vendela était présente, Thorwald sentait sa désapprobation. Elle n'aimait pas que sa fille attire autant l'attention. Elle était consciente du favoritisme de Gottfrid, sans rien y faire.

Vendela ne s'interposait jamais quand son père le punissait.

Thorwald ferma les yeux. Il se promit de mieux apprendre sa leçon pour le lendemain. S'il répondait correctement, Gottfrid serait peut-être fier de lui aussi.

25

THOMAS RUMINAIT le récit de Louise. Les sentiments de culpabilité de la disparue les avaient mis sur une fausse piste plusieurs mois auparavant. Y avait-il à présent encore un élément qui leur échappait ? Il songea à la réunion de la veille, au commissariat.

« Sais-tu si Lina avait des centres d'intérêt un peu particuliers, par exemple la mythologie nordique ? »

Louise sembla interloquée. Elle secoua la tête, hésitante.

« Tu as sans doute déjà entendu parler de ces cérémonies païennes où l'on sacrifiait des animaux ? On dit que certains groupes reproduisent ces rites, de nos jours, en utilisant parfois du sang d'animaux. Sais-tu si Lina était mêlée à quelque chose de ce genre ? »

Le visage de Louise prit une expression d'effroi.

« Absolument pas. » Elle écarquilla les yeux. « Vous pensez que quelqu'un a sacrifié Lina de cette façon ? Qu'on l'a égorgée comme un animal ? »

Margit tenta de la calmer.

« Nous ne croyons rien. Nous nous demandons juste. Nous devons poser beaucoup de questions avant d'approcher la vérité. »

Louise était pâle et faisait soudain beaucoup moins que ses vingt ans. Ses yeux étaient à nouveau luisants de larmes. Thomas décida de changer de sujet. Inutile d'effayer la jeune fille davantage. Et puis il ne souhaitait pas que coure sur l'île le bruit qu'ils étaient à la recherche d'un meurtrier ayant un faible pour les sacrifices humains.

Margit semblait sur la même longueur d'onde.

« Je vais te chercher un peu d'eau ? »

Louise la remercia de la tête et Margit gagna la cuisine, située à l'autre bout de la grande pièce. Elle lui remplit un verre à l'évier. Louise en but la moitié avant de le reposer. Elle avait déjà meilleure mine.

Margit se pencha en avant et l'encouragea d'un sourire.

« Nous avons presque fini. Mais je dois te demander s'il y a autre chose que tu peux nous dire de Lina, quelque chose qui pourrait nous aider dans notre enquête ? N'importe quoi, tout peut être important. »

Louise ne dit rien.

Dehors, il s'était mis à neiger légèrement, une fine couche de flocons fondait sur la grande vitre. Il faisait un peu plus clair, même si le soleil ne perçait pas la couverture nuageuse.

« J'ai pensé à autre chose dont j'aurais peut-être aussi dû vous parler plus tôt..., finit par dire Louise.

– Voyons voir, dit doucement Margit. De quoi s'agit-il ? »

Louise avait l'air inquiète, mais elle continua.

« L'été dernier, Lina était avec un mec à Sandhamn.

– Autre que son petit ami ? dit Margit.

– Oui, Lina commençait à se fatiguer de Victor. Elle lui avait dit qu'elle voulait faire une pause pendant l'été.

– Bon.

– Ce type n'était pas gentil avec elle, c'était même parfois un vrai salaud.

– Comment ça ?

– Il était vache avec elle. Il bavait sur elle en public, surtout quand il était bourré. Il était tout mignon, et une minute plus tard il devenait méchant.

– Cela arrivait souvent ?

– Assez. On travaillait toutes les deux à la boulangerie, et il traînait sur le port. Le soir, ceux qui ont des jobs d'été se retrouvent pour faire la fête. Ça fait une sacrée bande.

– Et que faisiez-vous ? »

Elle haussa les épaules.

« La fête. On buvait de la bière, tout ça.

– Et où ?

– Ça dépendait. Utsiktsberget ou Kvarnberget. Parfois chez quelqu'un. Beaucoup de jeunes font la fête quand leurs parents sont absents. » Elle haussa à nouveau les épaules. « Beaucoup ont d'autres résidences de vacances, genre en France. »

Le fardeau de la richesse...

Thomas savait d'expérience qu'elle disait vrai. Quand il était dans la police maritime, ils avaient souvent été appelés en pleine nuit par des voisins excédés par une fête qui avait dégénéré. Ils tombaient alors sur des mineurs ivres qui vociféraient dans le jardin, la musique à fond.

Parfois des parents étaient là eux aussi, qui venaient en titubant parler à la police. Parfois aussi éméchés que leurs enfants et pas spécialement sympathiques. Mais parfaitement au courant des prérogatives exactes de la police : à savoir qu'ils pouvaient juste leur demander de baisser la musique et de penser à leurs voisins. Rien de plus.

Que des adultes trouvent bon de faire ainsi la fête avec leurs enfants et leurs amis, c'était pour Thomas une énigme, mais il l'avait souvent constaté.

« Comment s'appelle ce garçon ? dit Thomas.

– Jakob.

– Jakob comment ? Tu te souviens de son nom ?

– Sandgren, je crois. Je peux demander à maman, elle sait sûrement.

– Il s'est passé quelque chose de particulier entre Lina et Jakob ? demanda Margit.

– Un soir, il a flirté avec une autre fille lors d'une fête. Lina l'a vu, ça l'a rendue furieuse. Elle lui a crié qu'il pouvait se casser. Au fond, je crois qu'elle était bien contente d'avoir une raison de rompre. Elle n'était pas bien avec lui. Je lui avais plusieurs fois conseillé de le larguer.

– Pourquoi voulais-tu nous raconter tout ça ? dit Margit.

– Parce qu'il a très mal pris cette rupture. C'était horrible. Il la menaçait presque.

152

– Comment ça ?

– Il disait qu'aucune fille ne le quittait avant qu'il le décide, lui. Qu'elle allait le regretter.

– Il lui a fait quelque chose ? dit Margit. Physiquement ? »

Louise se tripota une peau d'ongle. Puis prit son verre d'eau et le vida.

« Il était violent ? » tenta à nouveau Margit.

Elle évite de répondre, pensa Thomas. Le protège-t-elle, ou n'ose-t-elle pas parler ?

« L'a-t-elle dit à ses parents ? » Margit essayait de changer d'angle d'attaque.

Un sourire de travers.

« Non, je ne crois pas. Elle ne leur disait pas grand-chose. Marianne est une vraie mère poule, et en plus ils appréciaient beaucoup Victor. Je ne crois même pas qu'ils étaient au courant pour Jakob.

– Il vit sur l'île, ou vient seulement pour les vacances ? dit Thomas.

– Il habite à Stockholm, en centre-ville. Je ne sais pas bien où.

– Mais tu es certaine qu'elle avait peur de lui ?

– Oui. » Sa voix était faible. Elle se mit à tortiller une mèche de cheveux autour de son index. « Lina trouvait ça vraiment désagréable. Elle faisait des détours pour l'éviter. »

Louise enroula sa mèche de plus belle.

Elle va finir par l'arracher, pensa Thomas.

26

« MAMAN, maman, réveille-toi. »
Une petite main la secoua doucement. Nora dormait
profondément et essaya de s'orienter avant de lentement
ouvrir les yeux. Le visage de Simon n'était qu'à quelques
centimètres du sien.

« On prend bientôt le petit déjeuner ? J'ai faim. »

Nora jeta un œil à son réveil. Presque onze heures. Elle
avait dormi neuf heures. Son corps était lourd et raide.

« Maman, répéta Simon. J'ai super faim. »

Nora l'attira à elle.

« Oui, mon chéri, j'arrive. Laisse-moi juste le temps de
me réveiller et j'irai préparer quelque chose à manger.
Viens, glisse-toi là quelques minutes. »

Elle souleva la couverture et Simon se coula en dessous.
Ses cheveux sentaient encore le shampoing de la veille.
Une douce odeur de propre qu'elle huma avec satisfaction.

Le souvenir de son expédition nocturne ratée lui revint
à l'esprit et elle ferma les yeux contre l'épaule de Simon.

« Tu es réveillée ? s'impatienta Simon en lui donnant des
coups de coude. Je veux mon petit déjeuner. Pain grillé
et confiture. Et du chocolat chaud. »

Nora rouvrit les yeux à contrecœur.

« Tout de suite, chéri. »

Il neigeait de plus belle quand Thomas et Margit rega-
gnèrent le village. Le trajet avait été dégagé, mais leurs

chaussures laissaient des traces dans la poudreuse. Le vent sifflait doucement dans les arbres qui bordaient le chemin.

Margit rompit le silence. « À quoi tu penses ? Tu n'as pas dit un mot depuis qu'on est partis de chez les Hammarsten. »

Thomas s'arrêta.

« Je réfléchissais à ces rituels dont on parlait. Je me demande si ces jeunes n'ont pas joué à quelque chose qui a complètement dérapé.

– Tu veux dire un rituel qui se serait transformé en meurtre ? » Margit se frotta les mains pour se réchauffer. « Aujourd'hui, les jeunes peuvent inventer n'importe quoi. Mais Louise dit que Lina n'était pas mêlée à ce genre de trucs.

– Non, mais elle dit aussi qu'elles ne se voyaient pas beaucoup les derniers temps avant sa disparition. Lina n'a peut-être pas raconté à Louise ce qu'elle fabriquait.

– Nous n'avons pas trouvé grand-chose qui nous pousse à chercher dans cette direction.

– Tu as raison. C'est juste une idée. »

Thomas se remit en marche.

« Qui va-t-on voir, à présent ?

– Marianne Rosén, si elle est en état de nous parler. Nous devons savoir si elle sait quelque chose de ce Jakob. Et de ces rituels. » Margit lui lança un regard entendu. « On pourra en profiter pour interroger du même coup Hanna Hammarsten. »

Ils marchèrent encore quelques minutes et contournèrent les terrains de tennis. Quelques traces d'animaux couraient à la surface de la neige fraîche.

« Je me demande si on ne devrait pas aller parler aux parents de Sebastian, dit Margit en passant devant le restaurant des Marins. Leur fils était un bon ami de Lina. Peut-être connaissent-ils aussi Jakob ?

– Est-ce vraiment utile ? Leur fils est mort depuis bientôt deux ans.

– C'est peut-être une perte de temps, mais puisqu'on est là... Il n'y a pas tant de familles que ça qui ont des enfants de l'âge de Lina.

– C'est vrai. »

Thomas voyait bien que ses objections étaient plus personnelles que professionnelles. Mais l'idée de rendre visite à la famille Österman le mettait mal à l'aise.

« Tu n'es pas forcé de venir, dit Margit, comme si elle avait lu dans ses pensées. Ils savent forcément que c'est toi qui pilotais l'autre bateau. »

Thomas comprit ce qu'elle voulait dire. Même si l'enquête l'avait blanchi, les parents n'apprécieraient pas forcément de le voir débarquer à l'improviste devant leur porte.

Il se souvenait des époux Österman, quand ils s'étaient vus à l'enterrement. Thomas y était allé pour exprimer ses condoléances. Il s'était assis tout au fond de la chapelle de Sandhamn. C'était plein, Thomas reconnaissait plusieurs des habitants de l'île. Le prêtre avait parlé de la fugacité de la vie, et de ce qui attendait de l'autre côté une jeune vie trop tôt fauchée.

Mais quand la petite procession s'était ébranlée en direction du cimetière, situé juste derrière Fläskberget, il n'avait pas suivi. Il était resté à l'extérieur de la chapelle. C'était une journée de fin d'été exceptionnelle, et toute cette beauté avait un goût amer.

Le soleil faisait scintiller la mer devant lui. Le parfum des roses qui fleurissaient partout sur l'île lui parvenait par bouffées. Au loin, on entendait un rire d'enfant.

Le cortège disparu, Thomas s'était laissé tomber sur les marches, devant le porche vert de la chapelle. Le visage enfoui dans ses mains, il avait fondu en larmes, sans savoir s'il pleurait sa propre fille ou le jeune homme qui venait de mourir, incapable de contenir le chagrin qui le submergeait.

Il avait fini par se ressaisir et avait caché derrière ses lunettes noires ses yeux rougis de larmes. Il avait récupéré son bateau amarré au port et avait regagné Harö.

Ce souvenir était encore douloureux.

« On se sépare, dit-il. Je vais voir Marianne Rosén si tu t'occupes pendant ce temps des Österman.

– Bonne idée. Ils habitent où ?

– Tout près de la Mission. Je vais te montrer. »

Le téléphone de Thomas sonna. Il répondit et parla quelques minutes avant de remettre son portable dans sa poche.

« C'était Nora. Elle a su que nous étions sur l'île, elle nous invite à prendre le café.

– Je n'ai rien contre, dit Margit. Je suis toujours partante pour une tasse de plus. »

Ce qui en faisait une policière parfaite, se dit Thomas. Margit ne disait jamais non. Et on vous offrait toujours le café, même quand on venait annoncer la pire nouvelle.

Pour sa part, il préférait le thé, même s'il acceptait toujours quand on lui proposait un petit noir. Mais l'enthousiasme de sa collègue devant le premier filtre venu demeurait pour lui une énigme.

« Alors on se retrouve là-bas quand on a fini.

– OK. »

PARFOIS, Thorwald rêvait d'une autre famille.
Il imaginait un père posant amicalement sa main sur son épaule en allant à l'église le dimanche. Une famille où sa mère rirait en prenant le café au jardin avec ses amies.

Mais Vendela baissait toujours la tête, le regard rivé au sol. Elle ne fréquentait presque jamais les autres femmes de la communauté, alors qu'elle habitait l'île depuis plus de dix ans. Elle n'avait pas d'amis proches, les visites étaient rares.

Sa mère n'était jamais hostile, mais elle ne parlait jamais plus que nécessaire avec les autres femmes. Comme si elle craignait sans cesse de déplaire à son père. Comme si elle évitait de nouer le moindre lien, de peur d'avoir à le rompre.

Comme elle n'était pas née à Sandhamn, elle n'avait pas de famille à fréquenter. Ses parents vivaient toujours sur l'île de Möja, mais ils étaient désormais si vieux et malades qu'ils n'avaient plus la force de faire le voyage. Thorwald avait à peine vu ses grands-parents ces dernières années. Ils avaient vieilli rapidement. Il savait qu'il avait des cousins sur Möja, mais n'arrivait pas à se souvenir d'eux.

Penché sur ses livres scolaires à la table de la cuisine, ses pensées vagabondaient. Vendela était en train de trier un tas de linge sale étalé sur les larges lattes du parquet blanchi à force d'être récuré au sable. Kristin Persdotter, une des blanchisseuses du village, devait bientôt passer prendre la lessive mensuelle.

Un grand trou avait été ouvert dans la glace devant Fläskberget où, l'après-midi, on voyait Kristin à genoux lessiver les vêtements. Puis ils pendaient dehors sur des fils. Ils pouvaient mettre plusieurs jours à sécher dans l'air froid et humide.

Quand la glace avait disparu, Kristin utilisait une grosse barque plate qu'on appelait la Boîte verte. Elle s'éloignait à la rame, pleine à ras bord de linge, qu'elle battait et rinçait en mer. Ses mains étaient toujours rougies et ses phalanges enflées par l'eau froide.

Il avait hâte que le long hiver finisse, que la neige fonde sur les marches du perron et que des taches d'herbe apparaissent. À la fenêtre sud, les géraniums de sa mère allaient bientôt pointer leurs pousses vertes.

« Thorwald, fit Vendela en levant les yeux de son tas de linge, occupe-toi de ta sœur pendant que j'aide Kristin à sortir la lessive. »

Kristina lisait les vieux livres de classe de Thorwald, assise sur le coffre à bois. Ses cheveux blonds étaient noués dans le cou, mais de nombreuses mèches folles bouclaient autour de ses oreilles.

Sa sœur aimait lire, et elle restait volontiers le nez plongé dans ses anciens manuels. Elle avait plus la tête à ça que lui, il l'avait compris depuis longtemps. Kristina avait appris toute seule son alphabet, qu'elle récitait comme si cela coulait de source. Son père l'écoutait en souriant lui en faire la démonstration avec un enthousiasme enfantin.

Pour Thorwald, apprendre dans les livres était peine perdue. Les lettres dansaient devant ses yeux. Il suait à grosses gouttes en s'efforçant de déchiffrer lettre à lettre, mot à mot. Et de toute façon, il était incapable de réciter en classe devant ses camarades. Les mots se mélangeaient, et rien ne voulait sortir. Il lui arrivait de veiller toute la nuit pour répéter la leçon du lendemain. Mais tout se nouait quand même.

La salle de classe semblait s'emplir des ricanements des autres. Ils soupiraient, faisaient des grimaces, chuchotaient :

« Quel nul !

– Il lit comme un bébé ! »

Thorwald serrait les mâchoires et réessayait. Il affectait d'ignorer les moqueries, même s'il en souffrait intérieurement.

Leur institutrice, mademoiselle Edith, le regardait d'un air soucieux déchiffrer péniblement un paragraphe. C'était une femme sévère mais pas méchante, arrivée sur l'île quelques années auparavant. Elle utilisait le martinet beaucoup moins souvent que son prédécesseur, maître Norrby, et les enfants l'aimaient bien. Mais elle ne tolérait pas les bêtises.

Un jour, elle le convoqua pendant la récréation. Elle se tenait près du poêle en fonte noire avec à ses pieds son teckel qui profitait de la chaleur. Son regard n'était pas hostile, juste soucieux, quand elle lui annonça qu'elle voulait parler de ses difficultés avec ses parents. Il allait peut-être devoir redoubler, surtout s'il devait aller au lycée comme son père en avait exprimé le souhait.

Thorwald paniqua. Il la supplia d'y renoncer.

« Mais enfin, Thorwald, mon petit, je veux juste t'aider. Je vois bien les efforts que tu fais, sans résultat. »

Thorwald serra les poings dans ses poches. Il n'osait pas songer à ce qui l'attendait si son père était convoqué à l'école. Il fallait à tout prix l'empêcher de contacter ses parents.

« Père ne va pas bien, dit-il en regardant par terre. Il ne faut pas qu'il se fâche. C'est le docteur qui l'a dit. »

Le mensonge lui était venu tout seul. Mais il remplit son office.

« Ah bon, dit mademoiselle Edith. Je ne savais pas. La dernière fois que je l'ai vu sur le port, il avait l'air en pleine forme. » Elle posa son crayon. « Mais enfin, si c'est comme ça, on ne va peut-être pas empirer les choses pour le moment. »

Thorwald hocha la tête avec insistance. Il avait à nouveau enfreint un commandement, mais mieux valait mentir qu'éveiller la colère paternelle.

« Je vais travailler plus dur », promit-il.

160

« Thorwald ? »

La voix de Kristina le fit sursauter.

« Qu'est-ce que ça veut dire ? » Elle lui montra son livre ouvert. « Si le coq boit l'eau du toit à la Saint-Mathieu, à l'Annonciation le bœuf boira à la mare. »

Elle lut sans le moindre accroc. Les mots coulaient sans difficulté.

Thorwald sentit la jalousie lui gonfler la poitrine. Pourquoi était-ce si facile pour elle et si dur pour lui ?

« Thorwald, répéta-t-elle. Qu'est-ce que ça veut dire ?

– Que les glaces fondent fin mars si le dégel commence en février, qu'est-ce que tu croyais ? » dit-il avec plus d'irritation qu'il n'aurait voulu.

La lèvre de Kristina se mit à trembler. Elle s'attendait à des compliments pour sa lecture.

« Tu as bien lu », ajouta-t-il d'une voix plus douce.

Le visage de Kristina s'éclaira.

« Tu veux que je lise encore ? »

Thorwald secoua la tête.

« Il faut que je fasse mes devoirs, si je veux avoir des bonnes notes. »

Son ventre se noua en disant cela.

Thorwald savait que son père n'avait pas pu aller plus loin que l'école élémentaire parce qu'il avait dû travailler pour subvenir aux besoins de sa famille. Gottfrid s'attendait à ce que son fils fasse les études qu'il n'avait jamais pu faire. Mais les notes de Thorwald étaient bien trop faibles pour lui permettre d'entrer au lycée.

« Imbécile ! s'était exclamé Gottfrid en voyant le bulletin que Thorwald avait rapporté à la maison à Noël. À coups de trique, moi, je vais te mettre du plomb dans la tête ! »

Thorwald ne voyait pas comment il pourrait jamais avoir d'assez bonnes notes pour entrer au lycée sur la terre ferme, même en redoublant. Ses mains étaient douées, pas sa tête. Il avait beau faire, ce qui était si facile pour Kristina lui résistait.

Je suis un nul, se dit-il en se repenchant sur son livre, un nul inutile.

27

LOUISE FIXAIT distraitement l'écran. Elle était toujours sur le canapé du séjour, les jambes repliées sous elle. Une fois les policiers partis, elle s'était aussitôt connectée au chat, sans pourtant toucher le clavier. Elle hésitait. Devait-elle parler des questions de la police ?

Indécise, elle se rongeait l'ongle du pouce droit. Aurait-elle dû se taire au sujet de Jakob ? Son malaise augmentait. S'il apprenait ce qu'elle avait raconté à la police, il serait furieux. Ce serait horrible à voir. Il pouvait se déchaîner comme une bête sauvage, elle l'avait vu plusieurs fois.

Mais quand il était dans son état normal, Louise comprenait pourquoi Lina en était tombée amoureuse. Il était drôlement mignon, un des garçons les plus cool de l'île, et par-dessus le marché un excellent navigateur que toutes les filles regardaient.

En secret, Louise avait été un peu jalouse de Lina quand elle était sortie avec Jakob, même s'il la traitait mal, surtout quand il avait bu.

Louise ne connaissait personne qui change autant sous l'emprise de l'alcool. La plupart de ses copains se mettaient à brailler, mais ça n'allait pas plus loin. S'ils buvaient trop, ils finissaient par s'endormir, ou allaient vomir derrière la maison. Mais Jakob, lui, devenait agressif, un rien le rendait fou.

L'ongle de son pouce était entièrement rongé, il saignait un peu à la base.

Pourvu que Jakob n'apprenne pas que c'était elle qui avait cafté à la police.

Quand Margit frappa chez les Österman, on lui ouvrit aussitôt.

Une femme sur le retour se présenta, obèse. Elle portait un pantalon lâche et un pull vert. Ses cheveux gris étaient tirés en arrière. Elle regarda Margit d'un air stupéfait.

Margit se dépêcha de se présenter et demanda si elle pouvait entrer.

« Bien sûr », dit tout bas Ingrid Österman. Elle la précéda dans un étroit séjour attenant à l'entrée. Un canapé en sapin aux coussins bruns rayés occupait un des murs.

« Vous voulez du café ? » demanda-t-elle, le visage à demi détourné.

Margit lui sourit. Préparer du café était un rituel qui avait d'habitude un effet apaisant sur les gens à qui elle rendait visite en service.

« Volontiers, si ça ne vous dérange pas trop. »

Ingrid Österman se dirigeait déjà vers la cuisine. Un bruit de liquide versé lui indiqua qu'une cafetière était déjà prête.

Elle s'installa sur le canapé rayé. Au mur, des reproductions de tableaux encadrées et quelques aquarelles représentant des vues de l'archipel. Sur une vieille commode en acajou patiné qui tranchait avec le reste du mobilier trônait dans un cadre une grande photo d'un jeune homme à peine sorti de l'adolescence. Cela ressemblait à une photo scolaire, elle reconnaissait le fond bleu qu'on utilisait d'habitude.

Le sourire et l'appétit de vivre qu'on lisait dans ses yeux juvéniles arrachèrent un soupir à Margit. Sebastian avait dix-sept ans quand il était mort.

Quel gâchis.

Margit ne put s'empêcher de songer à ses propres filles. Chez elle, on discutait en permanence des horaires de sortie et des règles de conduite. En service, elle avait trop souvent vu des jeunes ivres, dans un état lamentable. Elle avait ramené chez eux des gamins drogués qui avaient à peine commencé le lycée. Si quelqu'un savait ce qui se passait dans les rues de Stockholm et de ses banlieues, c'était bien elle. Elle tirait pour ses filles les conséquences de cette expérience.

Elle n'arrivait pas à imaginer comment on pouvait surmonter la mort d'un enfant. Comment survivre à une telle perte ? Des questions que Marianne Rosén devait se poser à son tour, se dit Margit.

Ingrid Österman revint avec deux tasses et une thermos sur un plateau. Avec un regard timide, elle tendit à Margit un petit pot de lait avant de s'asseoir.

« J'aimerais vous poser quelques questions concernant la jeune fille qui a disparu, Lina Rosén. Ce ne sera pas long. Vous voulez bien ? »

Elle hocha la tête.

« Votre fils la connaissait, je crois. » Margit se tourna vers la photo sur la commode.

Ingrid Österman hocha la tête à nouveau.

« Ils se voyaient ?

– Ils travaillaient tous les deux à la boulangerie. Sebastian aidait derrière, Lina dans la boutique avec les autres filles.

– Est-il arrivé à Sebastian de parler de Lina ? »

Ingrid Österman répondit par une question.

« Non, à quel sujet ?

– Je ne sais pas. Nous essayons d'en savoir davantage sur elle, c'est tout », répondit gentiment Margit.

Elle porta la tasse à ses lèvres. Le café était assez léger.

« Avez-vous la moindre idée de ce qui a pu arriver à Lina ?

– Non, désolée. »

Difficile de tirer quoi que ce soit d'Ingrid Österman. Peut-être Thomas avait-il raison : à quoi bon remuer le passé ? Elle se rappela alors les réflexions de son collègue :

« Je me demandais : votre fils passait-il beaucoup de temps sur Internet ? Participait-il à des forums de discussion ? »

Ingrid Österman sembla gênée.

164

« Il ne s'occupait pas trop de ça.

– Tant mieux, s'exclama Margit. C'est tellement difficile, de nos jours, d'empêcher les jeunes de rester toute la journée collés à leurs ordinateurs. »

Ses filles passaient des journées entières pendues à leurs ordinateurs portables, à chatter avec toute sorte d'amis dont Margit ne savait rien. Chaque fois qu'elle s'approchait, l'écran était rabattu en claquant.

« Il n'avait pas d'ordinateur, nous n'en avions pas les moyens. »

Margit se mordit la langue. Et merde, se dit-elle.

« Je comprends. »

Elle but une autre gorgée de café en cherchant comment atténuer sa bourde.

« Votre mari est à la maison ? finit-elle par dire.

– Non.

– Il travaille ? »

Elle secoua la tête.

« Plus maintenant. Il a dû partir en préretraite voilà plusieurs années déjà. Lors des réductions d'effectifs aux Affaires maritimes.

– Il y a travaillé longtemps ?

– Oui, toute sa vie. Mais il fallait faire des économies, comme partout. » Elle eut un sourire amer. « Et il a dû partir. À cinquante-sept ans, après une vie entière au service de l'État. On fait des beaux discours sur le maintien de l'emploi en zone rurale, mais dans les faits… »

Elle baissa les yeux.

« Comment l'a-t-il pris ?

– Pas bien. Ces dernières années ont été difficiles pour nous. »

Elle détourna les yeux, comme si elle avait honte. Les muscles de son visage tremblèrent et, un instant, elle sembla sur le point de pleurer, avant de se ressaisir. Elle ôta quelques miettes de la nappe.

Margit compatissait. D'abord son mari perdait son emploi, puis ils perdaient leur fils. La vie était injuste.

« Et vous, que faites-vous dans la vie ? demanda-t-elle avec précaution.

– Un peu de tout. J'ai un peu aidé à la crèche. Mais elle est fermée pour le moment. Trop peu d'enfants sur l'île. Puis j'ai fait des ménages à l'hôtel des Marins. Mais depuis la mort de Sebastian, je n'ai plus le courage de faire grand-chose. J'ai surtout été en congé maladie, comme en ce moment.

– C'était votre fils unique, n'est-ce pas ? »

Ingrid Österman hocha la tête, les yeux brûlants.

« Oui, nous n'en avons pas eu d'autre. J'avais trente-sept ans quand il est né. »

Elle n'avait donc pas plus de cinquante-sept ans, à présent, songea Margit. Elle en faisait dix de plus.

« L'accouchement a été difficile, continua-t-elle. Il a failli mourir. Il se présentait par le siège. C'est un miracle s'il a survécu. »

Une larme coula sur sa joue.

« Et puis voilà, il est mort, de toute façon. »

Margit lui laissa quelques minutes pour se reprendre. Puis elle fit une dernière tentative.

« Autre chose. Sebastian et ses amis s'intéressaient-ils à la mythologie nordique, aux anciens dieux ?

– Pas que je sache.

– Je veux dire aux rituels païens, aux sacrifices, ce genre de choses ? »

Ingrid Österman semblait désorientée.

« Pourquoi posez-vous ces questions bizarres au sujet de mon garçon ? »

Des rougeurs étaient apparues sur ses joues.

Margit ne savait plus où se mettre.

La conversation ne prenait pas du tout le tour qu'elle aurait souhaité. La femme qu'elle avait en face d'elle semblait de plus en plus sur la défensive.

« Ça ne suffit donc pas qu'il soit mort ? Tué par un policier, en plus. Vous ne pouvez pas nous laisser en paix ? »

Margit ne releva pas.

166

« J'ai presque fini. Une dernière question seulement. Votre fils fréquentait-il un certain Jakob Sandgren ?

– Je ne crois pas, dit Ingrid Österman. À quoi ressemble-t-il ? Il vit sur l'île ?

– En fait, je ne sais pas de quoi il a l'air, reconnut Margit. Mais apparemment il ne réside pas ici. »

Ingrid Österman jeta un coup d'œil à la photo de son fils. Son air malheureux se passait de commentaire. Ses mains bougeaient toutes seules sur ses genoux.

Margit se leva.

« Merci de m'avoir reçue. Je ne vais pas vous déranger plus longtemps.

– Ce n'est pas grave, je ne vais nulle part. »

Le désarroi de ces derniers mots résonna dans la tête de Margit tandis qu'elle ressortait dans le froid.

28

« PAPA VEUT TE PARLER. »

Simon lui tendit le téléphone et Nora comprit qu'elle
ne pourrait pas se dérober. Elle ne pouvait pas lui raccrocher au nez devant son fils. À contrecœur, elle prit le
téléphone, se leva du fauteuil en osier et gagna la cuisine
pour que Simon n'entende pas.

« Allô ?

– Enfin. Tu sais combien de fois j'ai essayé de te joindre ?
Pourquoi tu ne me rappelles pas ?

– Je ne veux pas te parler.

– Mais enfin, sois un peu raisonnable.

– Et pourquoi ? »

Elle avait un ton d'enfant entêté : elle l'entendait elle-
même, mais n'arrivait pas à s'en empêcher.

« Tu ne peux pas faire comme si je n'existais pas. À
défaut d'autre chose, nous devons envisager l'avenir. Et
les enfants, comment vont Adam et Simon ?

– Ils vont bien. »

Henrik poussa un soupir.

« Nora. Tu comprends bien que tu ne peux pas rester
à Sandhamn. Ça pourrait être dangereux. Je veux que tu
rentres avec les enfants. »

Cette voix familière la déchirait. C'était beaucoup, beaucoup plus dur de l'entendre s'inquiéter ainsi que quand
il hurlait.

« Reviens, s'il te plaît... »

168

Sa supplication faillit la faire céder. Elle se souvint de sa main douce contre sa joue, de son parfum qu'elle avait si souvent humé.

Nous nous sommes aimés, songea-t-elle tandis que les larmes lui montaient aux yeux. Je t'aimais tellement, Henrik.

L'image qui la hantait depuis plusieurs nuits s'afficha alors devant ses yeux : son corps nu avec une autre femme, peau contre peau. Leur lit conjugal, souillé. Plus jamais elle ne dormirait près de lui. Elle ne voulait même jamais plus revenir dans leur pavillon de Saltsjöbaden.

Sa gorge était serrée. Elle dut se faire violence pour parler.

« J'ai l'intention de rester ici. J'ai besoin de calme pour réfléchir. » Elle serra les poings pour ne pas pleurer.

Henrik haussa le ton.

« Écoute-moi, maintenant. Je m'inquiète vraiment pour vous. Je ne veux pas que vous restiez là-bas.

– Nous restons cette semaine. C'est mieux comme ça.

– Merde, Nora. Si tu ne reviens pas avec les enfants, c'est moi qui vais venir les chercher. Vous ne pouvez pas rester sur l'île. Je ne vous le permets pas. »

C'était la goutte d'eau qui faisait déborder le vase.

« Tu n'as pas intérêt à te montrer ici.

– Tu n'as pas à me dire ce que je peux ou ne peux pas faire. Ce sont aussi mes enfants. »

Nora inspira profondément.

« Ça, il aurait fallu y penser avant de coucher avec cette femme.

– Elle s'appelle Marie.

– Je ne veux pas le savoir. »

C'était elle, qui criait ainsi ?

Il fallait qu'elle se calme. Simon jouait à côté, dans le séjour. Il ne fallait pas l'effrayer.

« Ne sois pas hystérique. Se parler comme deux adultes, est-ce trop demander ? »

Oui, c'était trop.

« Si tu poses le pied ici, j'appelle la police. »

169

Nora entendit Henrik respirer violemment.

« Ça va pas, la tête ?

– Et je signale à l'hôpital que tu as une liaison avec une infirmière. Qu'en pensera le Conseil de l'ordre ? »

Sa propre agressivité la surprit. Elle ne se reconnaissait pas. La honte l'envahit, mais elle n'avait pas l'intention de retirer un seul mot. Il ne pouvait s'en prendre qu'à lui-même. Ce n'était pas elle qui les avait mis dans cette situation.

Cela produisit son effet.

« On parlera de tout ça quand tu seras calmée. Je rappelle plus tard. »

Henrik raccrocha et elle resta là, le téléphone à la main. Elle était donc tombée aussi bas ? Elle se cacha le visage dans les mains.

ILS S'ÉTAIENT LEVÉS TÔT, juste avant quatre heures, avant le lever du soleil. Mère les avait munis d'un solide casse-croûte avec du café fraîchement moulu. Ils avaient du lard grillé et du pain frais.

Père avait pris les fusils et ils étaient descendus au ponton nord. Là les attendait la barque bien goudronnée, amarrée à l'abri du vent. Au loin, Thorwald aperçut les voisins, les Bergström, en train eux aussi de charger leur bateau. C'était l'ouverture de la chasse du printemps.

Thorwald frémit de joie. Il était tout excité qu'on le laisse venir à la chasse, et il avait tellement envie de bien faire. D'habitude, ils partaient chasser le grand harle, l'eider et la harelde, et la carabine à double canon que père avait commandée à Stockholm avait l'air d'une bonne arme.

La première fois que Thorwald avait pu accompagner son père à la chasse aux oiseaux, il n'avait que neuf ans, était à peine plus grand que le fusil. Le lendemain, il avait la joue et l'épaule couvertes de bleus. Il était trop petit pour supporter le recul, mais les quelques compliments exprimés par son père sur ses prises l'avaient rempli d'une fierté sans borne.

Depuis, il adorait la chasse du printemps.

Ils ramèrent vigoureusement vers les îlots où l'association des habitants de l'île possédait un droit de chasse. Il s'agissait de se trouver du bon côté des vols d'oiseaux, sans quoi on risquait de rentrer bredouille.

Avant leur retour, ils ramasseraient aussi des œufs, en particulier des œufs d'eider, avec leurs jaunes rougeâtres très appréciés dans la famille.

Thorwald savait que le visage de sa mère se fendrait d'un large sourire s'il rentrait avec un panier rempli d'œufs. On servirait alors dans les prochains jours de la soupe aux oiseaux luisante de graisse et de délicieuses crêpes au four.

Son père ramait en silence. À l'avant, Thorwald était détendu, il savait que Gottfrid aimait aller à la chasse et y était d'habitude de bonne humeur, surtout quand les prises étaient bonnes.

Cette fois-ci, tout allait bien se passer.

L'année dernière, il n'avait pas arrêté de rater sa cible et son père avait fini par lui donner une gifle en lui arrachant son fusil. Mais ces dernières semaines, Gottfrid était de meilleure humeur qu'à l'ordinaire. Il était monté en grade, et Vendela avait cousu un nouvel insigne sur son uniforme.

En revenant à la maison avec la nouvelle, il avait rapporté de l'épicerie des bonbons pour ses deux enfants. Ils s'étaient assis à table pour écouter leur père leur raconter sa promotion.

L'inspecteur des douanes était venu féliciter Gottfrid à son bureau. Ils s'étaient serré la main et Gottfrid avait reçu un document au sceau imposant.

Vendela avait esquissé un sourire prudent au fier récit de Gottfrid et Kristina s'était jetée au cou de son père en recevant les bonbons.

« Merci, gentil papa, merci beaucoup ! » s'était-elle exclamée de sa voix claire.

Son père avait ri de cet enthousiasme en lui ébouriffant les cheveux. Même Thorwald avait été gratifié d'une très rare tape sur l'épaule.

C'était un des meilleurs moments avec son père dont Thorwald se souvînt. Il avait donc été d'autant plus heureux quand Gottfrid lui avait annoncé qu'il pourrait à nouveau l'accompagner à la chasse.

Son père souquait ferme. D'imperceptibles vagues se creusaient dans la brise du matin et les îlots passaient comme des ombres.

Ils finirent par arriver à destination.

Avant de descendre à terre, ils mirent à flot les leurres, des peaux d'oiseaux enduites de goudron et de craie et bourrées de feuilles de fougère finement hachées, qui servaient d'appât pour les oiseaux rares. Puis ils ramèrent sur les derniers mètres et remontèrent la barque entre les rochers.

Il faisait froid et humide, mais dans le ciel les ténèbres compactes cédaient à une vague lueur. Bientôt se leva un pâle soleil rougissant, et des rochers gris-blanc apparurent à l'horizon.

Thorwald portait le plus petit fusil. Son père tenait fermement son arme toute neuve. Des perles de rosée brillaient sur les lichens.

Au loin, on entendit une détonation. Ce devait être le père et le fils Bergström, ils chassaient depuis l'îlot d'à côté. En voyant les oiseaux voler à portée de ses voisins, son père fronça les sourcils. Il n'allait pas laisser les autres habitants de l'île lui rafler sous le nez le gibier le plus gras.

« Viens ici, garçon », dit Gottfrid.

Son père fixait des yeux quelque chose de gris qui s'approchait dans le ciel. La lumière était encore faible, et Thorwald dut plisser les yeux pour comprendre ce que c'était. Des eiders. Ils volaient, ailes déployées, cou allongé. Ils maintenaient la distance entre eux avec une précision parfaite malgré les rafales de vent.

Thorwald sourit. Leur joli duvet était une prise recherchée. Mère serait contente. Du coin de l'œil, il vit que son père lui aussi avait l'air content. Après tout le poisson salé de l'hiver, du gibier frais ferait du bien, même s'il fallait cuire longtemps la chair noire des oiseaux pour l'attendrir.

Thorwald épaula et attendit.

Le fusil était lourd, mais il visa soigneusement. Il avait tellement envie de montrer à son père qu'il savait bien tirer. Qu'il méritait de l'accompagner.

Le vol d'oiseaux serait très bientôt à portée de tir.

Le poids de son corps reposait sur son genou droit qu'il appuyait sur le rocher couvert de lichens humides. Thorwald ajusta un peu sa position pour avoir une meilleure prise. Le rocher était glissant et il connaissait la violence du recul.

Mais au moment où il allait tirer, une détonation retentit sur l'îlot voisin. Il sursauta, et il n'en fallut pas davantage pour faire partir le coup.

Une volée de plomb passa devant son père et s'éparpilla sur l'eau, tandis que le recul fit perdre l'équilibre à Thorwald. Il tenta de se rattraper, en vain : il bascula dans le vide, roula sur la paroi et atterrit sur une corniche.

Le fusil lui échappa et disparut.

29

THOMAS N'ARRIVAIT PAS à chasser Pernilla de ses pensées. Depuis longtemps il ne s'était pas senti le cœur aussi léger que pendant leur dîner.

Une simple pression sur son portable et son numéro s'afficha. Un petit SMS ne pouvait pas faire de mal ?

Merci pour ce dîner très agréable. C'était merveilleux de te revoir /Thomas.

Il faillit appuyer sur la touche d'envoi. Mais il hésita. *Merveilleux* n'était peut-être pas le mot juste. Il effaça, et remplaça par *sympa*. *Sympa*, ça faisait coincé et impersonnel. Il effaça à nouveau et tapa que ça avait été *cool* de la revoir.

Mais il hésitait toujours. Et si elle le prenait mal ? C'était elle qui avait demandé le divorce. Qu'ils aient dîné ensemble ne signifiait pas qu'elle voulait qu'il revienne dans sa vie. C'était déjà très généreux de sa part de l'avoir contacté, après la façon dont il lui avait fait endosser la mort d'Emily.

C'était pathétique de répondre par un SMS mal formulé.

Il sautait d'un pied sur l'autre sans parvenir à se décider. Un simple dîner en souvenir du bon vieux temps, pas de quoi en faire tout un plat. Bien sûr, elle avait dit qu'elle recommencerait volontiers, mais le pensait-elle vraiment ? C'était probablement une façon polie de prendre congé. Le genre de chose qu'on dit comme ça, sans le penser vraiment.

Après un dernier coup d'œil à l'écran où s'affichait toujours le numéro de Pernilla, il remit son téléphone dans sa poche.

Il était presque arrivé chez les Rosén, après quoi il irait prendre le café chez Nora.

L'haleine de Nora formait un plumeau de givre. La villa Brand était couverte de neige : elle dut se frayer un passage de la grille jusqu'à la porte d'entrée. Il y avait sur les quelques marches du perron plusieurs dizaines de centimètres de neige, où ses bottes s'enfoncèrent profondément. Elle dégagea l'escalier avec une brosse dont elle avait eu la présence d'esprit de se munir, puis tourna la clé dans la serrure.

Comme d'habitude, pousser cette porte la réjouissait.

Curieux qu'un lieu puisse avoir une telle importance : depuis toute petite, elle venait à la villa Brand et adorait entrer dans cette belle maison haute sous plafond, avec ses fenêtres à croisillons.

Le lustre de cristal de la salle à manger et l'horloge de Mora étaient des présences familières. Elle s'arrêta sur le seuil pour profiter de la vue fantastique malgré le mauvais temps. On voyait très loin dans la baie le vent arracher des crêtes d'écume à la mer.

À l'intérieur, il ne faisait que quelques degrés au-dessus de zéro : Nora garda son manteau. Elle avait baissé le chauffage au maximum pour réduire les frais, sans pourtant oser le couper tout à fait. Cette vieille maison supportait mal le froid.

Lentement, elle passa d'une pièce à l'autre en vérifiant que les fenêtres étaient bien fermées et que tout était normal. Les pièges à souris étaient vides, et Nora poussa un soupir de soulagement. Vider les pièges, c'était le travail de Henrik. Elle avait le cœur bien accroché, mais l'idée d'extraire un cadavre de souris du dispositif métallique la faisait frissonner.

Elle s'installa un moment dans la bibliothèque, la tête appuyée sur le petit coussin brodé qui pendait au dossier du fauteuil à oreilles.

De vieux livres aux reliures ornées de belles lettres d'or couvraient les murs. Des œuvres d'August Strindberg, qui avait plusieurs fois séjourné à Sandhamn, côtoyaient des titres de Verner von Heidenstam et Selma Lagerlöf.

Il faudrait un jour qu'elle les lise, se dit Nora. Ce serait sûrement intéressant de se plonger dans des éditions si anciennes.

Dans cette ambiance feutrée, elle se détendit. Dire qu'elle avait été à deux doigts de céder à Henrik qui insistait pour vendre cette maison. Elle se souvenait encore de la curiosité tapageuse des acheteurs, de riches Suédois résidant en Suisse, qui auraient défiguré la villa avec leurs horribles projets de rénovation.

Il régnait à présent une atmosphère paisible dans la villa Brand. Comme si la maison se reposait avant d'être investie par une nouvelle famille. Le calme de ces murs la consolait.

Il allait bientôt être temps de prendre possession de cette maison.

Elle balaya la pièce du regard. Les carreaux des fenêtres à croisillons étaient couverts de givre, comme si, muni d'un minuscule pinceau, quelqu'un y avait dessiné des beaux motifs floraux.

Tante Signe lui manqua soudain terriblement. Elle aurait tant aimé que sa voisine soit encore en vie. Signe savait écouter, elle aurait compris ce que Nora ressentait.

« Mais, ma chère enfant, ce qui se passe avec Henrik n'est pas ta faute, aurait-elle dit. Maintenant, tu dois penser à toi et aux enfants. Tu es si intelligente et compréhensive, tu vas surmonter ça. »

Puis elle aurait servi du thé avec ses sablés maison à la framboise. Elles se seraient installées sur la véranda pour continuer à parler de la façon dont Nora allait gérer sa situation délicate.

Et Nora se serait sentie beaucoup mieux.

Avec un soupir, elle se leva du fauteuil qui avait beaucoup servi. Sa troisième grand-mère lui manquait vraiment. Sa mère, Susanne, était toujours si anxieuse qu'il était difficile de lui confier ses soucis. À la fin, c'était toujours elle qu'il fallait consoler et, pour l'heure, c'était au-dessus des forces de Nora.

D'un mouvement maladroit de la main, elle heurta un presse-papier sur le vieux secrétaire. Le lourd objet tomba par terre avec fracas, dans un nuage de poussière. Nora se dépêcha de le ramasser. Elle vit que le meuble aurait eu besoin d'être épousseté. Toute la maison d'ailleurs avait besoin d'un grand ménage, mais Nora n'en avait eu ni le temps ni le courage pendant l'automne. Elle passa son index sur la surface. Il dessina un trait bien visible.

Le meuble était en cerisier, ses ferrures en laiton avaient noirci après des années dans le climat humide de l'archipel. C'était de la belle ouvrage, qui rappelait à Nora que les parents et les grands-parents de Signe avaient vécu ici.

Elle ouvrit au hasard le tiroir du haut. Des plumes et des vieux papiers en vrac. Elle trouva une plume d'oie qui avait peut-être servi à écrire voilà bien longtemps. Ça amuserait certainement Simon, aussi la mit-elle de côté pour la rapporter à la maison.

Même chose dans le tiroir suivant. Mais dans le dernier, deux fois plus haut que les autres, c'était différent. Elle y trouva une vieille boîte à chaussures, fermée d'un ruban de soie rouge.

La curiosité de Nora s'éveilla.

Elle sortit le carton et dénoua doucement le ruban. En soulevant le couvercle, elle découvrit des carnets soigneusement empilés. Nora s'empressa d'ouvrir le premier.

Appartient à Karolina Brand, était-il noté sur la page de garde. Le style était enfantin et un peu chantourné.

Nora réfléchit. Karolina Brand, ce devait être la tante de Signe. Elle était née au début de la Première Guerre mondiale, si Nora se rappelait bien. Elle devait donc avoir douze ou treize ans à l'époque de ce carnet, qui semblait dater de 1927.

Elle s'assit dans un fauteuil et le feuilleta. L'écriture avait pâli mais était encore lisible. La langue n'était pas aussi vieillotte que le pensait Nora.

Karolina écrivait dans son carnet tous les deux ou trois jours.

10 juin 1927
Je vais accompagner Maminou à sa soirée couture à la Mission, après le souper : j'ai hâte.
Ce dimanche, au cathéchisme, j'ai bien répondu à beaucoup des questions. Maman était contente et m'a fait des compliments quand je suis rentrée. Le pauvre Thorwald s'est trompé plusieurs fois, son père était très fâché.
Le pauvre. Il rougissait, n'arrivait plus à dire un seul mot. Il est très timide, je crois que c'est juste ça. Mais compréhensif et intelligent. Je le vois dans ses yeux.

14 juin 1927
Aujourd'hui, j'ai joué avec Missan tout l'après-midi. C'est sûrement la plus mignonne chatte de l'île, elle comprend tout ce que je dis. Après, elle est restée longtemps sur mes genoux à ronronner, tellement gentiment.

20 juin 1927
Demain, c'est la Saint-Jean. Ah, comme on va s'amuser ! Les gens vont arriver de partout, Harö, Möja, et les gardiens du phare de Grönskär feront aussi sûrement le voyage, comme d'habitude. Dans la matinée, on ira en barque sur Kroksö ramasser des branches de bouleau et des fleurs pour décorer le mât.
Ah, si maman me laissait aller danser au bal, comme André. Elle dit : pas avant d'avoir treize ans. J'ai tellement hâte. Ce serait si bien de pouvoir y aller.

Nora frissonna. Le froid se rappelait à son souvenir, ses orteils commençaient à s'engourdir. Il était temps de rentrer se mettre au chaud. Thomas et sa collègue n'allaient pas tarder à venir prendre le café.

Elle caressa la couverture noire du carnet avec un sourire mélancolique. Quatre-vingts ans étaient passés depuis que Karolina avait écrit ce journal, mais elle vivait toujours à travers ces phrases.

Nora se leva, mais son regard s'attarda sur ces carnets. Ils l'intéressaient, il y avait quelque chose de passionnant dans ces récits surgis du passé.

Elle alla à la cuisine prendre un sac plastique sous l'évier. Elle y plaça soigneusement quelques-uns de ces carnets élimés. Elle pourrait toujours continuer à les feuilleter un de ces soirs. Ça lui changerait peut-être les idées et elle parviendrait à s'endormir à une heure raisonnable.

SANDHAMN, 1926

I<small>L N'AVAIT JAMAIS RIEN RESSENTI</small> de pire que la terreur qui s'empara de lui quand il comprit qu'il avait perdu le fusil.

Il saignait du nez mais ne s'en souciait guère.

Il dévala jusqu'au bas du rocher pour scruter l'eau trouble. Il pouvait y avoir plusieurs mètres de profondeur, on y voyait à peine sous la surface. Si le fusil était tombé à l'eau, il ne le retrouverait jamais.

Père serait furieux.

Il se pencha pour essayer d'apercevoir l'arme, mais ne vit que le reflet de ses yeux apeurés. Les fusils coûtaient cher, et il savait comment son père était avec l'argent.

Le sang qui coulait de son nez formait une petite mare sur le rocher. Dans une crevasse, il se mêlait à l'eau de pluie.

Thorwald tomba à genoux. Il plongea la main dans l'eau glacée, sans parvenir à toucher le fond ni quoi que ce soit. Sa manche était trempée, mais il essaya encore et encore.

Il entendit alors des pas qui s'approchaient. Son père devait avoir fait le tour pour atteindre le bas du rocher. Thorwald plongea à nouveau fébrilement le bras à la recherche de l'arme.

« Qu'est-ce que tu as fait du fusil ? » Son père était juste à côté de lui.

« Je ne sais pas, chuchota Thorwald. Papa, je t'en prie. Ne te fâche pas. Il m'a glissé des mains. Je n'ai pas fait exprès, je le jure. »

Le regard de son père suffit à le faire taire. Puis la gifle violente.

Thorwald tomba à la renverse et se cogna la tête contre la paroi rocheuse. Quand il tenta de se relever, il n'entendait presque plus de l'oreille droite. Ça sifflait et tournait dans sa tête. Il essaya de fixer son regard mais tout tournoyait devant ses yeux. Il lui fallut ramper plusieurs minutes avant de parvenir à se mettre à genoux et il avait toujours le vertige quand il finit par se relever.

« Déshabille-toi. »

Thorwald hésita. Que voulait dire son père ?

« Tu as bien entendu. Sauf si tu veux y aller tout habillé. »

Thorwald ôta gauchement ses vêtements. Il ne faisait que quelques degrés au-dessus de zéro et il se mit immédiatement à grelotter.

« À l'eau ! Et ne remonte pas sans le fusil. »

Gottfrid parlait à voix basse, mais ne laissait pas le choix à Thorwald.

Il fit une dernière tentative pour percer l'eau sombre du regard. Puis respira à fond et plongea.

L'eau était noire, il n'y voyait rien et le froid lui criblait le corps comme une multitude d'aiguilles pointues. Ce n'était pas aussi profond qu'il le croyait. Il toucha vite le fond, mais ne sentit que des herbes gluantes et des paquets de varech.

Il tâtonna à l'aveugle à la recherche du fusil. Il n'osait pas remonter sans et se força à rester quelques secondes de plus. Mais à la fin, il sentit ses poumons sur le point d'exploser.

Il lui fallait de l'air.

Quand sa tête fit surface, il se retrouva les yeux dans ceux de son père. Gottfrid s'était accroupi sur le rocher et fixait son fils comme s'il avait souhaité le voir mort.

« Tu l'as trouvé ?

– S'il te plaît, laisse-moi sortir. »

Sa voix était celle d'un gamin de cinq ans, une voix aiguë, geignarde, que Thorwald lui-même ne reconnaissait pas. Ses dents s'entrechoquaient si violemment que ses mots étaient hachés.

« Je ferai tout ce que tu voudras. Je ne perdrai plus jamais rien, laisse-moi juste remonter. Je meurs de froid. »

Thorwald se mit à pleurer. Il n'avait jamais eu aussi froid de toute sa vie. Sur la pointe des pieds, l'eau lui arrivait jusqu'au menton. Ses doigts s'étaient engourdis et il ne sentait plus ses pieds.

Je vais mourir, se dit-il, je vais mourir.

Il se rappela la fois où il avait volé les pommes, quand son père avait sorti son rasoir. Il avait alors cru que son père, dans sa colère, allait le tuer, mais il s'en était tiré avec le crâne rasé. Il avait à nouveau fait une bêtise et cette fois il était le seul responsable. Il méritait de mourir. Rien d'autre.

Gottfrid poussa un profond soupir. Le regard de son visage ridé se perdit au loin en mer, derrière Thorwald. Quelques secondes, il parut entièrement absorbé en lui-même. Comme si un souvenir ancien était venu masquer les sanglots déchirants de son fils.

En inspirant profondément, Thorwald plongea une dernière fois. Ses doigts fouillèrent à tâtons le fond dans l'eau froide et, soudain, se refermèrent sur quelque chose de long et dur.

Il l'avait trouvé.

Les muscles raides, il se dirigea vers le bord.

Thorwald tendit l'arme, que son père attrapa avant de tirer son fils hors de l'eau. Un coup sec et Thorwald était remonté. Il resta à genoux, comme en prière, sans pouvoir bouger. Ses jambes tremblaient trop pour le porter.

Son père se dirigea vers la barque.

Avec ses dernières forces, Thorwald parvint à se lever. Il ramassa ses vêtements en tas et essaya de les enfiler. Puis il suivit Gottfrid en titubant. Son père avait déjà chargé la barque. Il la poussa à l'eau et monta à bord.

Pendant les heures que dura le voyage de retour, Gottfrid ne lâcha pas un mot. Il était assis derrière Thorwald, la mine fermée, et le bruit de sa respiration lourde se mêlait aux détonations provenant des îlots voisins.

Thorwald ramait tant qu'il pouvait pour se réchauffer. Ses mains étaient tellement raidies autour des rames qu'il avait peur de les lâcher.

Sa tête tambourinait : je ne mérite pas de vivre. Il trouve que je suis un bon à rien. Un fils indigne. Pour lui, peu importe que je vive ou que je meure.

Il mit plusieurs jours à recouvrer l'audition de l'oreille droite. Et il devait rester dur d'oreille le restant de ses jours.

30

Hanna Hammarsten lui ouvrit. Thomas se présenta et elle le fit aussitôt entrer.

« Marianne est à la cuisine, dit-elle à voix basse.

– Son mari est-il de retour ? »

Elle secoua la tête.

« Non, il ne revient que dans l'après-midi. Il avait quelques formalités à remplir auprès du légiste, si j'ai bien compris. »

Thomas compatit. L'administration ne s'embarrassait pas du deuil qui frappait les époux Rosén. La procédure bureaucratique était sans pitié.

Il suivit Hanna Hammarsten dans la cuisine. Le bois crépitait dans un poêle à l'ancienne, mais cette atmosphère chaleureuse contrastait violemment avec la femme qu'il trouva assise sur une chaise.

Marianne Rosén faisait peur à voir. Décoiffée, maigre et les yeux creusés. Elle portait un épais gilet en laine bleu marine, mais semblait pourtant gelée. Ses mains étaient crispées autour d'une tasse de café. Elle leva les yeux à l'arrivée de Thomas.

« Comment allez-vous ? demanda doucement Thomas.

– Pas très bien, murmura-t-elle.

– Je comprends que ce soit dur en ce moment, mais je voudrais vous poser quelques questions. Je vais essayer de faire au plus vite. »

Elle hocha vaguement la tête.

185

Hanna Hammarsten s'était assise à côté d'elle et lui prit la main pour manifester son soutien.

« J'ai des questions concernant un ancien petit ami de Lina, commença Thomas. Un certain Jakob Sandgren. Vous le connaissez ?

– C'est le fils des Sandgren, glissa Hanna Hammarsten. Ils habitent aussi Trouville, pas très loin de chez nous. Je connais ses parents. Pourquoi cette question ?

– Votre fille Louise nous a raconté qu'il était avec Lina l'été dernier, et qu'il ne la traitait pas particulièrement bien. »

Hanna jeta un rapide regard à Marianne, qui ne semblait pas réagir. Elle restait le nez dans sa tasse de café, inexpressive.

« Je ne m'en souviens pas, finit-elle par lâcher. Je ne sais plus rien. »

Hanna attira d'un geste l'attention de Thomas.

« Venez, dit-elle. Allons parler dans le séjour. »

Elle se leva et quitta la cuisine. Thomas la suivit. Ils passèrent dans une plus grande pièce avec des fenêtres de deux côtés. Un grand canapé d'angle trônait dans un coin, devant une table basse couverte de journaux.

Hanna Hammarsten s'y assit. Thomas lui donnait environ quarante-cinq ans. Elle était mince, portait un jean et un gros pull. Ses cheveux bruns lui descendaient aux épaules.

« Marianne est détruite. Je peux peut-être répondre à vos questions pour commencer, ça lui laisse le temps de souffler.

– Bien sûr, acquiesça Thomas.

– Vous parliez de Jakob Sandgren ?

– Louise nous a raconté que Lina avait eu une liaison avec lui l'été dernier et que ça n'avait pas été... sans heurts. Je cherche à en savoir plus. »

Hanna Hammarsten hocha la tête et se redressa sur son séant.

« Les jeunes se plaisent par ici, pendant les vacances. Il y a du travail, ils peuvent profiter de l'été tout en gagnant un peu d'argent. Lina et Louise ont travaillé toutes les deux à la boulangerie et au kiosque. Ça forme une grande bande de copains où tout le monde se connaît. Jakob Sandgren en faisait partie. »

Elle fit une grimace.

« Une sacrée bande de fêtards. Il y a aussi pas mal de beuveries, c'est assez inévitable. En tant que parents, on est au moins contents qu'ils soient ici, et pas en ville, fourrés on ne sait où. On se sent bien plus en sécurité sur une île, n'est-ce pas ? » Sa voix trembla. « Enfin, jusqu'à la disparition de Lina.

– Vous connaissez bien Jakob Sandgren ?

– Je sais qui c'est. Je fréquente ses parents, on se dit bonjour quand on se croise au village.

– Vous saviez qu'il traitait mal Lina ?

– Pas avant qu'ils rompent. » Elle hésita. « Louise a raconté comment Jakob se comportait avec Lina. Elle était vraiment indignée. Je crois bien qu'il l'a frappée à plusieurs occasions. »

Thomas tendit l'oreille.

Louise n'avait pas parlé de violence physique. Mais il se souvint qu'elle avait éludé la question directe de Margit. Elle n'osait peut-être pas tout dire.

« Vous êtes sûre ? »

Elle hocha la tête, l'air dégoûté.

« Louise a fait une allusion au fait que Lina s'était parfois "fait taper". C'était son expression. Mais ça la mettait mal à l'aise. Elle ne voulait pas entrer dans les détails et je ne voulais pas insister.

– Et pourquoi ? »

Hanna soupira. « Vous avez des enfants ? »

Thomas secoua la tête.

« Ce n'est pas toujours facile de parler avec des filles de cet âge. Les banalités, pas de problème : comment ça s'est passé à l'école aujourd'hui ? Qu'est-ce que tu vas faire ce week-end ? Mais les choses importantes, les relations, les amis, le comportement des garçons avec les filles... »

Elle s'interrompit et se passa la main dans les cheveux. Ils se mirent aussitôt parfaitement en place, comme si, à force, ils avaient pris le pli.

« Et puis, pour être honnête, c'était dur à croire. Jakob Sandgren est vraiment le gendre idéal, belle allure, très poli, en tout cas les fois où je l'ai rencontré. Il a commencé l'école de commerce cet automne. Il faut d'excellentes notes pour y être admis. » Elle fit un geste des deux mains. « D'un autre côté, Louise n'a pas l'habitude de me mentir.

– Quand avez-vous appris ça ?

– Voyons voir... » Hanna Hammarsten se cala au fond du canapé et réfléchit. « Peut-être fin septembre, quelques mois après les faits. Il s'était passé un certain temps, en tout cas.

– Comment Louise en est-elle venue à en parler ?

– Nous avions vu ensemble une émission à la télé sur les relations entre ados et l'importance de savoir fixer des limites. Après, Louise a voulu parler de ce qui était arrivé à Lina. Elle ne comprenait pas que Lina ait laissé Jakob aller si loin avant de rompre.

– Vous en avez parlé à Marianne ? »

Hanna secoua la tête.

« En fait, non.

– Pourquoi ? »

Hanna Hammarsten semblait embarrassée.

« C'était une confidence. Et puis Lina avait déjà rompu. C'était trop tard, on n'y pouvait plus rien. En plus, Louise aurait été furieuse d'apprendre que je l'avais répété. Elle ne m'aurait plus jamais fait confiance.

– Vous n'en avez pas parlé non plus aux parents du garçon ? »

Elle secoua à nouveau la tête.

« Non. J'aurais peut-être dû. Qu'un jeune homme frappe sa petite amie, ce n'est vraiment pas acceptable. Mais je n'ai rien dit. Je l'avais appris de seconde main par Louise, et ses parents ne sont que de vagues connaissances.

– À votre avis, qu'est-ce que Marianne Rosén sait de tout ça ? »

Hanna Hammarsten fit une grimace. Elle tripota un des coussins. Son motif à fleurs était assorti à la housse du canapé.

« Je doute qu'elle soit seulement au courant. »

Elle prit le coussin et le serra dans ses bras. Un geste enfantin, que Thomas avait déjà vu d'autres faire.

« Lina était assez renfermée, je crois. C'est en tout cas ce que j'ai compris. Louise est beaucoup plus ouverte avec moi que Lina ne l'était avec Marianne. Lina trouvait que sa mère la couvait trop. »

Les yeux de Hanna se mirent à briller et elle rejeta à nouveau ses cheveux en arrière.

« Mais à quoi bon ? Maintenant elle est morte.

– Merci pour tout, dit Thomas. Vous ne sauriez pas par hasard les prénoms des parents de Jakob et où ils habitent à Stockholm ?

– Son père s'appelle Urban, sa mère Lena. Ils ont un appartement dans Vasastan, si je ne me trompe pas. »

Aussitôt dehors, Thomas sortit son téléphone de sa poche. Erik Blom répondit dès la première sonnerie.

« C'est Thomas. Il faut que tu fasses des recherches sur un certain Jakob Sandgren. Il a une vingtaine d'années, ses parents habitent Vasastan. Ils se prénomment Urban et Lena, ont une maison à Sandhamn. Vois tout ce que tu peux trouver sur lui et sa famille. »

Thomas lui résuma ce que Hanna Hammarsten lui avait dit.

« OK. Autre chose ?

– Convoque le type pour une audition demain matin, à mon retour. Attends, contacte aussi Anders Rosén, le père de la fille, et vérifie s'il est au courant de tout ça. »

Il changea son téléphone de main.

« Au fait, tu sais où en est Kalle ? Il a trouvé quelque chose ?

– Il ne m'a rien dit, mais on te tient au courant, de toute façon. » Erik s'interrompit pour tousser. « Pardon, j'ai avalé de travers. En revanche, j'ai parlé avec Victor Sjöström, le petit ami d'Uppsala. Je l'ai eu tout à l'heure.

– Et il dit quoi ?

189

« – Comme avant. Qu'il a passé la Toussaint à Härnösand. Sinon, pas grand-chose, il avait l'air vraiment secoué par toute cette histoire.

– Tu lui as demandé si Lina Rosén pouvait s'être intéressée à des rites païens ?

– Oui. Il n'a jamais rien entendu de ce genre. Il ne voyait pas ce que je voulais dire. »

Thomas réfléchit. Victor Sjöström disait probablement la vérité. Et il y avait plus important pour le moment.

Jakob Sandgren, par exemple.

KRISTINA FILAIT EN TÊTE, balançant son panier à bout de bras. Vendela la suivait. Elle marchait d'un pas lourd, déjà essoufflée après seulement quelques minutes, encombrée par son gros corps gauche, agrippant son panier.

Et en dernier venait Thorwald. Visage fermé, il regardait à peine où il posait les pieds.

Ils allaient cueillir des champignons à la carrière. Au printemps, le sable s'y couvrait de milliers de fleurs et, en cette saison, on trouvait beaucoup de mousserons, qui se plaisaient sur ce terrain, sous les rares pins. Ils étaient souvent bien cachés dans le sable, et il fallait avoir l'œil pour repérer leur chapeau jaune sombre. La plus douée était Vendela, qui avait dès l'enfance cueilli les champignons avec sa mère sur l'île de Möja.

Gottfrid était parti en ville avec le vapeur. Il serait absent quatre jours, pour son travail.

L'atmosphère à la maison était plus légère.

Ils étaient presque arrivés, la cueillette allait bientôt pouvoir commencer. Vendela resta un instant au bord de la sablière. Sous ses pieds, la paroi était à pic. On prenait là le ballast des gros bateaux depuis le dix-huitième siècle. L'excavation était comme une plaie infligée à la nature sans qu'on eût songé qu'elle ne guérirait jamais.

On racontait qu'un petit enfant était mort enseveli sous le sable en essayant de grimper. Mais Vendela n'avait pas voulu écouter cette histoire. Vraie ou fausse, elle était trop horrible pour y penser.

À gauche, on apercevait Sandhamnshåle, la passe étroite mais profonde qu'empruntaient une partie des navires pour gagner la capitale. À droite, plusieurs gros bâtiments mouillaient en rade, en attendant qu'un remorqueur vienne les guider dans le chenal.

Vendela aurait aimé monter dans un de ces bateaux jusqu'à Möja, où vivaient encore plusieurs de ses frères et sœurs.

Ça lui manquait, parfois.

Elle sentit que quelque chose en elle allait céder, et inspira profondément pour l'éviter.

« Maman, regarde ! » cria Kristina depuis l'orée du bois. Ravie, elle brandissait deux champignons pour qu'ils admirent sa trouvaille.

« Très bien, Kristina. » Vendela changea son panier de main et se dirigea vers les enfants.

Thorwald s'arrêta en la voyant approcher. Vendela le regarda tristement. Son fils était un garçon gauche et malheureux, qui ne réussissait pas à l'école. Il était timide et osait rarement ouvrir la bouche, surtout en présence de Gottfrid. Ses notes n'approchaient pas les espérances de son père, mais plus Gottfrid était dur, plus son fils se bloquait. Surtout pour lire et écrire, ça ne venait pas du tout.

Vendela ne connaissait ça que trop bien. Elle aussi s'embrouillait dans les lettres. Voilà pourquoi elle se taisait et se rendait invisible, afin que personne ne découvre l'étendue du problème.

Dans sa jeunesse, elle s'était abritée derrière son apparence. Avec ses beaux cheveux blonds et ses yeux bleus, elle ensorcelait tout le monde, et personne ne s'attendait à ce qu'elle soit une lumière.

Elle avait toujours peur que quelqu'un découvre qu'elle était une incapable, qu'elle n'avait rien dans la tête. Elle pouvait à peine lire les versets dans la Bible. Elle ne méritait donc pas cette beauté que tout le monde admirait. Elle le savait depuis l'enfance.

Quel soulagement quand elle avait enflé et que sa beauté avait disparu sous la graisse : l'écart entre son apparence et ce qu'elle était à l'intérieur se réduisait. Le risque d'être percée à jour n'était plus aussi effrayant. Elle avait autant de défauts dehors que dedans.

« Mère ! »

Thorwald l'appelait.

Vendela continua à marcher, sa robe noire frôlant le sol. Son volant était couvert d'une poussière de sable, comme ses souliers. Une fine couche grise recouvrait le cuir et les lacets. Elle se dirigea vers Thorwald tout en scrutant le sol à la recherche de champignons.

« Mère ! » répéta Thorwald.

Ils n'étaient plus qu'à quelques mètres l'un de l'autre. Son fils avait une expression tendue et son regard était sombre. Il avait l'air de prendre son élan pour lui dire quelque chose d'important. Il ouvrit la bouche et, même si sa voix était faible, elle porta jusqu'à elle.

« Pourquoi il ne m'aime pas ? »

La question resta suspendue. Ils savaient tous deux de qui il s'agissait.

Le pouvoir absolu du père n'était pas un sujet qu'ils abordaient à la maison. C'était une vérité qui n'avait pas besoin d'être énoncée, elle était aussi évidente qu'intangible. L'avis de Gottfrid avait force de loi.

Et voilà que Thorwald l'exprimait au grand jour.

Gottfrid ne l'aimait pas, lui, son propre fils.

Lentement, Vendela posa son panier par terre. Elle fit un pas vers Thorwald, mais s'arrêta et s'efforça de réfléchir. Elle aurait tant voulu donner à son fils une explication plausible, quelque chose qui apaise sa douleur.

« Où vas-tu chercher ces idioties ? finit-elle par dire. "Tu honoreras ton père et ta mère", la Bible le dit. »

C'était une mauvaise réponse, elle le vit immédiatement dans les yeux de son fils. Elle se la reprocha aussitôt. Pourquoi ne pas l'avoir consolé, plutôt que de lui faire la leçon ? Il n'avait que treize ans, il avait besoin d'un père pour le soutenir et le guider.

Mais Gottfrid était indifférent à son fils. C'était comme ça depuis sa naissance. Parfois, cette indifférence se transformait en colère, ce qui ne faisait qu'empirer les choses. Il n'y avait qu'une personne dans la famille à laquelle son mari tenait, et elle savait depuis des années que ce n'était pas elle.

Ils portaient le même fardeau, son fils et elle.

Thorwald sembla reprendre courage, malgré la crainte qu'elle avait vue dans ses yeux. Cette crainte qu'elle ne connaissait que trop bien.

Vendela n'avait pas de réponse qui puisse le soulager. Mais elle mesurait l'effort nécessaire pour seulement poser la question, et elle n'avait pas l'intention de lui dire de se taire. Elle se taisait elle-même depuis bien trop longtemps. Elle avait cherché refuge dans le silence et en avait tellement pris l'habitude qu'elle ne se souvenait plus d'autres moyens de vivre.

Pour elle, il était trop tard, mais peut-être pas pour Thorwald. Si seulement elle savait comment l'aider.

Son impuissance l'étouffait.

Elle regarda alentour pour gagner du temps. Elle se passa une main dans les cheveux. Ils étaient saupoudrés de gris et elle les attachait en chignon serré juste au-dessus du col de sa robe.

« Il ne m'aime pas. »

Ce n'était même plus une question, juste une constatation étouffée. Sa voix était monocorde, comme s'il ne se permettait pas d'exprimer ce qu'il ressentait. Mais son menton tremblait et elle vit qu'il cachait ses mains tout au fond de ses poches.

Son regard contenait des années de déceptions. Le chagrin accumulé face au manque d'amour de Gottfrid lui emplissait les yeux de larmes.

Sa réponse transpirait le désespoir.

« Parfois, je crois que ton père n'a jamais aimé que deux personnes dans sa vie, et elles portent le même nom. »

Elle se tourna vers sa fille, accroupie dans le sable, en train de chercher avec application des bolets couleur de soufre. Puis elle tendit maladroitement une main vers

Thorwald, mais il se déroba et recula d'un pas, comme s'il ne voulait pas entendre ce qu'elle venait de dire.

Il est si maigre, se dit-elle, la peau sur les os. Et son visage est vieux, vieux et triste. Qu'est-ce qu'il t'a fait, mon garçon ? Qu'est-ce qu'il t'a fait ?

Elle savait pourtant qu'elle n'y pouvait rien. Elle n'avait ni la force ni la capacité de faire changer Gottfrid. L'amertume qui habitait son mari, sa profonde conviction qu'il lui fallait suivre la Bible à la lettre et sa colère qui prenait toujours le pas sur l'amour miséricordieux, elle n'avait pas prise dessus.

Elle redoutait plus que tout son humeur et ses punitions. La crainte marquait son existence et gouvernait sa vie. Elle n'osait pas s'interposer quand Gottfrid corrigeait son fils.

Elle aussi, elle le trahissait. La honte l'envahit.

Je n'en suis pas capable, se dit-elle. Dieu ne m'a pas donné la force. Ce n'est pas ma faute.

« Père n'y peut rien, hasarda-t-elle. Dieu lui a fait subir beaucoup d'épreuves. »

C'était la meilleure explication qui lui venait. Elle écarta les mains dans un geste maladroit : « La vie n'a pas été facile pour lui non plus. »

L'expression de Thorwald changea.

Il lui jeta un regard méprisant, comme le faisait Gottfrid quand elle avait commis une bêtise qui l'insupportait.

« Tu crois vraiment que c'est Dieu qui a créé père comme ça ? Tu crois vraiment ? » Sa voix était grimpée en fausset. D'un geste vif, il jeta son panier et partit en courant.

« Thorwald ! »

Vendela l'appelait, mais elle savait que c'était peine perdue. Le garçon avait besoin qu'on le laisse tranquille.

Sa seule consolation était l'absence de Gottfrid. Sans quoi elle aurait dû expliquer pourquoi Thorwald n'avait pas aidé à la cueillette des champignons.

« Mère ? »

C'était Kristina qui arrivait en sautillant. Elle regardait d'un air interloqué dans la direction de son frère, qui avait déjà disparu vers la forêt.

195

« Pourquoi il est parti, Thorwald ? On devait cueillir les champignons ensemble. »

Vendela regarda sa fille, sa jolie petite fille qui était la prunelle des yeux de son père et savait en tirer avantage.

Le poids dans sa poitrine l'empêcha de répondre et elle se courba, comme si elle venait soudain de trouver un champignon dans le sable.

« Mère ?

– Il est un peu triste, ma mignonne, mais ça va s'arranger. » Elle répéta cette dernière phrase, comme pour s'en convaincre elle-même : « Ça va s'arranger. Sûrement. »

31

THOMAS OUVRIT LA PORTE de Nora sans frapper.

« Il y a quelqu'un ? cria-t-il.

– Entre et referme vite », lui lança Nora depuis l'étage. Simon déboula.

« Comment va mon filleul, aujourd'hui ? s'exclama Thomas en le soulevant. Tu veux voler ? »

Il fit tourner le garçon comme il put dans l'entrée étroite et, pour finir, fit semblant de le lâcher. Simon rit de bon cœur et Thomas l'embrassa avant de le reposer par terre.

« Tu commences à être vraiment lourd, jeune homme, bientôt je n'arriverai plus à te soulever. »

Nora descendit l'escalier et lui donna une brève accolade.

« Salut. Le café est prêt. Qu'est-ce que tu as fait de Margit ?

– Elle arrive. On s'est réparti le travail. »

Ils entrèrent dans la cuisine, où trois tasses les attendaient. À côté, un plat de brioches à la cannelle et de biscuits. Ils s'assirent et Nora servit le café.

« Où est Adam ? demanda Thomas.

– Chez un copain. Il commence à être grand, parfois je le vois à peine. » Le sourire de Nora se teinta de mélancolie. « Mais tant mieux s'il ne reste pas à ruminer ce qu'il a vu dans la forêt. Tu te souviens d'Annie, mon amie psychologue ? »

Thomas secoua la tête.

« En tout cas, elle dit qu'il est important de vivre aussi normalement que possible, pour que les mauvais souvenirs s'estompent. » Nora alluma le lumignon posé au milieu de la table.

On frappa à la porte. Elle alla ouvrir. Thomas entendit Margit entrer et se débarrasser de son manteau avant de le rejoindre dans la cuisine.

Margit frissonna. « Quel froid, aujourd'hui. »

Nora se pencha et regarda le thermomètre à la fenêtre de la cuisine. « Moins quatorze.

– Tu connais la famille Sandgren ? demanda Thomas en prenant un biscuit.

– Les Sandgren ? » Nora réfléchit. « Ils ont un terrain en bord de mer à Trouville. Ils ne sont pas là depuis très longtemps.

– C'est combien, longtemps, sur cette île ? ironisa Thomas. Vingt ans ?

– Plutôt cinq ou six, dans leur cas. Ils ne sont pas très bien vus. Ils ont mis une clôture jusqu'à l'eau, qui rend le passage difficile. Il y a beaucoup de disputes sur le droit de passage autour de l'île.

– Mais si c'est leur terrain ? dit Margit.

– Oui, mais on a toujours pu faire le tour des plages de l'île, alors, quand de nouveaux propriétaires arrivent et tentent de l'empêcher, les autres se fâchent.

– Ce n'est pas bien malin de se mettre les autres à dos dans une si petite communauté, dit Margit.

– Non, vraiment pas, acquiesca Nora.

– Vous vous fréquentez ? demanda Thomas.

– Non. Ils ont la cinquantaine, leurs enfants sont beaucoup plus grands que les nôtres.

– Ils ont un fils, Jakob Sandgren, tu le connais ? »

Nora fronça les sourcils.

« Dans les vingt ans, c'est ça ?

– Oui.

– Il fait de la voile ?

– Aucune idée.

– Je me demande si ce n'est pas lui qui a eu un accident de voile il y a quelques années. Henrik m'en a parlé. C'était pendant la régate de Sandhamn. Le garçon a pris une bôme dans le front et a dû être transporté en hélicoptère. Henrik participait à la course et est intervenu en attendant l'hélicoptère. » Elle remua le sucre dans sa tasse. « Pourquoi ?

– Son nom apparaît dans l'enquête, dit Thomas. Tu peux nous en dire davantage ? »

Nora attrapa un biscuit.

« En fait, non. Mais il y a autre chose dont je voulais vous parler. » Elle hésita une seconde. « On dirait que quelqu'un vient le soir épier les Rosén. »

32

NORA S'ÉTAIT COUCHÉE en même temps que les enfants, pour se forcer à prendre une longue nuit de sommeil. Mais elle était restée éveillée à ruminer.

Et si le mystérieux visiteur revenait ce soir ? Que ferait-elle ?

Thomas et Margit lui avaient suggéré qu'il s'agissait vraisemblablement d'un promeneur. Cette explication l'avait rassurée sur le moment, mais l'inquiétude était de retour.

Elle finit par jeter l'éponge, enfila sa robe de chambre et descendit à la cuisine. Un dernier verre de vin lui permettrait de dormir et de ne plus se ronger les sangs.

Elle aurait dû éviter de boire de l'alcool tous les soirs, elle le savait, mais, sans même allumer, elle trouva dans le garde-manger le bib de rouge australien. Un peu de vin l'aiderait à se détendre, surtout si elle le buvait vite pour que l'effet soit rapide.

Nora risqua un coup d'œil par la fenêtre de la cuisine. C'était éteint chez les Rosén. Le toit de leur maison se confondait avec le ciel nocturne et la vieille haie de lilas était entièrement couverte de neige.

Ce soir, personne ne guettait devant la maison de la morte.

Nora soupira, soulagée. Ce visiteur du soir lui avait fait sacrément peur, tout comme sa rencontre inopinée avec Pelle Forsberg. Elle réalisa qu'elle n'avait pas osé aller jusqu'au bout voir qui était cet inconnu et qu'elle avait eu plus peur qu'elle ne voulait l'admettre.

Un bruit inattendu la fit sursauter.

Comme si quelqu'un essayait de tourner la poignée de la porte extérieure. Quelqu'un frappait à sa porte.

Elle avait fermé à clé, elle s'en était assurée avant d'aller regarder la télévision. Qui cela pouvait-il bien être ? Il était vingt-trois heures passées.

Elle posa son verre de vin et essaya de réfléchir. Fallait-il aller voir ?

On frappa à nouveau, plus faiblement cette fois.

Elle hésita entre allumer et regarder par la fenêtre, ou rester dans le noir. Elle décida d'attendre, elle n'osait rien faire d'autre.

On frappa à nouveau.

Quelqu'un venait-il vraiment la voir ? Ouvrir à une heure pareille ? Jamais de la vie.

Nora se plaqua contre le mur et se dit qu'il lui fallait de quoi se défendre si on lui voulait du mal.

Où était passée la caisse à outils ?

Elle ouvrit le placard à balais et chercha à tâtons dans le bric-à-brac. Sa main se referma sur un manche. Le marteau. Elle se sentit un peu mieux. L'outil à la main, elle resta entre la cuisine et le hall, maudissant Henrik, à cause de qui elle se retrouvait seule et effrayée à Sandhamn avec deux petits garçons.

Avec un téléphone, elle aurait pu appeler Thomas, mais le sien était resté dans le séjour, où elle avait laissé une lampe allumée en allant se coucher. Elle serait visible de dehors si elle y allait. Elle n'osait pas.

Elle réalisa soudain combien il serait facile à quelqu'un de s'introduire dans la maison. Il suffisait de casser un carreau de la véranda et de tourner la poignée intérieure. La maison était lumineuse grâce à toutes ses fenêtres, mais elles lui apparaissaient à présent comme autant de menaces béantes. Des carrés noirs où se cachait peut-être un agresseur. Chacune permettait de s'introduire chez elle sans gros efforts.

Morte de peur, elle tomba accroupie contre la porte de la cuisine. La main qui tenait le marteau tremblait. Elle tendit l'oreille, sans plus rien entendre. Les frappements semblaient avoir cessé.

Nora décida d'attendre dix minutes. Si elle n'entendait plus rien, elle s'approcherait alors de la fenêtre pour voir.

Elle compta lentement jusqu'à six cents. Cela faisait-il dix minutes ? Elle attendit encore un moment. Puis elle se glissa doucement à la fenêtre. Elle ne vit que le paysage hivernal. Personne devant la maison.

Avait-elle rêvé ?

Nora se laissa tomber sur une marche de l'escalier et posa le marteau. Il y avait quelqu'un, elle en était certaine. Elle n'avait pas imaginé ce bruit.

Elle resta un moment assise avant de monter, les jambes en coton, jusqu'à la chambre des garçons. Leur porte fermait à clé, elle la verrouilla soigneusement. Puis elle se glissa dans le lit de Simon. Il geignit un peu quand elle le poussa pour se faire une place. Il avait le front en sueur et serrait fort son nounours.

Elle resta longtemps éveillée près de lui.

C'ÉTAIT LA PIRE TEMPÊTE d'automne de mémoire d'homme. Le vent se déchaînait et les vagues battaient contre les pontons goudronnés. Personne ne se risquait en mer, on se blottissait chez soi en écoutant la pluie crépiter contre les carreaux. Les bateaux tiraillaient leurs amarres et leurs propriétaires redoutaient que les câbles ne résistent pas.

La bourrasque soulevait le sable, dont les grains les plus fins pénétraient par les interstices des portes et des fenêtres. On avait beau balayer, impossible de garder le sol propre. Les insulaires trouvaient du sable dans leurs aliments et leurs boissons. Le sable se glissait partout, irritait les yeux et la gorge.

Sandhamn se terrait.

La tempête dura deux jours et quand elle cessa enfin, le village était couvert de sable clair. Bateaux, machines, outils, tout était recouvert d'une fine couche : quel travail pour nettoyer tous ces dégâts !

Les habitants de l'île se réunirent. Il fallait contenir le sable qui recouvrait l'île. Encore une tempête de cette force et l'île serait inhabitable. Les dunes s'étaient déjà bien trop étendues.

On prit alors une décision. On planterait des arbres dans les dunes. Des centaines, non, des milliers de plants de pin fixeraient le sable volatile. On envoya une grosse commande à Stockholm et on décida que les enfants des écoles auraient pour mission de planter les arbres.

Une semaine entière, la classe fut suspendue. Les enfants passèrent tout leur temps à planter des pins dans les dunes. De la côte au-dessus du club nautique KSSS et jusqu'au cimetière on devait en disposer à intervalles réguliers.

Les enfants marchaient en rang, les bras chargés de corbeilles. C'était un travail pénible de creuser assez profond pour permettre aux fragiles plants de prendre racine, mais les enfants avaient encore en mémoire la tempête et la bourrasque. Personne ne souhaitait revivre ça.

C'est ainsi que cela commença.

Elle s'appelait Karolina et avait de longues nattes brunes qui lui descendaient jusqu'à la taille. Elle était assez petite et fluette. Son nez était un peu trop grand, mais elle avait de beaux yeux clairs et un sourire chaleureux.

Karolina et Thorwald se retrouvèrent côte à côte le premier jour des plantations. Quand elle avait du mal à creuser, il l'aidait de quelques coups de pelle, dont elle le remerciait d'un sourire rayonnant qui lui faisait battre le cœur.

Dès lors, tout changea.

À l'école, il la regardait à la dérobée pendant la classe. La nuit, il se repassait le moindre de ses regards, le moindre de ses mots.

Il ne pouvait penser qu'à Karolina Brand. Son cœur chantait quand il la voyait et il était prêt à tout pour l'entendre rire.

Karolina.

Thorwald se répétait son nom en silence, encore et encore, et cela suffisait à l'emplir d'un chaud sentiment de bonheur.

Karolina.

Chez lui, on souriait rarement. Le visage de son père était fermé, sa voix sévère et sérieuse. Le regard de Vendela le suivait sans joie. La seule à sourire souvent était Kristina, et on devinait alors dans ses yeux la lueur d'un calcul. Petite comme elle était, elle avait déjà appris à utiliser son joli sourire pour obtenir ce qu'elle voulait.

Mais Karolina, elle, souriait sans raison particulière. Elle était toujours de bonne humeur, et impossible pour Thorwald de ne pas être gagné par sa joie de vivre.

Ils étaient camarades de classe depuis des années, mais il ne l'avait encore jamais remarquée.

Pas de cette façon.

Les filles en général n'intéressaient pas Thorwald. Il n'avait pas eu beaucoup l'occasion d'y penser. Il traînait surtout avec Arvid et ses frères : quand ils avaient le temps, ils allaient jouer en forêt ou au ballon.

Les filles de l'école le gênaient, surtout.

Elles se regroupaient sur le port et pouffaient. Quand il passait, il se demandait parfois si elles ne riaient pas à ses dépens. Si elles ne se moquaient pas de son incapacité à lire correctement. Il s'emmêlait toujours dans la lecture à voix haute et se débattait avec l'orthographe. Il avait beau travailler chez lui, quand il était interrogé devant la classe, tout se bloquait. Les rires étouffés dans son dos n'arrangeaient rien.

Mais Karolina Brand était différente.

Dans son regard ouvert, pas la moindre fausseté. Elle semblait sincèrement heureuse de le voir et partageait parfois avec lui le gâteau que sa mère lui avait donné.

Elle était fille du riche maître-pilote Alarik Brand, dont le père, Carl Wilhelm Brand, avait fait bâtir la magnifique villa Brand au sommet de Kvarnberget, à l'ancien emplacement du moulin de l'île.

Ils avaient presque le même âge et étaient voisins sur la même île. Là s'arrêtaient pourtant leurs ressemblances.

Tandis que Thorwald vivait dans une cuisine, un séjour et une chambre, Karolina habitait une des maisons les plus vastes et cossues de l'île, avec des rideaux en dentelle et de beaux tapis. C'était une des plus belles villas de Sandhamn, construite à grands frais à la fin du dix-neuvième siècle. Il y avait même une baignoire à pattes de lion, une nouveauté dont personne n'avait jusqu'alors entendu parler sur l'île.

Thorwald avait entendu son père raconter le jour où le colis avait été déchargé du vapeur. Un gros paquet soigneusement emballé. Arrivé à la fin de son histoire, Gottfrid avait ricané bruyamment. La famille Brand devait se croire trop distinguée pour se décrasser dans une bassine posée sur le sol de la cuisine, comme les gens normaux.

Les deux familles ne se fréquentaient pas du tout. Le père de Karolina était issu de cinq générations d'éminents officiers de marine. L'horizon de Gottfrid se limitait à sa paroisse.

La distance était infinie, malgré la petite taille de l'île.

33

Pᴇʀɴɪʟʟᴀ ᴀʟʟᴜᴍᴀ ʟᴀ ʟᴀᴍᴘᴇ ᴅᴇ ᴄʜᴇᴠᴇᴛ en soupirant et constata qu'il était près de une heure du matin. Certes, elle ne devait pas travailler le lendemain : elle ne se présenterait que lundi chez son nouvel employeur, mais une bonne nuit de sommeil ne lui aurait pas fait de mal.

Pieds nus, elle gagna la salle de bains. Elle avait gardé le trois-pièces après le divorce. Thomas avait eu la résidence secondaire de Harö une grange restaurée sur un terrain légué par ses parents.

C'était parfaitement logique, mais déchirant.

Quand elle avait déménagé à Göteborg, après la séparation, elle avait loué l'appartement. Une décision facile, à l'époque. À présent, cela lui faisait une drôle d'impression de revenir au domicile qu'elle avait partagé avec Thomas.

La plus petite pièce, qui avait été la chambre d'Emily, avait été utilisée comme bureau par son locataire. La table à langer avait été remplacée par un bureau et une petite étagère.

Pernilla était soulagée de cette transformation.

Il restait dans l'appartement tant de souvenirs de leur petite, même si le deuil paralysant des premiers temps s'était estompé. À présent, c'était plutôt une douleur lancinante, sourde, qu'elle portait toujours en elle mais qui ne gouvernait plus le moindre de ses pas.

Elle remplit d'eau son verre à dents et le vida d'un trait. Dans la lumière froide, ses pieds étaient blancs et sillonnés de veines. Son ventre était depuis longtemps redevenu plat. Quelques vergetures à peine visibles révélaient qu'elle y avait déjà porté un enfant. Elle passa une main hésitante sur sa peau.

Abriterait-elle à nouveau la vie en son sein ?

Comme Thomas, elle était mince et élancée. Mais, comparée à lui, elle semblait assez petite, malgré son mètre soixante-quinze.

Elle s'était mariée en talons hauts, et leur photo de mariage avait longtemps été la plus belle de toutes. Elle portait une robe blanche simple, et du muguet dans ses cheveux et son bouquet. Il avait un costume clair et était déjà bronzé, alors qu'ils se mariaient à la Pentecôte. À l'époque, Thomas était dans la police maritime et passait beaucoup de temps en plein air. Ils avaient dansé toute la nuit, et ça avait été le plus beau jour de sa vie.

Jusqu'à la naissance d'Emily.

Pernilla se versa un autre verre d'eau et le but à petites gorgées. Puis elle le reposa sur le bord du lavabo. Quand Thomas et elle étaient encore mariés, il y avait toujours là deux tasses en porcelaine, une blanche pour elle et une noire pour lui. Ils les avaient achetées dans une boutique sur l'île de Gotland, où ils étaient allés saluer de bons amis.

Elle aimait voir ces deux tasses l'une contre l'autre, comme un vieux couple qui s'épaulait. Elle les avait récupérées en louant l'appartement et, à présent, elle ne savait plus trop ce qu'elle en avait fait.

Depuis la séparation, elle n'avait pas eu de liaison sérieuse. Quelques aventures d'un soir. À dire vrai, elle n'était pas vraiment intéressée. Elle avait consacré toute son énergie à son nouveau poste, refusé fermement de se plonger avec ses nouveaux collègues dans la vie nocturne de Göteborg et, peu à peu, appris à se réveiller le matin sans se mettre aussitôt à pleurer.

Sa motivation et les longues heures passées au bureau s'étaient révélées payantes. Après s'être occupée de quelques très gros clients, elle avait été contactée par une agence de publicité réputée à Stockholm, qui l'avait attirée avec des perspectives professionnelles passionnantes et un salaire alléchant. C'était presque deux ans jour pour jour après son départ et, en recevant cette proposition, elle avait su qu'il était temps de rentrer chez elle.

C'était chose faite.

Pourquoi avait-elle appelé Thomas, quelques jours plus tôt ? Elle ne savait pas vraiment l'expliquer. Juste parce qu'elle ressentait un manque profond. Il la complétait, la comblait.

Se séparer de lui avait été la plus difficile décision de sa vie.

Elle était tombée amoureuse de Thomas dès leur première rencontre. Elle s'était donnée à corps perdu et l'avait aimé avec une intensité qui parfois l'effrayait.

Malgré cela, elle avait sans sourciller téléphoné à un avocat pour savoir comment dissoudre leur mariage. Elle avait discuté les détails juridiques de l'opération aussi méthodiquement que s'il s'agissait d'un dossier professionnel.

Il n'y avait pas d'autre issue.

Après la mort d'Emily, tout avait changé. Elle se rappelait à peine les premiers temps. C'était un brouillard de sentiment de culpabilité et d'horribles cauchemars où elle rêvait encore et encore qu'elle se réveillait pour sauver sa fille.

Thomas passait tout son temps au commissariat. Les rares moments où il était à la maison, son regard était plein de reproches. Il ne l'avait jamais dit tout haut, mais elle savait qu'il lui reprochait d'avoir dormi aussi profondément la nuit où Emily avait cessé de respirer.

Si elle s'était réveillée, Emily serait peut-être avec eux. Si elle avait surveillé leur fille, la catastrophe ne se serait peut-être pas produite.

Pour Thomas, il fallait forcément que la mort d'Emily soit la faute de quelqu'un. Dans sa vision policière des causes et des conséquences, il y avait toujours un responsable.

Et si ce n'était pas elle, qui ?

C'était le devoir d'une mère de veiller sur son enfant. Elle allaitait et était réveillée la nuit par les gémissements d'Emily. Mais en l'absence de bruit, elle continuait à dormir. La fatigue après plusieurs nuits de coliques avait eu raison d'elle.

Au matin, il était trop tard.

Des centaines de fois, Pernilla s'était demandé pourquoi elle ne s'était pas réveillée, pourquoi elle n'avait pas compris qu'il y avait un problème. Elle s'était reproché encore et encore d'avoir dormi tandis que les poumons de sa fille s'affaissaient et que son petit corps refroidissait.

Aucun des griefs de Thomas n'était pire que les reproches qu'elle se faisait à elle-même.

Il avait cessé de lui parler, cessé de la toucher. Soir après soir, il restait si tard au travail qu'elle dormait quand il rentrait à la maison. Le week-end, il faisait des heures supplémentaires ou s'entraînait en salle de sport jusqu'à l'épuisement.

Ils avaient toujours eu une relation très physique. Ils aimaient le corps l'un de l'autre, jouissaient de leur contact. Même quand elle était très enceinte, ils avaient toujours eu des rapports, plus doux qu'en temps normal. Quand cela avait cessé, elle avait su que ce n'était plus possible. Elle ne pouvait pas vivre ainsi et il ne pouvait rien y changer. C'était pire de continuer ensemble que de vivre chacun seul.

Avec une énergie qui l'étonna elle-même, elle s'était mise à l'ouvrage. En quelques mois seulement, elle avait réuni les papiers nécessaires, trouvé un nouveau travail et loué l'appartement.

Thomas n'avait pas protesté quand elle lui avait annoncé son intention de divorcer. Il s'était contenté de recevoir les actes et de l'accompagner chez l'avocat. Il n'avait aucune objection à sa proposition de partage des biens, on aurait dit qu'il remarquait à peine ce qu'il signait.

Le plus dur avait été après l'avocat, la dernière fois qu'elle l'avait vu. Cela avait été une épreuve insupportable, qui avait exigé ses dernières réserves de self-control.

Il était l'amour de sa vie. Elle ne concevait pas comment elle supporterait la perte de Thomas, après celle d'Emily.

Elle aurait voulu le serrer dans ses bras et ne plus jamais relâcher son étreinte. Le supplier d'essayer encore, même si elle savait que c'était peine perdue.

Il était trop tard. Trop tard pour tout.

Thomas était raide et distant, un étranger froid : au pied du mur, elle n'avait pas osé dire un mot. Elle lui avait juste tendu la main, comme pour saluer poliment une vague connaissance.

Il avait paru gêné. Même ce petit geste était trop pour lui. Heureusement qu'elle n'avait pas essayé de l'embrasser, mais sa froideur l'avait blessée et elle avait lutté pour retenir ses larmes.

Elle avait longtemps gardé le souvenir de l'expression de son visage.

Elle éteignit dans la salle de bains et regagna la chambre vide.

34

Mats Larsson était déjà installé dans la salle de conférences quand Thomas et Margit entrèrent. Il leva les yeux de sa pile de papiers pour leur adresser un sourire aimable, sans interrompre sa lecture pour autant.

Après quelques minutes seulement, le reste du groupe était là. Il était huit heures. Chacun s'était trouvé une place et avait posé son café devant lui. Les regards étaient fixés sur Mats Larsson. L'attente était grande : c'était la première fois qu'un psychiatre du GPC participait à une enquête.

Le Vieux se racla un peu la gorge pour signifier qu'il était temps de s'y mettre. Son visage n'était pas aussi rougeaud que d'habitude.

D'un signe de tête, il donna la parole à Mats Larsson.

« J'ai étudié les pièces du dossier, ainsi que des cas analogues dans d'autres pays », commença-t-il, vêtu aujourd'hui d'une veste en velours brun sur un gilet en laine.

On dirait un prof, pensa Thomas. On devient comme ça, après avoir été formé au FBI ?

« Et tes conclusions ? dit le Vieux.

– Nous avons affaire à un meurtrier qui commence par tuer une jeune femme, avant de découper son corps au couteau.

– Ça, on le sait déjà », dit le Vieux avec un soupçon d'impatience dans la voix.

Mats Larsson le regarda et dit calmement :

« En ce qui concerne la personnalité du meurtrier, il s'agit vraisemblablement d'une personne qui contrôle très mal ses pulsions. Sans doute a-t-il aussi très peu d'estime de soi. C'est souvent un trait caractéristique de ce genre de meurtriers. Parfois, ils vont jusqu'à condamner eux-mêmes leurs actes.

– Comment ça ? dit Thomas.

– Il n'est pas inhabituel qu'ils prennent leurs distances avec les comportements criminels en général et en particulier les actes similaires à ceux dont ils se sont eux-mêmes rendus coupables.

– Intéressant.

– Il vous faut donc y être attentifs lors des auditions et du porte-à-porte. Un témoin qui condamne les faits avec insistance peut être un suspect potentiel. »

Kalle le nota dans son carnet.

« Peux-tu nous en dire davantage sur ce mauvais contrôle des pulsions ? dit Thomas. À quoi est-ce dû ?

– Hérédité, éducation, les causes sont multiples Une lésion cérébrale.

– Lésion cérébrale, répéta Kalle.

– Au lobe frontal. Il est courant que les criminels agressifs et impulsifs aient une activité moindre dans cette zone du cerveau. »

Mats Larsson se leva pour aller au tableau. Avec un feutre vert, il dessina une tête et entoura le cerveau. Puis traça une flèche pointée vers le centre du cercle.

« De nos jours, on peut repérer les lésions ou les dysfonctionnements d'un cerveau humain grâce à une gamma-caméra.

– Tu peux expliquer ? dit Margit.

– Le carburant du cerveau est le glucose. En y introduisant un marqueur radioactif, on peut photographier le rayonnement et donc évaluer l'activité. De cette façon, on peut repérer des lésions susceptibles d'altérer le comportement et de déclencher des actes criminels.

– Comment surviennent ces lésions ? demanda Thomas.

– Elles peuvent être congénitales, ou provoquées par un choc ou diverses addictions.

– Des addictions ?

– Oui. L'alcool ou les drogues peuvent produire ce genre de lésions. En outre, l'alcool aggrave le comportement criminel. » Mats Larsson désigna à nouveau le lobe frontal sur son dessin. « L'alcoolisme prolongé, fréquent dans ces contextes, risque d'aggraver un contrôle des pulsions déjà défaillant. Il peut aussi déclencher certains actes de violence. »

Margit insista.

« Tu parles de mauvais contrôle des pulsions. Mais concrètement, ça se traduit comment ?

– Pour le dire simplement, le meurtrier n'a pas les mêmes inhibitions que les personnes normales.

– Quelles conclusions peut-on en tirer ?

– D'abord, je ne suis pas forcément convaincu que le meurtre était prémédité.

– Comment ça ? » Thomas écoutait attentivement.

« L'occasion a peut-être fait le larron. Il n'est pas du tout certain que le meurtrier ait prévu à l'avance de tuer la jeune fille. Mais ça s'est présenté, il en a profité. Elle s'est trouvée au mauvais endroit au mauvais moment.

– Le hasard, en somme », dit le Vieux.

Mats Larsson fronça un peu les sourcils. « Ou la pure malchance, si tu veux.

– Et après ? » dit Thomas.

Il revoyait le fragment de corps sous les pins. L'avant-bras tranché sur la bâche, dans la neige.

« Tu penses à ce qu'il a fait ensuite ? dit Mats Larsson. Une fois la fille morte ? »

Thomas hocha la tête.

« Il a probablement cherché un moyen rationnel de se débarrasser du corps. Le dépecer a pu se présenter comme une bonne alternative.

– Un moyen rationnel ? dit Margit.

– De son point de vue, bien sûr.

– Le mal à l'état pur », dit Karin Ek à voix basse. Mats Larsson l'entendit pourtant.

« Pour ma part, je ne parlerais pas de mal. L'acte est cruel, bien sûr, mais nous parlons d'une personne malade ou, plus précisément, d'une personne profondément atteinte. »

Il s'interrompit pour boire une gorgée de café.

« Les dépeceurs condamnés par les tribunaux suédois ces dernières années avaient tous des lésions au cerveau qui expliquaient tout ou partie de leurs actes. » Il haussa un peu les épaules. « Les prisons suédoises commencent à être remplies de détenus qu'on devrait soigner plutôt qu'enfermer. Sont-ils mauvais, ou simplement malades ? » Il écarta les mains.

Le regard de Karin Ek montra qu'elle n'était pas convaincue.

« Mauvais, murmura-t-elle à mi-voix avant de se taire.

– Contentons-nous des faits, dit le Vieux.

– Quelle est la proportion d'hommes et de femmes ? demanda Margit.

– Principalement des hommes. On ne connaît en Suède qu'un cas de dépecage où le meurtrier était une femme. Elle a pris vingt ans pour avoir tué et castré son mari de quatre-vingt-un ans. Elle l'a découpé en treize morceaux et a fait rôtir sa tête au four pour faire disparaître les preuves. »

Karin Ek parut avoir un haut-le-cœur en entendant ça.

Thomas se souvenait de cette affaire qui avait fait beaucoup de bruit : c'était la première fois qu'on donnait une telle importance dans les médias à l'identification ADN.

« Nous cherchons donc un meurtrier de sexe masculin qui contrôle mal ses pulsions », dit-il. Sachsen lui aussi penchait pour un homme, se rappela-t-il.

Mats Larsson répondit en hochant la tête.

« Quel âge ?

– Difficile à dire. Plus de trente, moins de soixante-dix. Il faut une certaine force pour découper un corps et s'occuper des morceaux. Quel poids pouvait faire la fille ?

215

– Pas plus de cinquante-cinq kilos, dit Margit.

– Ce n'est pas rien à trimballer.

– Peut-on avoir une idée du mobile ? dit Thomas.

– Souvent, ces personnes font une fixation sur une injustice ancienne, qui peut remonter très loin, dit Mats Larsson. Cela fait partie du tableau clinique : l'incapacité à cesser de penser à un outrage subi.

– Combien de temps peuvent-ils être ainsi habités d'un tel désir de vengeance ?

– Une semaine ou toute une vie, dit Mats Larsson.

– Tu plaisantes ? »

Le psychiatre secoua la tête.

« Loin de moi cette idée. Ce que je veux dire, c'est que ces personnes ne ravalent pas leur rancune comme les gens normaux. Ils l'enfouissent en eux et, si les circonstances sont propices, elle ressort sous forme d'acte violent.

– Qu'est-ce qui pourrait, dans ce cas, provoquer un meurtre de ce type ? » dit le Vieux.

Mats Larsson prit l'air grave. Il posa son stylo au bord de la table.

« Le pire, c'est qu'il peut s'agir d'un événement anodin. Pensez à ces gens qui se font abattre pour être passés devant dans la queue ou avoir volé une place de parking. Un acte en apparence insignifiant peut être interprété comme un outrage tel qu'il déclenche une pulsion meurtrière.

– Une rupture amoureuse pourrait jouer ce rôle ? » demanda Thomas.

Il se souvenait de ce que Louise lui avait dit de la réaction de Jakob Sandgren quand Lina avait rompu. « Personne ne me quitte ! » lui avait-il crié.

« Bien sûr. Si on prend par exemple Mattias Flink, c'est un chagrin d'amour qui a été le point de départ de la tuerie de Falun. Il a abattu sept personnes en quelques minutes seulement.

– Il était assez jeune, n'est-ce pas ? dit Thomas

– Oui, seulement vingt-quatre ans.

– C'est fou ! » s'exclama Erik, qui n'avait jusqu'alors pas ouvert la bouche.

Mats Larsson acquiesça de la tête.

« Pour nous, oui. Mais on ne peut pas se baser sur la logique d'une personne normale. Ces gens-là ne réagissent pas du tout comme vous et moi.

– Mais à quoi est-ce dû ? s'obstina Margit.

– Cela touche des mécanismes profondément enfouis que la personne porte en elle depuis longtemps. L'outrage est vécu comme insupportable au moment où il a lieu, ce qui est incompréhensible vu de l'extérieur, mais évident pour le meurtrier, qui passe alors à l'acte.

– Je crois que je comprends, dit Margit d'une voix à peine audible. L'outrage subi plus un mauvais contrôle des pulsions forment un cocktail mortel. »

Elle leva les yeux vers la photo de Lina Rosén. Elle était punaisée au mur, à côté de photos de l'avant-bras amputé.

« Qui crée un monstre. »

35

Un nuage de vapeur sortait de la bouche de Nora. Le froid lui rappelait les hivers de son enfance, quand la mer était toujours gelée à Noël. C'était le souvenir qu'elle en gardait, en tout cas, mais il n'était probablement pas exact. Il y avait aussi des hivers doux et sans neige quand elle était petite.

Elle marchait d'un pas vif. C'était le premier jour depuis longtemps que le soleil se montrait. Une rondelle pâle dans le ciel, qui ne répandait aucune chaleur mais au moins une lumière claire qui illuminait le paysage.

Les garçons étaient restés à la maison avec un jeu vidéo. Ils semblaient d'assez bonne humeur. Ils avaient bien dormi les dernières nuits, et Nora s'était un peu détendue. Ça allait s'arranger, elle se le répétait pour la centième fois. Aucun des deux n'avait eu envie de sortir, et elle ne pouvait pas le leur reprocher. Mais elle avait besoin de respirer de l'air pur, et avait décidé d'aller faire un tour.

Après dix minutes de marche dans la forêt, elle atteignit la côte ouest.

La vue était vraiment magnifique.

La neige qui couvrait l'îlot d'en face scintillait au soleil et bordait doucement les pins bas. La glace reliait les îles et, pour une fois, il n'y avait pas un souffle de vent.

Nora s'assit sur un rocher à l'orée du bois pour profiter du calme. Elle se sentait un peu mieux aujourd'hui. Sandhamn avait un effet apaisant, comme toujours.

Un bruit inattendu la fit sursauter. On aurait dit une branche cassée. Elle se leva, mais ne vit personne dans les environs, ni à l'orée du bois ni sur la plage.

Elle fourra les mains dans ses poches et se dirigea vers l'est. Si elle longeait le rivage vers Trouville puis rentrait à travers bois, elle en aurait pour une heure environ : une durée raisonnable, les garçons n'auraient pas le temps de s'inquiéter de son absence.

Elle avançait d'un pas vif et, après un moment, elle s'essouffla et dut faire une pause pour récupérer. Elle s'arrêta près d'un pin solitaire et jeta un coup d'œil vers la droite. La plage n'était plus déserte, une silhouette marchait seule, quelques centaines de mètres derrière elle.

L'individu stoppa quand il vit qu'elle le regardait. Nora essaya de reconnaître qui c'était, mais la distance était trop grande. Elle se remit en marche, mais ne put s'empêcher de tourner la tête pour voir s'il était toujours là.

Oui.

Nora marcha encore un peu avant de s'agenouiller, comme pour refaire un lacet. Par-dessus son épaule, elle vit qu'il s'approchait. Ça commençait à être désagréable, comme s'il la suivait.

Ses pensées se bousculèrent. Et si l'inconnu qui venait guetter devant chez les Rosén l'avait reconnue et lui voulait du mal ? C'était peut-être la même personne qui avait tenté de s'introduire chez elle le soir précédent ?

Qu'est-ce qui lui avait donc pris de sortir en pleine nuit ? C'était stupide, de A à Z. Elle s'était mise en danger, elle et les enfants. Henrik avait raison, elle ne devrait pas rester sur l'île.

Prise de panique, elle se mit à transpirer sous son anorak. Cette personne la suivait, c'était la seule explication.

Il n'y avait personne d'autre sur la plage et elle n'avait même pas son téléphone, il était resté à charger à la maison.

Les lèvres serrées, elle hâta le pas, se mettant presque à courir. Le sentier qui menait au village s'ouvrait devant elle parmi les arbres. Elle était encore assez loin, il lui faudrait au moins vingt minutes pour rentrer.

Elle tourna à nouveau la tête dans l'espoir que la personne ait disparu, qu'elle ait tout imaginé, mais elle était toujours là. Elle semblait gagner du terrain.

Nora se mit à courir à petites foulées. La peur se répandit en elle, elle accéléra.

Soudain, elle entendit un aboiement et, une seconde plus tard, un gros labrador noir surgit entre les arbres. Nora reconnut le chien. Il appartenait au voisin de ses parents, un habitant du village d'une soixantaine d'années.

Elle aurait pu en pleurer de soulagement. Elle n'était plus seule.

« Ici ! cria-t-elle au chien. Gentil, gentil chien. »

Elle essaya de se rappeler son nom, mais sa mémoire la trahit.

Le maître de l'animal apparut alors un peu plus loin. Il leva la main pour la saluer.

Nora lui adressa un sourire pâle.

« Je peux rentrer avec vous ?

– Bien sûr. C'est toujours agréable d'avoir un peu de compagnie. »

Elle se retourna vers la plage. Elle était déserte.

MADEMOISELLE EDITH avait eu une idée. Février avait été inhabituellement ensoleillé, sans la moindre neige. Les journées claires et glacées se suivaient.

Une banquise noire couvrait la mer, et c'était une torture de rester assis sur les bancs de l'école avec un tel soleil. Aussi mademoiselle Edith annonça-t-elle que toute l'école sortirait faire du patin le lendemain. Quelques parents secouèrent la tête en disant que le vieux maître Norrby n'aurait jamais imaginé ça, mais les enfants étaient ravis.

On emprunta des patins pour tout le monde. Puis ils gagnèrent en rang la plage de Fläskberget, où ils lacèrent les lames à la pointe et à la cheville de leurs souliers.

On n'avait pas entendu autant rire sur l'île depuis longtemps. On s'étalait, on pouffait, les plus petits avançaient sur les fesses tandis que les plus grands, qui étaient à l'aise sur la glace, en profitaient pour briller. Quelques garçons essayaient d'impressionner les filles, d'autres improvisaient un hockey avec de longs bâtons.

Karolina patinait avec deux filles de son âge. Thorwald la regardait à la dérobée, elle vacillait beaucoup et n'avançait que par à-coups prudents. Son nez était rouge et son visage tendu par l'effort. Elle ouvrait grand les bras pour ne pas perdre l'équilibre.

C'était la plus jolie fille de l'école.

Lui était à l'aise sur la glace. Il avait toujours eu un bon équilibre et jouait de temps en temps au hockey avec Arvid et ses frères.

Quand soudain Karolina dérapa et se retrouva par terre, il saisit l'occasion. En un éclair, il vint lui tendre la main.

« Accroche-toi, je vais t'aider. »

Elle le regarda en souriant. Sa robe était étalée sur la glace et elle portait de gros gants gris.

« Je suis si maladroite. »

Il secoua la tête. Soudain il prit conscience de la laideur de son bonnet. Vendela le lui avait tricoté avec des restes de pelotes et il ne lui avait jamais plu. Tout en tendant la main à Karolina, il l'ôta et le fourra dans sa poche. Puis l'aida à se relever.

Elle vacilla et allait à nouveau tomber, mais il la rattrapa. Son cœur battait comme un marteau-pilon : il aurait pu la tenir ainsi tout le reste de sa vie.

Elle retrouva l'équilibre et le lâcha.

Thorwald lui proposa son bras aussi poliment qu'il put.

« Tu peux patiner un peu avec moi. Si tu veux, bien sûr. »

Elle le regarda timidement.

Dis oui, pensa-t-il. Je t'en prie, dis oui.

« Tu ne joues pas au hockey avec les autres ? »

Il secoua la tête en cherchant quelque chose à dire qui ne soit pas stupide. Mais elle passa outre et glissa son bras sous le sien.

Elle lui arrivait à l'épaule : il fut surpris de la sentir si petite à côté de lui. Cette dernière année, Thorwald avait beaucoup grandi, Vendela avait dû plusieurs fois rallonger son pantalon. Il arrivait au menton de son père et sa voix avait mué. Ce n'était plus celle d'un enfant, même si elle n'était pas encore tout à fait assurée.

Il patina quelques bordées, et Karolina l'imita. Peu à peu, elle prit de l'assurance et il fit des cercles plus vastes. Bientôt, ils sillonnaient toute la baie tandis que le soleil scintillait à la surface de la glace. Au loin, un vol d'oiseaux s'élança, joliment dessiné dans le ciel bleu sombre.

« Ça va ? » Il dut se pencher pour la regarder dans les yeux.

« Oui. » Elle lui adressa un grand sourire. Sur une de ses joues s'ébauchait une fossette. Ses couettes dansaient. « C'est si amusant, Thorwald. »

Son rire joyeux perla et il se joignit à elle, libéré. Elle tenait bien son bras et il aurait voulu que cela ne finisse jamais.

C'était un mystère que Karolina l'aime, mais Thorwald le constatait chaque jour avec gratitude. Il s'inquiétait sans cesse qu'elle change d'avis, mais, avec le temps, il s'apaisa.

Au début, quand elle venait vers lui après l'école, il osait à peine y croire, mais ses sourires entendus et ses propositions de promenade étaient persuasifs. Ils prirent l'habitude de flâner ensemble dans les bois ou d'aller jusqu'à la plage du sud les après-midi. Ils ne parlaient pas beaucoup, ce n'était pas nécessaire. Parfois, ils se contentaient de s'asseoir sur un rocher pour regarder la mer.

Même quand elle filait comme du vif-argent dans la cour de l'école avec ses amies, il savait qu'elle pensait à lui. Un regard à la dérobée, un signe du coin de l'œil.

Elle était un miracle et, pour la première fois, il remerciait Dieu. Il faisait sa prière du soir avec ferveur et, surtout, priait pour que Karolina reste sa bien-aimée. Pour toujours.

36

« IL EST LÀ. Salle trois. » Thomas était sur le seuil du bureau de Margit. « Tu viens ? »

Jakob Sandgren était grand, pas loin d'un mètre quatre-vingt-dix, estima Thomas. Un beau jeune homme. Ses cheveux mi-longs coiffés avec une raie sur le côté, il portait un jean élégamment usé, une chemise et un pull en V d'une marque coûteuse.

Il tendit la main et salua poliment les deux policiers.

Un comportement impeccable, se dit Thomas. Pas étonnant qu'il soit en première année d'école de commerce. Son style vestimentaire et ses manières correspondaient à tous les préjugés de Thomas sur cette école élitiste. Jakob Sandgren ne montrait aucun signe de nervosité, il semblait plutôt comme en visite d'étude chez les forces de l'ordre.

Thomas enregistra la date et ses données personnelles dans le micro du magnétophone.

« Nous devons te parler de Lina Rosén, commença Margit. Bien sûr, tu sais ce qui lui est arrivé ? »

Sandgren hocha la tête.

« Elle a disparu cet automne.

– Nous pensons qu'elle est morte. Des éléments retrouvés à Sandhamn l'indiquent. Tu la connaissais, n'est-ce pas ? »

Jakob Sandgren se redressa sur la chaise avant de croiser les bras.

« Oui.

– Bien ?

– Nous avons une maison de vacances à Trouville. Sa famille aussi.

– Vous étiez des amis proches ? »

Il haussa les épaules.

« Comme ça.

– Vous ne sortiez pas ensemble ? » insista Thomas.

Il regarda gravement Jakob Sandgren. Comme il semblait jeune ! Thomas ne se rappelait plus ce que ça faisait d'avoir vingt ans. Sandgren avait beau être adulte, avec une carrure qui trahissait un habitué des salles de musculation, ses joues n'avaient pas perdu leur rondeur enfantine.

Tu as un avenir radieux devant toi, songea Thomas. L'as-tu gâché en tuant une jeune fille, ou est-ce juste par malchance que tu te retrouves ici en ce moment ?

Jakob Sandgren se tassa un peu.

« On a été ensemble l'été dernier. Mais pas longtemps.

– Et pourquoi ? demanda Margit.

– C'est la vie.

– Pas de raison particulière ?

– Non. » Il secoua la tête.

« Comment décrirais-tu votre relation ?

– Bonne, je suppose.

– Tu peux développer un peu ?

– On s'aimait bien, mais c'est passé.

– Est-ce qu'elle avait peur de toi ? »

Quelques secondes de silence.

Jakob Sandgren sembla interdit. L'entretien prenait une direction qu'il n'avait probablement pas prévue.

« Pourquoi aurait-elle eu peur ? finit-il par lâcher.

– Je n'en sais rien, moi, dit Margit. Tu ne vois pas de raison ? »

Margit y allait fort. S'il y avait bien quelque chose qu'elle détestait, c'était les types friqués qui s'en prenaient aux femmes.

Thomas le savait et essaya de lui faire comprendre de calmer le jeu. Il s'agissait de ne pas l'effrayer tout de suite. Mieux valait l'endormir pour le coincer plus tard.

Pour autant qu'il ait quelque chose à se reprocher.

« Où voulez-vous en venir ? dit Jakob Sandgren, d'un ton un peu agressif. On est sortis ensemble un moment, et ça s'est fini. Ça arrive. J'ai été avec plein de filles à Sandhamn. Elles m'aiment bien, ce n'est pas ma faute. »

Il semblait bien trop sûr de lui, et Margit ne put se retenir.

« Tu l'as frappée ? »

Elle n'avait pas capté les signaux de Thomas, et sa question prit Jakob Sandgren au dépourvu. Mais il se reprit vite.

« Non.

– Nous avons des témoins qui affirment que tu l'as fait. » Margit eut un sourire innocent. « Plusieurs fois.

– Ce n'est pas vrai », objecta Jakob Sandgren. Il rejeta sa frange de son front. « D'ailleurs, je veux un avocat si je dois répondre à ce genre de questions. J'y ai droit.

– Bien sûr, tu y as droit, dit Margit. Mais dans ce cas, il faudra rester ici le temps qu'on trouve quelqu'un. Ce ne serait pas mieux d'en finir avec ce petit interrogatoire ? »

Thomas décida d'intervenir.

Il ne voulait pas risquer un blâme pour être allé trop loin. Sandgren avait beau être majeur et responsable de ses actes, mieux valait éviter de le bousculer. Surtout en l'absence d'un avocat.

Il voyait d'ici comment les parents Sandgren remueraient ciel et terre si la prunelle de leurs yeux s'était fait rudoyer. Ils avaient certainement des contacts qu'ils ne se gêneraient pas pour utiliser, ces gens-là étaient tous pareils. D'après leurs informations, son père avait réussi dans l'immobilier et sa mère était chirurgien esthétique. Une famille favorisée, peut-être un peu trop, à en juger par le comportement de Jakob.

« Encore quelques questions, dit Thomas d'un ton conciliant. Par exemple, où étais-tu le week-end de la Toussaint, l'automne dernier ? »

Jakob Sandgren était plus pâle qu'au début de l'interrogatoire. Il chassa à nouveau sa frange, découvrant une cicatrice rose à sa tempe droite. Elle était irrégulière, longue de plusieurs centimètres.

« J'étais à Sandhamn avec mes parents, murmura-t-il.

– Tout le week-end ?

– Oui. Mon petit frère était là lui aussi.

– Tu sais certainement que c'est le moment où Lina Rosén a disparu. »

Jakob Sandgren hocha la tête.

« Mais je n'y suis pour rien. »

Son regard était clair. Innocent. Mais Thomas soupçonna un calcul derrière cet air ouvert.

« Je peux appeler mes parents, maintenant ? Je veux que mon père vienne. »

Thomas et Margit échangèrent un regard. Ils ne pouvaient pas le lui refuser.

« Tout de suite. Juste une dernière question, dit Margit. Cette cicatrice à la tempe, ça vient d'où ? »

À cette question, Jakob Sandgren leva involontairement la main et passa le doigt sur sa cicatrice pâle.

« C'était pendant une régate. On a raté une manœuvre, et je me suis pris la bôme en pleine tempe.

– Ça a dû être un sacré choc », dit Margit.

Son ton plus doux amena Jakob Sandgren à se détendre un peu, et il acquiesca.

« Oui, je me suis évanoui. Et j'ai beaucoup saigné, bien sûr. On a dû abandonner la régate et j'ai été transféré à l'hôpital en hélicoptère.

– Quand était-ce ?

– Quatre ans, peut-être.

– Tu as gardé des séquelles ? »

Il fit une petite grimace.

« Un peu. J'ai mal à la tête quand je suis stressé. Mais sinon, ça va.

– Ça fait une différence quand tu consommes de l'alcool ? » dit Thomas.

Jakob Sandgren prit son temps pour répondre.

« Oui. Je ne le supporte plus trop bien. Pour être honnête, je fais des conneries quand j'ai trop bu. Parfois, je ne m'en souviens même pas. » Sourire ironique. « Mes copains m'ont raconté.

– Par exemple ? dit Thomas.

– Je ne sais pas bien. » Il sourit à nouveau. « Mais j'ai sûrement dû dire des idioties.

– Tu ne peux pas donner un exemple ? » Les yeux de Margit étaient soudain glaciaux quand elle se pencha vers Jakob Sandgren. « Tu as peut-être menacé quelqu'un ? Lina, par exemple. Tu lui donnais bien un coup ou deux de temps en temps ? Quelquefois, quand elle l'avait bien mérité et que tu avais tellement bu que tu ne pouvais pas t'en empêcher. »

Les mots tranchèrent l'air comme des lames de rasoir.

Jakob Sandgren déglutit.

Avant qu'il n'ait le temps de répondre, le téléphone de Thomas sonna. Il le coupa, mais cette brève interruption permit à Sandgren de respirer.

Le jeune homme modifia légèrement sa posture. Il écarta les mains, d'un geste désarmant.

« Je n'ai ni menacé ni frappé Lina. Je vous l'ai déjà dit. Maintenant, plus de questions sans que mon père soit là. »

Thomas se maudit d'avoir oublié de couper son portable. Ce coup de fil ne pouvait pas plus mal tomber. Ils étaient sur le point de coincer Jakob Sandgren. Maintenant, il leur avait échappé.

La présence d'esprit du jeune homme était frappante, mais Thomas n'en était pas étonné. Dans le milieu de Jakob Sandgren, on inculquait aux enfants une assurance qu'ils conservaient par la suite en société, toute leur vie durant. Chez Sandgren, on ne décelait ni le mépris de la police si manifeste dans les banlieues difficiles, ni la nervosité que d'autres jeunes pouvaient montrer en leur présence.

Thomas comprit qu'ils n'arriveraient à rien d'autre pour le moment. Mais nous nous reverrons, pensa-t-il en se levant.

SANDHAMN, 1928

L'EAU GOUTTAIT des toits et la glace qui restait dans le port de Sandhamn commençait à se rompre dans la douceur printanière.

La Saint-Tiburce, le 14 avril, tombait le lendemain. L'hiver était enfin terminé.

Thorwald rêvait tout éveillé dans la salle de classe. La dernière heure finissait et le lendemain était un jour de congé. Il sortirait peut-être en mer avec son vieil oncle Olle poser des nasses pour les harengs du printemps.

Le long du mur d'en face pointaient des perce-neige encore tout engourdis. Un saule aux bourgeons duveteux annonçait le renouveau.

Thorwald avait le cœur léger. Il aimait les travaux de printemps. Calfater et mettre à l'eau la barque, inspecter et tresser les cordages. Il avait hâte que la classe finisse pour pouvoir descendre au port qui grouillait d'activité et sentait fort le goudron et la graisse de phoque.

Oncle Olle réparait les filets, assis sur un banc. Quand ils étaient raccommodés, il faisait bouillir dans une grande marmite une décoction d'écorces de bouleau et d'aulne mêlée de cendres. Dès l'ébullition, il y trempait ses filets. Cela les protégeait contre la moisissure et les faisait durer plus longtemps.

« C'est fini pour aujourd'hui, les enfants, dit mademoiselle Edith en refermant son livre. Dieu vous bénisse tous.

229

– Merci, mademoiselle Edith », firent en chœur les élèves.

Thorwald chercha Karolina du regard. Il l'aperçut avec d'autres filles, en train de raconter quelque chose avec de grands gestes.

Il rassembla lentement ses affaires et sortit de la salle. Il s'attarda au vestiaire. Il s'efforçait de rester près d'elle sans qu'on voie trop clairement qui il attendait.

Quand les filles sortirent en pouffant dans la cour, Thorwald les suivit, toujours en retrait.

« Thorwald ! » Arvid l'appelait. « Tu viens aussi aux pontons ? »

Il secoua la tête. « Non, je viendrai un peu plus tard. »

Toutes les autres filles étaient parties. Du coin de l'œil, il vit par la fenêtre mademoiselle Edith qui essuyait le tableau noir avec un chiffon humide. Restée seule près de la grille, Karolina tripotait la poignée.

Il se redressa et se dirigea vers elle, en prenant un peu son temps, comme s'il la rencontrait en passant là par hasard.

Son sourire radieux montrait qu'elle n'était pas dupe une seule seconde. Le soleil printanier lui avait mis quelques taches de rousseur sur le nez et la joie brillait dans ses yeux bleu clair.

« Viens, dit-il en lui prenant la main.

– Où va-t-on ?

– Viens. »

Il la conduisit au-delà de la grotte de la Sirène, dans la forêt. Le soleil filtrait à travers les hautes frondaisons. Ils approchèrent bientôt de l'autre versant de l'île, où la plage sud s'étendait devant eux.

Ils s'assirent sur des rochers près du rivage. Karolina appuya sa tête contre l'épaule de Thorwald et il passa doucement son bras autour d'elle. Elle sentait si bon, un parfum chaud différent de tous les autres. Près d'elle, il se prenait à penser à du lait sucré.

« Que vas-tu faire cet automne ? » dit Karolina au bout d'un moment, sans le regarder.

Thorwald comprit aussitôt de quoi elle parlait.

Il ne leur restait qu'un mois d'école à Sandhamn. S'il devait continuer ses études, comme le souhaitait Gottfrid, il faudrait aller au lycée sur la terre ferme. Thorwald n'était pas certain que ses notes le permettent, mais il ne voulait pas y penser pour le moment. L'exigence de son père pesait en permanence sur ses épaules comme un poids invisible.

« Ce n'est pas encore clair. » Il serra Karolina plus près de lui. « On verra ce qui se passera après l'été.

– Maman s'est mariée le jour de ses dix-huit ans, dit Karolina à voix basse. Ils s'étaient rencontrés à l'école, en dernière année, comme nous. »

Le cœur de Thorwald s'emballa. Il n'avait jamais osé penser aussi loin. C'était toujours un miracle que Karolina veuille de lui. La peur de la perdre était si forte qu'il se contentait de prendre chaque jour comme il venait. Il ne s'était pas autorisé à rêver d'un avenir commun. Il était juste content d'avoir redoublé une classe, sans quoi il ne serait pas resté à Sandhamn et ne l'aurait pas découverte.

Il effleura son front de ses lèvres.

« Ça ira, tu verras.

– Si tu vas au lycée, tu devras quitter l'île.

– Mais je reviendrai pour les vacances.

– Tu nous oublieras peut-être... »

Il secoua la tête.

« Tu es bête.

– Si tu deviens pilote, tu seras absent une éternité. Comme mon grand frère.

– Je ne serai pas pilote », l'assura Thorwald.

Il ne songeait pas à ce métier. Il fallait passer un examen, puis plusieurs années en mer. Trop de temps loin de Karolina. Ce n'était pas pour lui.

Thorwald aimait le travail manuel, et il était habile avec les outils. La menuiserie, voilà ce qu'il aurait aimé faire. Un bon menuisier trouvait toujours du travail, il le savait.

« Si tu veux fonder une famille, il faut pouvoir subvenir à ses besoins, continua-t-elle, pensive.

– Ça va s'arranger. » Thorwald lui sourit.

Karolina était en train de planifier leur avenir. C'était la première fois qu'elle évoquait une vie commune, il était aux anges.

Toute son enfance, il s'était senti exclu de sa propre famille. Mal aimé par son père, dans l'ombre de sa sœur.

Et voilà que quelqu'un parlait d'un avenir commun avec lui comme d'une évidence.

Aussitôt, il imagina une maison rouge avec Karolina sur le perron. Elle portait un tablier blanc et lui souriait. Ils seraient toujours heureux ensemble et il ne lèverait jamais la main sur elle.

« Combien d'enfants aimerais-tu avoir ? »

Sa question le tira de ses rêveries.

Un nouveau point à trancher. Lui qui osait à peine rêver d'une vie avec Karolina. Parler de fonder une famille avec elle...

Thorwald haussa les épaules, cherchant à cacher son émotion. Il réalisa qu'elle devait y avoir beaucoup pensé. Une joie brûlante le submergea.

Il renversa la tête en arrière et regarda le ciel bleu. Quelques nuages arrivaient de la baie de Gråskär. Heureux, il contempla les lambeaux de nuages qui glissaient au-dessus d'eux.

« Combien aimerais-tu en avoir ? » répéta-t-elle.

Un fin sourire se dessina sur ses lèvres.

« Au moins trois, dit-elle en répondant elle-même à sa question. De préférence une fille en premier, qui puisse aider. Puis deux garçons pour t'accompagner à la pêche et à la chasse. »

Il la serra encore plus fort contre lui.

« Karolina », chuchota-t-il. Ce nom était comme une caresse. « Karolina. Nous resterons toujours ensemble, toi et moi. »

37

Nora prit les carnets noirs trouvés chez tante Signe et s'installa sur la véranda. Les deux garçons étaient chez Fabian. Elle s'était calmée après sa promenade. Tout cela avait sans doute été le fruit de son imagination.

Pourquoi se mettre dans un état pareil ? Aller s'imaginer qu'on la suivait ? Les événements de la semaine écoulée devaient l'avoir fatiguée plus qu'elle ne voulait bien l'admettre. Il n'y avait pas d'autre explication à ces frayeurs sans cause certaine. Il ne manquait plus que ça, elle virait paranoïaque, par-dessus le marché !

La véranda était l'endroit favori de Nora, mais le radiateur peinait à repousser le froid des fenêtres à croisillons. Elle alla enfiler une vieille veste en laine. Elle posa ensuite ses pieds sur le petit tabouret qu'elle avait acheté aux enchères organisées tous les deux ans sur le port. C'était une vraie fête populaire, où les gens vendaient tout et n'importe quoi.

L'été dernier, le point culminant de la vente avait été quand quelques gamins avaient enchéri sur une vieille barque avec l'argent gagné en consignant des canettes de bière. Quand le commissaire-priseur avait annoncé le bateau, un gosse de sept ans avait aussitôt levé la main.

« Mille cinquante-sept couronnes et cinquante öre », avait-il crié d'une voix claire. La somme totale qu'avait rapportée le recyclage des canettes. La scène était si touchante que personne n'avait songé à augmenter la mise.

Nora prit un des carnets et commença sa lecture.

20 février 1928

Il fait tellement froid que les fenêtres de la classe étaient couvertes de givre ce matin. Maminou dit qu'il fait aussi froid que pendant la guerre. Mademoiselle Edith a dit que la classe irait faire du patin à glace un de ces jours. J'adorerais essayer. C'est tellement amusant.

Aujourd'hui, j'ai partagé mes biscuits avec Thorwald et sa sœur après l'école. Il n'a presque rien dit, mais il avait l'air si content quand j'ai présenté la boîte. Kristina a presque tout pris, comme d'habitude. C'est une enfant gâtée, je ne l'aime pas trop, même si ce n'est qu'une gamine.

Augusta a été méchante et s'est moquée en disant que Thorwald me regardait en cachette pendant la classe. Il est si habile de ses mains, il peut sculpter tout ce qu'il veut. Une fois, il a aidé mademoiselle Edith à réparer son pupitre dont le bois s'était fendu : après, il était comme neuf.

24 février 1928

Nous avons patiné ensemble tout l'après-midi. C'était merveilleux. Thorwald était si doué, si fort, si mignon et tout le temps gentil avec moi. J'ai fait semblant de tomber au moment où il passait et il s'est aussitôt arrêté pour m'aider à me relever. Augusta a tout vu, mais n'a rien dit quand nous sommes passés devant elle, bien qu'elle ait compris que j'avais fait exprès de tomber. Je me suis tenue à son bras et il a patiné tout le temps avec moi plutôt que d'aller jouer au hockey avec les autres garçons.

26 février 1928

Aujourd'hui, je suis allée me promener avec Thorwald, j'osais à peine lui demander, mais il a tout de suite dit oui. J'ai cru mourir de bonheur. Nous sommes allés faire un tour au-delà du cimetière, tout seuls dans les bois. Il était adorable.

Nora sourit à la marée de sentiments qui débordait de ces carnets. Aucun doute que Karolina était folle amoureuse. Elle remplissait des pages et des pages de son amour pour Thorwald.

Ce carnet à la main, elle se prit à songer à tante Signe. Elle pouvait presque sentir son parfum, une vague odeur vieillotte de talc et de pâtisserie.

Nora s'emplit de mélancolie.

Signe était une femme forte et sage, en dépit de ce qu'elle avait fait avant de se donner la mort. Nora aurait aimé trouver la même force en elle pour affronter les épreuves qui s'annonçaient.

Le carnet noir était léger dans sa main. Nora ferma un instant les yeux. Karolina était profondément éprise de ce jeune homme, et elle lui enviait cet amour.

Mais à mesure que Nora poursuivait sa lecture, elle perçut une inquiétude sourde s'installer au fil des pages. Karolina se faisait du souci pour Thorwald, que son père ne traitait pas bien. Il avait souvent des bleus, et la jeune fille redoutait ce père tellement sévère et religieux.

Il ressortait de ce journal que ce père était un membre actif de la paroisse de la Mission, c'était un homme qui suivait la Bible à la lettre, surtout quand il s'agissait de punir. Dans son style enfantin, Karolina décrivait une foi à la limite du fanatisme.

Entre les lignes, Nora devinait que la famille vivait dans la terreur de l'humeur imprévisible du père, qui pouvait prendre des formes violentes. Karolina s'inquiétait aussi que le père puisse les empêcher de se voir. Mais elle n'osait pas non plus en parler à ses propres parents.

24 juin 1928
Thorwald n'est pas venu au bal de la Saint-Jean, alors que nous en avions convenu. J'ai attendu tout l'après-midi, sans le voir, ni lui ni Kristina. J'ai essayé de demander à Arvid s'il savait quelque chose, mais il ne m'a rien répondu. Le soir, je suis passée devant chez eux, mais le courage m'a fait défaut, je n'ai pas osé aller frapper. Et si je m'étais ridiculisée ? Et s'il ne m'aimait plus ?

26 juin 1928
Voilà maintenant quatre jours que je n'ai plus parlé à Thorwald. Ah, pourquoi, pourquoi n'est-il pas venu au bal ?

J'avais de nouvelles chaussures et une belle robe avec des rubans roses que Maminou m'avait commandées à Stockholm.

J'attendais tellement cette Saint-Jean. Pourquoi n'est-il pas venu ? Je veux cesser de penser à lui, mais je ne puis commander à ma pauvre tête. Tout n'était donc qu'une blague, pour lui ?

Le reste du carnet était rempli de réflexions tristes et, sur certaines pages, on devinait des traces de larmes. Quand Nora arriva à la dernière page, Karolina n'avait toujours pas revu Thorwald depuis qu'il n'était pas venu au bal de la Saint-Jean.

Qu'était-il arrivé à Karolina et à son amour ?

Demain, il faudrait aller à la villa Brand chercher d'autres carnets. Nora avait bien envie de savoir comment les choses avaient tourné pour le jeune couple.

Nora regarda sa montre. Bientôt dix-sept heures. Il était grand temps de préparer le dîner. Mais elle avait du mal à laisser les carnets, et continua à les feuilleter.

Signe lui avait quelquefois parlé de sa tante, mais Nora n'avait aucun souvenir de l'avoir jamais rencontrée. En revanche, il y avait une photo de Karolina dans la villa Brand. Sur ce portrait, Karolina était une femme adulte qui fixait l'objectif, le regard figé. Elle avait des traits graves, les cheveux tirés. Impossible de l'imaginer jeune fille.

Ce serait très intéressant de trouver une photo d'elle adolescente, se dit Nora. De voir de quoi elle avait l'air quand elle était si éperdument amoureuse de ce jeune homme qu'elle décrivait avec tant de vie dans ses carnets.

Le bruit de la porte d'entrée lui rappela qu'elle devait préparer à dîner. Ensuite, elle appellerait ses parents. Peut-être sa mère saurait-elle ce qui s'était passé ensuite dans la vie de Karolina ? Susanne était née et avait grandi à Sandhamn, elle savait sûrement ce que la tante de Signe était devenue.

SANDHAMN, 1928

L E PRUNUS s'était couvert de fleurs blanches et le bouleau de feuilles nouvelles. Le jour durait dans les longues nuits de juin et le ciel passait de gris clair à bleu foncé. Il y avait déjà dans l'air un parfum d'été.

« Nous aurons des invités pour la Saint-Jean, dit Karolina.

– Mmm. »

Thorwald était fatigué. Ses journées étaient très occupées et, la nuit, il pensait à Karolina. Tandis que l'aube approchait, il rêvait tout éveillé à cette vie commune dont elle avait parlé.

Pour la première fois, il envisageait l'avenir avec espoir. Avec Karolina, il était invincible. Il imaginait une maison à lui, où il serait pour toujours en paix, et où Gottfrid ne serait jamais le bienvenu.

Il était à présent seul avec elle à la pointe ouest de l'île, la tête posée sur ses genoux. Il n'y avait pas de maisons de ce côté-ci, tout était calme et paisible.

Ils avaient pris le petit sentier qui passe devant Fläskberget et le cimetière, avant de s'enfoncer parmi les pins dans les sous-bois où les myrtilles se formaient, petites boules roses qui mûriraient en fruits sucrés. Ils avaient fini par atteindre l'extrémité de l'île, une langue de terre où la mer se voyait de part et d'autre. Ils s'étaient assis sur le rocher irrégulier, face au détroit d'Eknö.

L'école était finie depuis peu, et les notes de Thorwald n'avaient pas atteint les espérances de son père, même si elles n'étaient pas aussi catastrophiques qu'il l'avait redouté. Curieusement, pourtant, il n'avait pas eu à subir trop durement la colère de son père, à part une bonne gifle.

Gottfrid avait bien d'autres soucis que les notes de son fils.

Le bruit courait que la Direction générale des douanes allait fortement réduire ses effectifs à Sandhamn, même si son activité y remontait au dix-huitième siècle et que beaucoup de bateaux en route pour la capitale continuaient à y passer.

Plusieurs circulaires étaient arrivées au printemps, qui ne présageaient rien de bon pour les serviteurs de la Couronne sur l'île. Le soir, Gottfrid rentrait avec le front sillonné de profondes rides. Il pouvait rester des heures assis à la table de la cuisine à lire la Bible en marmonnant tout seul.

Parfois, il attrapait son manteau et quittait la maison sans explication. Où il allait, Thorwald n'en savait rien. Mais il veillait à se tenir à l'écart. Pour un rien, il risquait de recevoir une claque, ou pire.

Vendela courbait davantage l'échine. Même Kristina surveillait sa langue devant son père.

Gottfrid passait d'imprévisibles accès de rage à un silence sourd, ce qui rendait l'atmosphère à la maison de plus en plus tendue. C'était comme attendre un orage annoncé : tôt ou tard, ça allait éclater. Thorwald le savait.

« Nous aurons des invités, répéta gaiement Karolina. De Nämdö. Le cousin de maman nous rend visite quelques jours. Il a deux filles. L'une d'elles, Josefina, a un faible pour André. Elle le suit partout comme un chiot. »

Elle rit de bon cœur en songeant à sa cousine éloignée roulant des yeux énamourés à son grand frère.

André avait sept ans de plus que Karolina. Il venait de rentrer après quatre ans en mer. À l'automne, il commencerait sa formation de pilote à l'école navale, dans la grande tradition familiale.

« Nous ne pourrons peut-être pas beaucoup nous voir pendant qu'ils seront là. Maman veut que j'aide à la maison.

– Mmm. »

Karolina continua à parler, sans s'inquiéter de ne pas avoir de vraies réponses.

Heureux d'être étendu si près d'elle, Thorwald somnolait. Pour une heure encore, personne ne s'inquiéterait de son absence. Karolina sentait le lait sucré et la fleur de pommier, il humait avec délice ce parfum frais.

« Thorwald, écoutes-tu seulement ce que je dis ? »

Le ton de doux reproche dans sa voix le fit se réveiller. Il ouvrit les paupières et plongea le regard droit dans ses yeux bleu clair. Il rencontra un regard tendre, plein de chaleur et d'amour.

Une de ses tresses lui frôla la joue. Elle était douce comme la soie. Il l'attrapa et tira doucement dessus.

Karolina fut forcée de pencher la tête et il sentit sa douce haleine sur sa peau.

Hésitant, il tira un peu plus.

Un léger sourire se dessina sur sa bouche. Elle était si proche qu'il n'eut à faire qu'un mouvement imperceptible pour l'atteindre.

38

« Ça va ? »

Profondément plongé dans sa lecture, Thomas mit quelques secondes avant de comprendre que cette voix inconnue était celle de Mats Larsson. Sur le seuil de son bureau, le psychiatre le regardait d'un air aimable.

« J'ai frappé, signala Larsson.

— Entre et assieds-toi. » Thomas lui indiqua le fauteuil en face du sien puis redressa quelques piles de documents éparpillées sur son bureau.

« C'était un exposé intéressant, dit Thomas en rangeant une liasse de papiers dans l'armoire derrière lui.

— Et utile ?

— Absolument. Mais je ne sais pas trop quelles conclusions en tirer dans le cas qui nous intéresse.

— Tu as ta propre théorie ? »

Mats Larsson décocha sa question rapidement, comme s'il attendait justement l'occasion de la poser.

Thomas prit son temps.

Il était réticent à discuter dans le vide avec un psychiatre expérimenté. D'un autre côté, c'était justement pour ça que Larsson avait rejoint l'équipe.

« Je suis là pour vous aider », sourit Mats Larsson, comme s'il était habitué à voir les enquêteurs lui confier leurs réflexions.

Thomas se décida.

« Nous avons contacté l'hôtel des Marins et l'hôtel Sand et contrôlé leurs registres, dit-il. L'hôtel Sand était fermé. Aux Marins logeaient principalement des familles, car c'était les vacances de la Toussaint. Kalle continue à vérifier chaque client, mais pour le moment, aucun ne se détache du lot.

– Ça plaide plutôt en faveur d'un résident de l'île, dit Mats Larsson.

– Oui, dit Thomas. C'est le plus logique. Mais il peut aussi s'agir d'un visiteur qui a emprunté ou loué une maison.

– Et le personnel des ferries ? Quelqu'un aurait-il remarqué quelque chose d'anormal ? »

Thomas fit une grimace.

« Ils n'établissent malheureusement pas de liste de passagers, il est donc impossible de savoir précisément qui s'est rendu sur l'île dans la période concernée. Le billet s'achète une fois à bord. »

Il fouilla dans une pile de documents et tendit un papier au psychiatre.

« Nous avons dès cet automne interrogé l'équipage du *M/S Sandhamn*, mais personne n'avait rien remarqué.

– Si on suppose qu'il s'agit d'un habitant de l'île, on peut se demander s'il s'agit d'une résident permanent ou d'un vacancier. Tu y as réfléchi ? »

Mats Larsson dévisagea Thomas, l'air d'avoir déjà sa petite idée.

« C'était la Toussaint, il devait y avoir pas mal de vacanciers, dit Thomas. Une autre semaine d'automne, j'aurais plutôt parié sur un résident permanent. Qu'est-ce que tu en penses ?

– Combien d'habitants sur l'île ?

– Entre cent et cent vingt. Ça dépend. L'été, entre deux et trois mille. Pour la Toussaint, il pouvait y avoir quelques centaines de personnes en plus de la population permanente.

– Ce qui plaide contre un résident, c'est le risque d'être découvert. Dans une si petite communauté, le contrôle social est fort. Tout le monde se surveille. Impossible de garder un secret bien longtemps. »

Le psychiatre réfléchit en se frottant le menton.

« Et la vérification des permis de chasse ? Y a-t-il beaucoup d'immatriculés ayant un lien avec Sandhamn ? »

Thomas s'excusa d'un haussement d'épaules.

« Erik n'a pas tout à fait fini. Désolé. Le plus dur, ce sont les résidents occasionnels. Il essaye de contrôler en utilisant le cadastre, mais ça prend du temps. »

Mats Larsson hocha pensivement la tête.

« Avez-vous des pistes ?

– Non, rien de valable en tout cas. Et nous avons interrogé à peu près tout le monde au village dès cet automne, à la disparition de la fille, sans résultat.

– Il faut tenir compte de l'omertà qui règne dans la région. On préfère éviter de mêler les étrangers et surtout la police aux affaires de l'île. Mais tu connais pas mal de monde dans le coin, si j'ai bien compris ?

– J'ai une maison sur l'île de Harö, c'est tout près.

– Tu passes beaucoup de temps à Sandhamn ? »

Thomas réfléchit. Oui, beaucoup.

« Ma meilleure amie Nora et sa famille ont une maison de vacances au village, alors j'y suis assez souvent.

– Mais personne n'est venu directement te parler ?

– Non. Par contre, Nora a vu quelque chose. »

En quelques mots, Thomas lui parla de cette mystérieuse personne que Nora avait vue, tard le soir, en train d'épier chez les Rosén.

« Intéressant, dit Mats Larsson. Vous devriez peut-être placer cette maison sous surveillance. Il n'est pas du tout impossible que ton amie ait vu le meurtrier.

– Tu crois vraiment ? »

Thomas avait accueilli avec scepticisme le récit de Nora et avait balayé ses inquiétudes d'un revers de la main. Elle était très affectée par le naufrage de son couple, c'était évident. Elle était fatiguée, avait les yeux cernés et il l'avait trouvée assez confuse. Le stress de la séparation avait dû déteindre en visions nocturnes, avaient-ils conclu, Margit et lui.

« Tu te souviens de ce que je disais tout à l'heure sur la morale du meurtrier ? dit Mats Larsson. Il n'est pas inhabituel que ce genre de personne condamne ses propres actes. L'individu que nous recherchons peut très bien désapprouver ce crime, alors qu'il en est l'auteur. Il a très bien pu rester devant cette maison, horrifié par ces événements, sans ressentir la moindre culpabilité.

– Je vais tout de suite organiser cette surveillance, dit Thomas, embarrassé d'avoir beaucoup trop vite négligé le témoignage de Nora, alors qu'il la savait très bonne observatrice.

– J'ai lu la transcription de l'audition de Jakob Sandgren, dit Larsson en changeant de sujet.

– Tu en penses quoi ?

– Difficile à dire, à ce stade. Il apparaît comme un jeune homme rangé, de bonne famille, bien dans ses études. Mais il faut se méfier de l'eau qui dort...

– On va continuer à s'intéresser à lui. Erik Blom examine son passé à la loupe. Mais son casier est vierge et il n'a pas de permis de chasse. » Thomas s'étira. « Tu devrais peut-être le rencontrer. »

Le psychiatre hocha la tête.

« J'y pensais. Je vais le convoquer pour une brève audition demain. Il faut que je me fasse ma propre idée.

– En tout cas, il a un mobile, ajouta Thomas. Même s'il est fragile.

– Tu veux dire que la fille a rompu avec lui.

– Oui, cet été. »

Mats Larsson haussa les épaules.

« Tu disais toi-même qu'une personne de ce genre pouvait ressasser une blessure pendant des mois et des années, souligna Thomas.

– Certes, admit Mats Larsson. Mais on doit d'abord se demander si Jakob Sandgren est capable de tuer puis de dépecer quelqu'un. »

Mats Larsson regarda sa montre.

« Bon, je vais penser à rentrer chez moi, dit-il. Il va être dix-huit heures trente. Tu as des enfants ? »

Thomas secoua la tête.

« Non.

– Moi, trois. Une fille de neuf ans et deux jumeaux de six. Il y a du mouvement à la maison.

– J'avais une fille, dit Thomas. Mais elle est morte à trois mois.

– La mort subite du nourrisson ? »

Thomas croisa son regard. La voix du psychiatre exprimait la sympathie, sans la moindre curiosité déplacée. Juste un intérêt humain et plein de bonne volonté.

Aussitôt, sa gorge se noua. Thomas déglutit. Putain, se dit-il, il faudrait que j'arrive à gérer ça.

« Oui.

– Ça a dû être dur. Quand ce genre de chose arrive, c'est sans pitié. C'était ton premier enfant ? »

Thomas se contenta de hocher la tête. Il ne comprenait pas la force des sentiments qui le submergeaient. Il pensait avoir apprivoisé son deuil. L'avoir tellement bien confiné qu'il n'avait plus à craindre de perdre le contrôle.

« Que s'est-il passé ?

– Un matin, au réveil, elle était morte. » La voix lui manquait. « Elle était déjà froide, il était trop tard pour faire quoi que ce soit. »

Il se souvint de ses vaines tentatives pour ranimer Emily. Le personnel médical avait dû l'arracher de force au petit corps.

« Avez-vous pu vous consoler mutuellement ? »

C'était tout le contraire.

Thomas secoua la tête et baissa les yeux. Il luttait pour ne pas perdre contenance. Que lui arrivait-il ? Revoir Pernilla avait donc ravivé les anciennes blessures ?

Pourtant, il avait quitté le restaurant avec un sentiment de joie comme il n'en avait pas eu depuis très longtemps. Ce soir-là, il avait été heureux, c'était certain.

« Tu dois savoir qu'il n'est pas rare qu'un couple se déchire après la perte d'un enfant. Surtout quand c'est le premier. C'est trop lourd à porter. »

Mats Larsson faisait comme s'il n'avait pas remarqué à quel point cette conversation affectait Thomas. Mais sa voix était plus grave, plus douce. Il se cala au fond de son siège, comme pour laisser à Thomas le temps de se ressaisir.

Thomas lui sut gré de cette pause.

« Mais si on parvient à mettre de côté les sentiments de culpabilité et à cesser de s'accuser mutuellement, beaucoup arrivent à aller de l'avant, finit par dire Mats Larsson. Les épreuves peuvent aussi souder. »

Il promena son regard dans la pièce. Il semblait toujours ignorer la réaction de Thomas. Comme s'il se parlait à lui-même.

« Un événement aussi déchirant peut se transformer en force, en mouvement positif. Beaucoup, par exemple, font un autre enfant au plus vite pour faire face à leur deuil. Vous en avez parlé, ta femme et toi ?

– Nous avons divorcé, murmura Thomas. Nous ne pouvions pas parler du tout. »

Le psychiatre le regarda avec empathie.

« Désolé. Mais même les couples séparés peuvent aller de l'avant. »

Il donna à Thomas une tape sur l'épaule et quitta la pièce.

ONCLE OLLE avait appris à Thorwald à sculpter le bois.
Pour son dixième anniversaire, Olle avait fouillé le
bric-à-brac qu'il gardait dans son vieux coffre pour en
extraire un petit canif qu'il lui avait offert. Il avait un
manche rouge et se rangeait dans une gaine noire. C'était
le plus beau cadeau qu'il eût jamais reçu et il l'avait toujours sur lui.

Thorwald avait vite constaté qu'il était habile avec ce couteau. Les livres lui résistaient, mais il faisait des merveilles
avec un morceau de bois. Il passait des heures à sculpter,
assis sur le banc devant chez Olle, tandis le vieil oncle lui
racontait ses innombrables histoires de pêche. Il faisait des
bols et des couteaux à beurre, des cuillères et des dessous
de plat, pour la plus grande joie de Vendela.

Il ne se lassait pas de voir les yeux de sa mère briller
quand il lui rapportait quelque chose. Elle souriait si rarement qu'il était content de pouvoir la dérider un peu.

Un instant, ils s'évadaient de la terreur qui régnait en
présence du père.

Gottfrid s'inquiétait toujours plus pour son poste aux
douanes. La décision finale se faisait attendre, mais il était
déjà clair que le service serait réduit, voire supprimé.

Une seule fois, Vendela avait abordé la question. Ils
étaient à la table de la cuisine, elle venait de préparer une
tartine à Thorwald. Ils étaient seuls à la maison. Kristina
était sortie faire une course, Gottfrid à l'hôtel des douanes.

« Il faut faire attention avec ton père, il a des soucis en ce moment.

– Il va perdre son travail ? »

Hésitante, Vendela secoua la tête en lui servant un verre de lait fermenté.

« On ne sait pas.

– Est-ce que c'est pour ça qu'il est si méchant avec nous ? »

Le regard de Thorwald se posa sur le bleu qui marquait la joue de sa mère : un coup parce qu'elle n'était pas allée chercher une assiette assez vite. Son corps portait les traces de la mauvaise humeur de Gottfrid.

« Chut, mon garçon.

– C'est de pire en pire. » Thorwald parlait bas, mais avec conviction.

« Il s'inquiète pour nous s'il venait à perdre son salaire.

– Mais ce n'est pas de notre faute s'il perd son emploi. Pourquoi faut-il qu'il nous punisse pour ça ? »

Vendela sourit tristement à son fils.

« Qui d'autre pourrait-il punir ? »

Thorwald avait décidé d'offrir un cadeau à Karolina pour la Saint-Jean.

Elle aimait beaucoup son chat Missan, avec qui elle jouait souvent au jardin. Il voulait lui sculpter un chat qui lui ressemble, pour le lui offrir au bal. C'était la première fois qu'on la laissait aller danser et il savait qu'elle l'attendait avec impatience.

Plusieurs jours durant, il chercha un morceau de bois convenable. Il les rejetait les uns après les autres : celui-ci était trop courbé, celui-là avait trop de nœuds. Il finit par trouver ce qu'il cherchait, un morceau de sapin juste de la bonne taille. Il se mit alors à l'ouvrage.

Avec des gestes doux, il sculpta un corps de chat étendu. Quand il eut fini, on aurait dit que le chat venait de se coucher au soleil pour se reposer. Les pattes étaient abandonnées, la tête courbée.

Il ponça la surface puis la polit avec un chiffon jusqu'à ce que le bois brille. Il y avait passé des heures mais son cadeau était prêt, il l'offrirait à Karolina demain.

Thorwald se leva de son banc devant la cabane de pêche et recula d'un pas pour admirer son œuvre. Le chat avait vraiment l'air sur le point de ronronner. Il s'étira et sourit, satisfait. Il plairait beaucoup à Karolina. Il imaginait déjà sa mine ravie.

« Qu'est-ce que tu fais ? »

Thorwald sursauta.

Kristina était à côté de lui. Elle s'était glissée là sans qu'il la remarque. À part quelques filets pendus aux pieux du ponton qui flottaient au vent, tout était calme près des cabanes.

Instinctivement, Thorwald tenta de dissimuler la petite figurine.

« Rien de spécial.

– Tu étais en train de fabriquer quelque chose. Je peux voir ?

– Non, je te dis. »

Sa sœur avait l'air contrariée. Elle arracha quelques brins d'herbe d'une touffe et se mit à les tripoter. Elle prit sa voix douce et réessaya :

« Je peux voir quand même, s'il te plaît, Thorwald ?

– C'est rien, je t'ai dit. »

Mais la curiosité de Kristina était piquée au vif, et elle n'avait pas l'intention d'abandonner la partie. Elle dégaina sans hésiter son arme secrète :

« Si je ne peux pas voir, je vais dire à père que tu as abandonné ton travail. Ça fait longtemps que tu es parti. »

Thorwald capitula.

« C'est rien, juste une figurine en bois. » Il lui mit le petit chat sous les yeux.

Le visage de Kristina s'éclaira. Elle saisit le petit animal et fit doucement glisser ses doigts sur son dos lisse.

Thorwald la laissa faire une minute, avant de le lui reprendre.

« Comme il est joli. Je peux l'avoir ? réclama Kristina.

– Non. Il n'est pas pour toi. »

Il se retourna et commença à ranger ses outils. Il était grand temps de rentrer rejoindre sa mère pour le souper. Il ne voulait pas s'exposer à la colère de son père.

« S'il te plaît, Thorwald, je peux l'avoir ? Allez...

– Mais je t'ai dit qu'il n'était pas pour toi. »

Thorwald se mit à suer. Si seulement Kristina n'était pas venue. Si elle rapportait et que son père apprenait qu'il avait passé des heures à sculpter un jouet au lieu d'aider à la maison, il le paierait cher.

Kristina tapa du pied.

« Tu es méchant, je veux l'avoir ! »

En un clin d'œil, elle tendit le bras et escamota la figurine. Puis la pressa à deux mains contre son cœur. Elle le regarda d'un air triomphal.

« Il est à moi, na ! Je l'ai pris quand même ! »

Thorwald resta immobile. Puis il poussa un profond soupir.

« Donne-moi ce chat, dit-il à voix basse.

– Maintenant, il est à moi, lança Kristina en lui tirant la langue. Tu ne l'auras pas ! »

Thorwald fit un pas vers elle.

Elle recula vers un ponton, sans lâcher le chat. Thorwald avança encore d'un pas et, pour la première fois, la peur brilla dans les yeux de Kristina. Elle avait à peine neuf ans, mais s'était habituée à ce que Thorwald lui obéisse. Elle pouvait toujours le menacer de rapporter à son père.

Thorwald ne la lâchait pas du regard. Le chat était pour Karolina, il ne lui céderait pas.

Pas cette fois.

Kristina sembla hésiter.

« Je le dirai à père », tenta-t-elle en reculant encore de quelques pas.

La lumière vive du soleil soulignait leurs ombres et transformait les cheveux blonds de Kristina en auréole.

« Thorwald ? » Sa voix tremblait un peu.

Il ne l'écoutait plus.

En quelques instants, il était sur elle et avait desserré de force ses petits doigts. Il lui reprit brusquement le chat et, de colère, la bouscula violemment. Elle vacilla et dégringola du ponton. Ce n'était pas très profond, mais elle était quand même trempée jusqu'à la taille.

Kristina éclata en sanglots.

« Méchant Thorwald, méchant, méchant. Je vais tout raconter à père.

– Laisse-moi tranquille », dit-il d'une voix sans timbre.

Puis il tourna les talons et s'en alla.

39

« MAIS QUE SE PASSE-T-IL donc entre Henrik et toi ? »
Nora venait de se mettre à préparer le dîner quand
le téléphone sonna. Elle reconnut immédiatement la voix
de sa belle-mère.

Monica Linde.

Tout, mais pas ça. Henrik était bien sûr allé tout raconter à sa maman. Pas étonnant, au fond : il avait toujours
mêlé sa mère à leur couple. Sa belle-mère, qui se vantait
de ses relations dans la haute société, avait toujours placé
son fils sur un piédestal.

Les rapports entre Nora et sa belle-mère pouvaient au
mieux être qualifiés de polis, mais, en fait, Nora la détestait cordialement – sentiment qui n'avait fait que se ren-
forcer au cours de son mariage avec son fils.

Nora serrait les dents à chacune des visites de ses beaux-
parents. Henrik se transformait alors en enfant gâté tandis qu'elle courait après les garçons en s'entendant répéter
combien Adam et Simon étaient mal élevés.

Monica semblait mettre un point d'honneur à les gron-
der et à les comparer aux petits-enfants de ses amies si
distinguées, ce qui faisait enrager Nora. Mais Henrik
avait toujours fait la sourde oreille et fermé les yeux sur
les défauts de sa mère. C'était un sujet de conversation
impossible et, avec le temps, Nora avait fini par renoncer
à expliquer à Henrik comment Monica la traitait, elle et
les enfants. Elle se taisait et prenait son mal en patience.

C'était une des rares consolations dans cette séparation : après le divorce, elle n'aurait plus à fréquenter ses beaux-parents détestés.

« Tu m'écoutes, Nora ? »

Nora n'avait pas la moindre idée de ce qu'avait dit Monica. Et elle s'en souciait assez peu.

« J'étais ailleurs.

– J'ai dit à Henrik qu'un divorce était exclu. Personne dans la famille Linde n'a jamais divorcé. Il n'en est pas question. Que diraient les gens ? »

Nora ne savait pas si elle devait rire ou pleurer.

Comment pouvait-on avoir une si haute opinion de soi-même ? Comment Monica pouvait-elle ne serait-ce qu'imaginer qu'il lui suffisait de décrocher son téléphone pour dicter à sa belle-fille ce qu'elle pouvait faire ou non ?

Monica Linde ne doutait vraiment de rien. Elle se permettait de diriger tout le monde à sa guise.

« En fait, cette décision ne vous regarde pas, dit Nora aussi poliment qu'elle put.

– Henrik et toi devez tout simplement résoudre vos problèmes. Vous avez deux merveilleux enfants : voulez-vous divorcer en les exposant à la honte ? »

Prends sur toi, se dit Nora. Ne perds pas ton calme, elle ne le mérite pas.

« Je n'utiliserais pas le mot "honte", dit-elle. Il y a plein d'enfants qui vivent très bien avec des parents divorcés. Nous réglerons ça comme tout le monde.

– Bêtises. Les enfants ont besoin de leurs deux parents. Surtout les jeunes garçons. Comment crois-tu t'en sortir, sans homme à la maison ? Sais-tu combien c'est dur pour une femme d'élever seule ses fils ? »

Monica savait exactement quels boutons presser pour déstabiliser Nora, qui s'inquiétait déjà de savoir comment elle s'en sortirait seule avec les garçons. Surtout avec Adam, qui était très proche de son père et approchait de la puberté.

« Ça, Henrik aurait dû y penser avant de trouver cette Marie », lâcha Nora.

Elle aurait préféré ne pas révéler que Henrik la trompait, mais sa colère avait eu le dessus. Il n'avait qu'à se justifier devant sa mère, pourquoi Nora le protégerait-elle ?

Un rire hautain précéda la réponse de Monica.

« Ma pauvre petite, les hommes font ça depuis des siècles. Ils essaient d'oublier leurs défauts par des liaisons occasionnelles, une ou deux jeunes filles qui les admirent et consolent leur ego. Il faut le supporter. Et moi, comment crois-tu que j'aie fait ? »

Elle avait beau la connaître depuis longtemps, le cynisme de sa belle-mère laissa Nora sans voix. Pour Monica, seules comptaient les apparences, et rien d'autre. Tant qu'elle conservait sa position sociale, le reste ne jouait aucun rôle.

Nora eut une pensée pour son pauvre beau-père, qui malgré tout était une personne assez sympathique. Il avait coutume de lui adresser un clin d'œil complice quand Monica rabâchait à table. S'il avait fait un ou deux faux pas, on ne pouvait que l'en féliciter.

« Tu peux dire ou faire ce que tu veux, ça ne changera rien à ma décision, Monica. Restons-en là.

– Alors je vais te dire une dernière chose. Un divorce est totalement exclu. Il faut reprendre tes esprits. Songe que tu fais désormais partie de la famille Linde. »

Nora déglutit. Le chagrin reprenait le dessus, mais elle n'avait pas l'intention de s'humilier devant Monica en fondant en larmes au téléphone. Pourquoi lui mettait-elle toujours tout sur le dos ?

Ce n'était pas elle qui avait rompu ses promesses de mariage.

« Je ne peux plus vivre avec Henrik. C'est fini entre nous.

– Écoute-moi bien maintenant, Nora. Je ne crois pas que tu comprennes bien où tu mets les pieds. Si tu insistes pour obtenir un divorce, nous soutiendrons Henrik par tous les moyens. »

Nora ferma les yeux et s'appuya au plan de travail de la cuisine. Elle entendit Simon donner des ordres à ses chevaliers Playmobil dans la pièce voisine.

Que voulait dire Monica ?

« Henrik gardera le pavillon, il est à son nom. Nous y avons veillé quand il a utilisé l'héritage de son grand-père pour l'acheter.

– Je sais que la maison est à lui. »

Elle le savait, elle n'avait juste pas voulu y songer. Quand ses beaux-parents avaient insisté pour que la maison soit la propriété exclusive de Henrik, elle ne s'en était pas souciée. Ne devaient-ils pas vivre ensemble le reste de leurs jours ? Alors, qu'importait le nom sur l'acte de propriété ?

« Pour le bien des garçons, mieux vaudra ne rien changer à leurs habitudes. Henrik insistera sur ce point, crois-moi.

– Mais de quoi parles-tu ?

– Les garçons devront rester à la maison avec leur père, évidemment, pas question de faire autrement.

– Henrik ne peut pas avoir seul la garde d'Adam et Simon, protesta Nora.

– N'en sois pas si sûre. » Monica avait changé de ton. Elle parlait à voix basse, hostile.

« Tu oublies que tu as été en congé maladie tout l'automne dernier. Je crois savoir que tu t'étais repliée sur toi-même et que tu as beaucoup pleuré. En plus, tu as consulté un psychologue. Tu étais assez instable, si je me rappelle bien. » Monica s'interrompit, comme pour laisser ses paroles faire leur effet. « Les enfants ont besoin de stabilité. Et leur intérêt doit primer. Tu devrais en être consciente. »

Le sang de Nora se glaça. Monica était au courant de ses visites chez le psychologue. Là encore, Henrik l'avait donc trahie.

« Ce n'était que quelques consultations. »

Elle n'eut pas achevé sa phrase qu'elle la regrettait déjà. Elle n'avait aucune raison de se justifier. Pourquoi se laissait-elle traiter ainsi ?

« Nous devons penser à l'intérêt des enfants, n'est-ce pas ? Si je suis obligée de témoigner sur ta capacité à en avoir la garde, je ne pourrai pas m'y soustraire. Je me souviens par exemple de la fois où Henrik a dû quitter l'hôpital en catastrophe parce que Simon s'était ouvert la joue sur un coin de table à la crèche. On avait dû lui faire plusieurs points de suture. Tu étais trop occupée pour y aller. »

Ce n'est pas vrai…, pensa Nora.

Elle se souvenait très bien de cet épisode. Elle travaillait depuis des mois à la banque sur un gros contrat de crédit. Au moment précis où tous les papiers devaient être signés, la crèche avait appelé. En temps normal, c'était toujours elle qui se mettait en congé quand un enfant était malade, mais ce jour-là, elle ne pouvait pas laisser en plan tous ceux qui s'étaient réunis pour cette signature. C'était juste impossible.

Elle avait réussi à joindre Henrik et l'avait supplié d'aller à la crèche. Il lui avait ensuite fait la tête pendant plusieurs jours, mais elle n'avait eu pas le choix.

Elle avait déjà payé pour ça, à l'époque, forcée de s'excuser platement et de se sentir coupable. Devrait-elle à nouveau en répondre ?

« Penses-y, Nora. Ne te lance pas sur une voie que tu regretterais. Nous avons beaucoup d'amis qui peuvent aider Henrik, des avocats de premier plan, des juges que nous connaissons bien… »

Nora ne doutait pas que Monica fût prête à faire jouer ses relations. Sa belle-mère pouvait être impitoyable.

Soudain, Monica Linde adoucit le ton.

« Ça ne vous ferait pas du bien, à Henrik et toi, de partir quelques jours en voyage pour mettre tout ça à plat ? Harlad et moi sommes prêts à nous occuper des garçons si vous voulez vous offrir un week-end romantique ensemble. N'hésitez pas. Nous serons toujours là pour vous, tu le sais. »

Quand Nora parvint enfin à raccrocher, une sensation désagréable lui opprimait la poitrine.

40

« VENEZ, LES ENFANTS, dit Nora d'une voix guillerette, loin
de refléter ses sentiments véritables. On va dîner au
restaurant. Saucisse-frites, ça vous dit ? »

Elle bouillait encore après sa conversation avec Monica,
mais elle essayait de donner le change devant les garçons.
Elle avait besoin de sortir un peu pour retrouver des gens
normaux qui ne lui dicteraient pas sa conduite.

Elle décrocha son blouson du portemanteau en laiton
et prit son bonnet. Simon fut prêt le premier, mais Adam
traînait les pieds.

« Allez, l'encouragea-t-elle, vous aurez du Coca, même
si ce n'est pas samedi. Et du ketchup, plein de ketchup. »

Simon adorait le ketchup et en mettait partout, même
sur le poisson pané et le riz.

Son portable sonna et elle vit sur l'écran que c'était
Henrik, mais elle n'avait pas envie de lui parler. Pas après
les menaces de Monica. Elle avait besoin de temps pour
réfléchir. Et puis elle savait ce que Henrik allait dire. Il
exigerait qu'elle quitte l'île et rentre à la maison. Et elle
n'en avait pas l'intention.

Pas question.

Elle bénit encore une fois le conseil d'Annie de rester
quelques jours à Sandhamn. Sans elle, elle n'aurait pas
eu grand-chose à opposer aux laïus de Henrik. Au moins,
comme ça, elle pouvait s'appuyer sur l'avis d'un expert.

Ramener les garçons à la maison à Saltsjöbaden. La maison ?

« Maman ! » Simon lui tira le bras. « On y va ? J'ai super chaud ! »

Elle enfila aussitôt son blouson.

« Viens, Adam. » Elle se tourna vers lui et lui posa le bras sur l'épaule. « Tu verras, ce sera bien. Je te le promets, mon grand. On va au restaurant. »

Sans un mot, Adam mit son anorak et ses gants. Toute la journée, il avait été assez renfermé. Elle lui avait parfois adressé des regards inquiets, auxquels il n'avait pas répondu.

Simon semblait assez peu affecté. Presque comme si la découverte macabre était un épisode d'un de ces jeux vidéo qu'il affectionnait, où l'on rencontrait toutes sortes de figures grotesques. Il avait un comportement normal, sans montrer le moindre signe d'inquiétude.

Mais elle se faisait du souci pour Adam.

À quel point ce qu'il avait vu l'avait-il choqué ? Et qu'avait-il perçu des problèmes conjugaux de ses parents ? C'était un garçon sensible et intelligent qui comprenait sans doute plus de choses qu'elle ne le pensait.

Le soleil était déjà couché. En février, il tombait rapidement derrière la pointe de Västerudd, à la différence des magnifiques couchers de soleil qu'on pouvait contempler l'été, au-delà de l'île de Harö.

Nora ferma la grille et ils se dirigèrent vers le port. Seules quelques fenêtres étaient allumées aux maisons voisines. C'est un peu triste, se dit Nora. Aujourd'hui, presque toutes les maisons sont des résidences secondaires ouvertes surtout aux beaux jours. L'automne arrivé, le village semblait inhabité, parfois presque à l'abandon. Ceux qui n'utilisaient leur maison que quelques semaines dans l'année n'avaient sans doute pas idée de combien l'endroit était désert le reste du temps.

Nora tourna le dos aux maisons sombres et déglutit pour ne pas pleurer : depuis le coup de téléphone de sa belle-mère, elle était au bord des larmes. Les événements de la semaine lui pesaient. Elle partageait le deuil de la famille Rosén, même si ça lui serrait le cœur, et sa tête était pleine d'amertume à l'égard de Henrik.

Elle prit les deux garçons par la main et serra fort. Que ferait-elle s'il arrivait quelque chose à Adam ou à Simon ? L'idée était insoutenable.

Adam comprenait qu'elle était triste. Il pressa sa main à son tour et frotta sa joue contre son épaule. Cette marque de tendresse inattendue lui fit du bien.

« Dépêche-toi, maman ! dit-il alors. Il fait super froid ! » D'un pas rapide, il gravit le perron du restaurant.

Au rez-de-chaussée, le pub était bondé.

Ils s'arrêtèrent sur le seuil tandis que Nora cherchait une place des yeux. Les trois tables avec fenêtre, près du bar, étaient comme toujours occupées. C'était réservé aux habitués, et seuls s'y risquaient les clients qui l'ignoraient.

Plus loin, au fond, une longue table gravée de silhouettes de voiliers. Des bougies y créaient une atmosphère chaleureuse qui invitait à venir s'y poser au chaud sur une des chaises lasurées.

Nora se demandait s'il y aurait des places pour eux, quand elle aperçut une table libre juste à gauche du bar. Elle s'y s'installa en face des deux garçons.

« Je veux du Coca, maman, dit Simon. Tu as dit qu'on en aurait.

— Mais on n'est pas samedi », dit Adam avant que Nora ait le temps de répondre.

Il savait très bien ce que Henrik aurait dit, pensa Nora. Simon fit une moue déçue, sans la lâcher des yeux.

« Ça va, le rassura Nora. Vous pouvez prendre tous les deux du Coca si vous voulez. On fait une exception. Parfois, on a le droit. »

Elle consulta l'ardoise accrochée au mur à côté du bar et opta pour la timbale de fruits de mer. C'était une des spécialités du restaurant, une généreuse portion de poissons et crustacés. Et elle prendrait un verre de blanc avec. Ou deux.

« Saucisse-purée ou saucisse-frites ? demanda-t-elle.

– Frites ! » firent-il en chœur.

Nora ne put s'empêcher de grimacer. Les frites battaient toujours à plate couture la bonne vieille purée. Elle en détestait l'odeur et le goût, à force d'être trop souvent allée au fast-food avec les enfants.

« Bon, d'accord. »

Elle se leva pour commander au bar. Elle n'avait toujours pas ôté son blouson, il lui fallait un moment pour se réchauffer, même s'ils n'avaient pas marché longtemps dehors.

En attendant qu'on les serve, les garçons jouèrent à pierre-feuille-ciseaux et Nora sirota son vin blanc tout en laissant vagabonder ses pensées.

En entrant, elle avait salué de la tête les autres convives. L'île n'était pas si grande. Pour les îliens, l'auberge était un lieu de rencontre naturel, surtout les soirs d'hiver où presque personne ne mettait le nez dehors.

Nora appréciait ce sentiment d'appartenance, même s'il n'irait jamais autant de soi pour elle que pour les résidents permanents. Avoir de la compagnie était rassurant, surtout une semaine comme celle-ci.

Elle n'avait pas l'air d'être la seule dans cet état d'esprit : le restaurant était plein à craquer et beaucoup semblaient avoir besoin de parler des derniers événements. Aux tables alentour, elle saisissait des fragments de conversation qui concernaient Lina Rosén. Elle était issue d'une vieille famille de l'archipel, sur l'île depuis des générations.

Nora but encore une gorgée de vin et décida que cette nuit elle laisserait l'éclairage extérieur allumé en allant se coucher. Ce serait plus rassurant.

Soudain, son attention fut attirée par des éclats de voix à une table, dans le coin opposé de la salle. Les enfants cessèrent de jouer et regardèrent dans la même direction.

« Lâche-moi un peu la grappe, vieille peau ! Je fais ce que je veux ! »

Cette voix en colère était celle d'un homme d'une soixantaine d'années. Il s'était levé si brusquement que sa chaise s'était renversée. Son visage était cramoisi et une veine saillante palpitait à son front. D'un geste rageur, il vida le fond de sa bière et s'essuya la bouche du revers de la main.

Assise en face, une femme du même âge, l'air malheureux. Nora vit qu'elle tentait de le faire taire. Elle lui chuchotait de se rasseoir et de se calmer. Mais cela ne semblait qu'énerver davantage son mari.

« Ta gueule, et arrête de geindre, merde ! Putain, si tu savais ce que j'en ai assez de t'entendre rabâcher ! »

Nora les reconnut.

C'était Bengt et Ingrid Österman. Ils habitaient pas loin de la Mission et faisaient partie de la population permanente de l'île. Ingrid saluait Nora de la tête quand elles se croisaient, mais Bengt Österman était un solitaire renfrogné qui disait rarement bonjour.

Ingrid semblait au bord des larmes. Elle regardait avec inquiétude alentour, craignant que les autres clients aient entendu leur scène de ménage.

Nora baissa les yeux. Elle était gênée pour cette femme. C'était triste d'entendre cet homme lui parler ainsi : elle éprouvait une profonde sympathie pour la malheureuse épouse. Elle sentit les larmes lui monter aux yeux. Vivre en bonne intelligence au sein d'un couple n'était pas chose facile, elle ne le savait que trop.

Elle cligna plusieurs fois des yeux pour réfréner ses larmes. Elle ne voulait pas que ses enfants voient son trouble.

Les garçons fixaient toujours la scène. Nora leur fit les gros yeux.

« Arrêtez de regarder, murmura-t-elle. Continuez à jouer. »

L'homme éméché attrapa soudain son manteau et se dirigea vers la sortie. Quand il passa devant leur table, Nora sentit une odeur d'alcool.

Quelques secondes plus tard, sa femme le suivit. Les joues en feu, elle regardait par terre tout en tentant maladroitement d'enfiler son manteau.

« Qui c'était ? » Simon la tira par le bras avec insistance. « Il sentait bizarre. »

Nora lui fit signe de se taire. « C'était un monsieur qui s'appelle Bengt. Il avait juste un peu trop bu. Ça arrive parfois aux adultes.

– Il était dégoûtant, dit Adam. Et moche. Il n'arrivait même pas à marcher comme il faut.

– Il a failli s'étaler en sortant, tu as vu ? » dit Simon.

En fronçant les sourcils, Adam regarda l'homme disparaître par la porte, et Simon le suivit lui aussi des yeux avec le même sans-gêne. À cet instant précis, les deux garçons étaient les copies exactes de leur père. Henrik était lui aussi capable de juger les gens sans la moindre pitié. Une fois encore, sa colère envers Henrik déferla pour avoir transmis de telles valeurs à leurs fils.

« Arrêtez maintenant ! » dit Nora en espérant que l'homme ivre n'aurait pas entendu ses enfants.

Embarrassée, elle regarda alentour pour voir si quelqu'un les avait remarqués : apparemment non, personne ne les regardait de travers. Le brouhaha avait repris.

Nora avait honte de voir Adam et Simon condamner si facilement un de leurs semblables et, un instant, elle vit en ses fils le reflet de son mari et de sa belle-mère.

Elle finit son verre et recula sa chaise.

« Ne vous occupez plus de ça. On va bientôt nous servir. Quelques minutes de patience. »

Elle se leva pour aller commander un autre verre. En le prenant, elle s'étonna de voir ses mains trembler.

Il n'y a donc aucun mariage heureux ? Scènes de ménage ou maîtresses secrètes, au choix. Thomas et Pernilla étaient divorcés, et elle le serait bientôt à son tour. Henrik l'avait même frappée dans un accès de colère.

Et l'amour, où était-il passé ? Pourquoi était-il si difficile de le conserver ?

À LA NUIT TOMBANTE, Thorwald errait sans but dans la forêt de pins au sud de l'île. Il savait ce qui l'attendait à la maison.

L'idée de chercher refuge chez son vieil oncle l'effleura, mais il la rejeta aussitôt. Olle était fatigué et malade, il ne pouvait pas le protéger de la colère de Gottfrid.

Minuit passé, il avait trop faim et froid pour rester dehors. C'était en juin, la température ne dépassait pas cinq degrés la nuit. L'air marin était glacé. Il grelottait.

De toute façon, où aller ? Il ne pourrait pas se cacher longtemps sur l'île. Épuisé, il posa la main sur la poignée de la porte et l'ouvrit.

Gottfrid l'attendait.

Assis sur une chaise de la cuisine, son père avait déjà ôté sa large ceinture de cuir. Thorwald la vit aussitôt en entrant, posée sur la table. À côté, une bible ouverte. Gottfrid indiqua un verset qu'il lut à voix haute.

Thorwald ne dit pas un mot. À quoi bon ? Il était clair que Gottfrid estimait que Dieu lui ordonnait de châtier son fils. Avec des gestes résignés, Thorwald déboutonna son pantalon, dénuda ses reins et se pencha sur la table.

Quand il eut fini, Gottfrid regagna sa chambre. Thorwald resta recroquevillé par terre, près d'une des chaises de la cuisine. Le sang qui coulait de sa chair meurtrie formait une flaque à côté de lui.

C'était comme quand il était petit et faisait pipi au lit, se dit-il. C'était d'abord chaud, puis ça refroidissait.

Dans l'état second où il se trouvait, il se demanda si Vendela lui en voudrait d'avoir sali son tapis. Les taches de sang étaient difficiles à laver, il l'avait entendue le dire.

Les premiers rayons de soleil pointèrent à la fenêtre et quelques petits oiseaux se mirent à chanter. La Saint-Jean se profilait. C'était aujourd'hui qu'ils devaient aller chercher des branches de bouleau et des fleurs sur Kroksö pour décorer le mât. Karolina allait l'attendre.

En vain.

Il avait très soif. Il essaya de ramper doucement jusqu'à la cruche, près de la cuisinière, mais c'était une telle torture qu'il abandonna bientôt.

Je le hais, murmura-t-il, et la colère qui l'envahit le rasséréna.

Je hais ce salaud, se répéta-t-il. Et Dieu aussi. Dieu ne s'occupe pas de moi. Il ne laisserait pas père me faire ça.

Saloperie de père, saloperie de Dieu.

Épuisé, il retomba sur le parquet. Son dos le brûlait là où la ceinture l'avait lacéré. Son père l'avait fouetté lentement et méthodiquement. Aucun des deux n'avait émis le moindre son. Rien que la peau nue claquant sous les coups.

Le vieux est cinglé. Et sa Bible aussi.

Tôt ou tard il va me tuer.

Cette nouvelle pensée l'effraya. Mais depuis longtemps il redoutait ce dont son père était capable.

Au nom de Dieu.

Thorwald s'assoupit, mais se réveilla bientôt, les reins cuisants. L'évidence lui apparaissait : il fallait quitter Sandhamn.

Il n'était allé que plusieurs fois sur les îles voisines de Möja et Runmarö, et n'avait jamais quitté l'archipel. Mais il savait comment se rendre à Stockholm. Le vapeur qui amenait chaque semaine des vacanciers y retournait directement. Et puis il savait se diriger aux étoiles, oncle Olle le lui avait enseigné. Il pouvait prendre la barque et au besoin gagner la terre ferme à la rame.

Il se tourna un peu, cherchant une position qui ne soit pas douloureuse. Ce salaud va me tuer, pensa-t-il, à moitié évanoui.

Puis les ténèbres se refermèrent sur lui.

41

L A CONVERSATION avec Mats Larsson avait marqué Thomas. Les mots du psychiatre lui revenaient sans cesse. Il fallait dépasser le sentiment de culpabilité et cesser de s'accuser mutuellement. Alors le deuil cessait de diviser, il unissait. Les anciens reproches cédaient la place à des espoirs nouveaux.

C'était lui qui l'avait accusée. Pas l'inverse. Il avait été incapable de regarder Pernilla sans idées noires. Il était tellement englué dans son désespoir qu'il n'avait pas voulu comprendre qu'un enfant pouvait mourir sans que ce soit la faute de personne.

Il réalisait seulement à présent que Pernilla n'était pas coupable de la disparition de sa fille. Il devrait plutôt lui être reconnaissant des bons moments passés ensemble et cesser de ressasser la mort précoce d'Emily. Et surtout, il fallait arrêter de mettre tout ce qui s'était passé sur le dos de son ex-femme.

Son portable était posé devant lui sur la table. Il retrouva le SMS qu'il lui avait écrit sans l'envoyer.

Il suffisait d'appuyer sur la touche lumineuse.

Thomas hésita à nouveau. Il effaça le message et le ressaisit tel qu'il l'avait d'abord rédigé :

Merci pour ce dîner très agréable. C'était merveilleux de te revoir/
Thomas.

Et il l'envoya.

On frappa à la porte, il leva les yeux. Margit était sur le seuil.

« Nous avons un mort à Sandhamn. Il faut y aller tout de suite.

– Qu'est-ce qui s'est passé ?

– Une femme, morte. L'alarme a été donnée il y a quelques minutes seulement. Viens. L'hélicoptère est occupé, on doit rejoindre Stavsnäs en voiture. »

En entrant chez les Österman, l'odeur frappa aussitôt Thomas. Une puanteur de vieille cuite flottait dans l'entrée.

L'explication ne se fit pas attendre. Bengt Österman était assis sur le canapé du séjour. Mal rasé, sa chemise de flanelle tachée. Thomas jeta un coup d'œil à la cuisine. Des bouteilles vides s'alignaient sur l'évier. Quelque chose de brun avait coulé par terre et séché en flaque. Dans un coin, un caniche lapait de l'eau dans une gamelle.

Un policier en uniforme leur indiqua la chambre.

Une femme gisait sur le lit en chemise de nuit en jersey, à moitié sur le côté. Ses yeux étaient clos, son visage pâle comme de la cire. Elle était visiblement morte depuis plusieurs heures.

Près du lit, des boîtes de médicaments au nom d'Ingrid Österman. Margit se pencha pour lire les étiquettes à haute voix. Thomas reconnut certains noms. Un joyeux mélange d'antidépresseurs et de somnifères.

Calée contre un verre d'eau, une carte au texte soigneusement écrit à l'encre.

Le légiste Staffan Nilsson était déjà là. Il se trouvait sur l'île de Djurö et avait pu arriver beaucoup plus vite sur les lieux.

Il n'était pas bleu de froid comme la dernière fois, pensa Thomas. Au moins, aujourd'hui, ça ne se passe pas dehors.

« La cause du décès est sans doute un empoisonnement médicamenteux, dit laconiquement Nilsson en indiquant les boîtes de médicaments. Vraisemblablement un suicide. Je n'ai trouvé qu'un type d'empreintes sur les boîtes et il y a une lettre d'adieu.

– Quelqu'un peut très bien avoir utilisé des gants et placé la lettre, dit Thomas.

– Oui, bien sûr, on ne peut pas l'exclure. »

Thomas inspecta la chambre.

Elle était décrépite, comme le reste de la maison. Au mur, de l'autre côté du lit, on voyait une marque ronde : probablement la trace de graisse laissée par les cheveux de Bengt Österman à force de s'appuyer là des années durant.

Des vêtements étaient jetés en vrac sur une chaise dans un coin. Un placard entrouvert laissait voir ce qui ressemblait à du linge sale empilé à même le sol.

« Tu as trouvé autre chose ? »

Nilsson secoua la tête.

« Aucune marque sur le corps, autant que j'aie pu voir. Mais ce sont des médicaments puissants. Si elle a ingurgité tout ça, dit-il en montrant les boîtes blanches, l'affaire est entendue. Ça tuerait un cheval.

– Elle était déprimée, dit Margit.

– Et cette lettre d'adieu ? » dit Thomas en enfilant une paire de gants en plastique.

Il lut à haute voix : « *Pardon. Je n'en peux plus.* Qu'est-ce que ça veut dire ? »

Margit secoua la tête. « Je n'en sais rien. Elle s'excuse d'avoir avalé tous ces médicaments. Ou alors c'est son fils, Sebastian. Elle n'a pas réussi à surmonter sa mort. »

Thomas sursauta au nom du garçon.

« Elle était en dépression, tu disais ?

– Oui, elle m'a raconté qu'elle avait passé de longues périodes en congé maladie après l'accident de son fils.

– Ceci expliquerait cela.

– Peut-être.

– Viens, on va parler à son mari. »

Thomas tourna les talons et sortit de la chambre.

42

Bengt Österman était toujours assis sur le canapé du séjour. Il semblait indifférent à ce qui se passait chez lui. En voyant ses yeux, Thomas comprit pourquoi. L'homme était ivre. Il avait le regard vitreux, dans le vague.

C'était un miracle qu'il ait réussi à appeler la police dans cet état. Il pouvait mettre des heures à dégriser.

Thomas prit une chaise et s'assit en face de lui. Margit s'installa dans le fauteuil voisin.

« C'est vous qui l'avez trouvée ? » dit Thomas.

Bengt Österman hocha la tête.

« Pouvez-vous me raconter ce qui s'est passé ?

– Elle était couchée comme ça, c'est tout.

– Quand l'avez-vous découverte ?

– En entrant dans la chambre.

– À quelle heure ? »

Bengt Österman roula des yeux.

« Je ne sais pas bien. »

Thomas comprit.

« Où avez-vous dormi cette nuit ? »

L'ivrogne se tortilla.

« Sur le canapé. »

Thomas comprit que ce n'était pas la première fois. Il imaginait Ingrid, découragée, montant se coucher en laissant son mari dans le séjour quand il avait trop bu. Et peu à peu, c'était devenu une triste habitude.

« Je me suis assoupi un peu après minuit, je crois.

268

« – Donc vous ne l'avez pas trouvée avant ce matin ?

– Non. »

Sa voix se fit plus basse, honteuse.

« D'habitude, elle me couvrait d'une couverture quand je dormais dans le canapé, mais ce matin, le froid m'a réveillé. Je suis monté dans la chambre pour me mettre sous la couette, mais elle était couchée comme ça. Immobile, sur le côté. J'ai tout de suite vu que ce n'était pas normal.

– C'est comme ça que vous avez compris qu'elle était morte ? » dit Margit.

Il hocha la tête. Le chagrin perça à travers les brumes de l'alcool. Ses yeux s'emplirent de larmes et il se moucha d'un revers de manche.

« Elle n'en pouvait plus, après la mort de Sebastian. Et moi non plus... » murmura-t-il.

Son regard s'éteignit. Il se leva soudain et gagna la cuisine.

Thomas l'entendit ouvrir une bouteille et boire plusieurs gorgées au goulot.

Inutile d'essayer de l'en empêcher.

Il revint s'asseoir lourdement sur le canapé. Les touffes grises de sa barbe couvraient ses joues tannées. Sa chemise trop petite se tendait sur son ventre.

« Avez-vous une idée de la raison qui a poussé votre femme à se suicider ? » dit Margit.

Sans répondre, Österman se contenta de désigner la photo de son fils au-dessus de la commode. Difficile d'imaginer que cet adolescent souriant et bronzé était le fils de cette épave avachie sur le canapé.

« Sebastian ? dit Margit.

– À votre avis ?

– Avait-elle déjà parlé de suicide ?

– Non.

– Mais elle prenait beaucoup de médicaments.

– Pour ses nerfs. On les lui donnait au centre médical. Pour ça, ils ne sont pas radins. Ils lui prescrivaient tout ce

269

qu'elle demandait, et plus encore. C'est bien la dernière chose pour laquelle la société a encore les moyens.

– Semblait-elle différente, hier soir ? »

Il secoua la tête.

« Non, elle était comme d'habitude. On a mangé au pub, puis on est rentrés.

– S'est-il passé quelque chose de particulier, hier ? Vous êtes-vous disputés ? » demanda Thomas.

Bengt Österman laissa échapper un profond soupir.

« Je n'ai pas été gentil avec elle au restau. J'ai eu des mots... Mais ce n'était pas la première fois. »

Rire amer.

« Savez-vous si elle aurait pu rencontrer quelqu'un, hier, qui l'aurait perturbée ?

– Et qui donc ? Dans ce trou, on voit toujours les mêmes têtes, les voisins, ces fichus fouineurs, toujours à fourrer leur nez dans vos affaires. Ici, tout se sait. »

Nouveau tour à la cuisine. Le bruit d'une bouteille lourdement reposée sur l'évier. Österman revint, comme s'il n'avait pas quitté la pièce.

Thomas s'efforça de maîtriser son impatience. Impossible de rien tirer de cet homme. Plus il buvait, plus on avait du mal à lui parler.

« Nous reviendrons quand vous aurez un peu recouvré vos esprits, dit-il en jetant un coup d'œil à Margit.

– Avez-vous quelqu'un qui puisse venir ? demanda-t-elle. Pour vous tenir compagnie ?

– Ça va aller. » Sa réponse était rapide et ferme.

Thomas doutait qu'Österman s'en sorte longtemps tout seul : sa femme devait être son dernier lien avec une vie normale.

D'abord son fils, puis sa femme.

Sans Ingrid, ce n'était qu'une question de temps avant qu'Österman ne se tue à force de boire. Ça s'était déjà vu dans l'archipel, où le désœuvrement et les longs hivers désolés pouvaient être insupportables pour un pauvre homme tout seul. L'alcool finissait par être l'unique remède à la solitude. Il était clair qu'Österman connaissait bien cette bouée de secours. Et qu'il avait l'intention de s'y accrocher.

Thomas sentit soudain qu'il n'en pouvait plus de rester enfermé là. Il se leva sans prévenir et fit signe à Margit.

« Tu finis ici, je vais faire un tour chez les voisins. On se retrouve dehors dans dix minutes ? »

L'air frais fut une libération.

Thomas resta sur le perron à s'emplir les poumons. Le terrain était en friche, jonché de déchets et de vieux tas de ferraille. Dans un coin, quelques moteurs de bateau rouillés à côté d'un hamac déchiré. Le jardin comme la maison n'étaient visiblement pas entretenus.

À une extrémité du terrain, un cabanon peint au rouge de Falun. Thomas s'approcha et tâta la poignée. Ce n'était pas fermé. En entrebâillant la porte, il constata qu'il servait d'atelier et de remise. D'un côté, un établi, de l'autre, un congélateur. Des outils divers étaient sortis, un billot à l'ancienne était placé près de l'entrée. Thomas referma la porte et s'éloigna.

Il aurait fallu plaindre Bengt Österman, mais il n'y arrivait pas vraiment. Imbibé comme il l'était, le bonhomme n'avait pas dû être d'un grand réconfort pour cette pauvre Ingrid. D'une certaine façon, pas étonnant qu'elle ait voulu en finir. Elle n'en pouvait plus, comme il disait.

Du coin de l'œil, Thomas perçut un mouvement : une femme d'un certain âge sortait de la maison voisine. Le courant d'air faisait voler un rideau à motifs derrière sa porte entrouverte.

« Qu'est-ce qui se passe ? lança-t-elle. J'ai vu arriver les secours.

– Il y a eu un accident, dit-il. Ingrid Österman est décédée.

– Mon Dieu. » La femme mit la main devant sa bouche. « C'est affreux ! Comment est-ce arrivé ? »

Elle ne faisait pas grand-chose pour cacher sa curiosité, mais semblait sincèrement émue.

271

Thomas répondit par une question : « Vous connaissez bien les Österman ? »

La femme réfléchit quelques secondes. Elle n'avait pas de manteau et grelottait dans le froid à présent. Elle croisa les bras sur sa poitrine pour se réchauffer.

« Bengt et moi, on se connaît depuis toujours.

– Vous êtes donc née sur l'île ? » demanda Thomas.

Elle hocha la tête.

« Quelques années après la fin de la guerre, comme lui. J'ai connu Ingrid plus tard, quand elle s'est mariée avec Bengt. Mais elle était assez réservée. Surtout ces dernières années. Après Sebastian. Elle a accusé le coup, la pauvre.

– Elle était déprimée, n'est-ce pas ?

– Oui. Je l'ai à peine vue cette année. Elle ne sortait presque plus de chez elle. Remarquez, pas étonnant, avec un mari pareil. »

Elle pinça les lèvres, et son air compatissant se fit désapprobateur.

« Comment ça ? dit Thomas, qui voyait bien où elle voulait en venir.

– Il picole, vous n'avez pas vu ? » Elle grimaça. « La pauvre Ingrid n'a pas trouvé beaucoup de réconfort auprès de ce gars-là, pour sûr. Il va sûrement se saouler à mort maintenant qu'elle n'est plus là pour s'occuper de lui. »

Thomas ne pouvait qu'acquiescer. Il venait lui-même d'en arriver aux mêmes conclusions.

Il poussa un soupir imperceptible.

Tout indiquait un suicide. Une femme déprimée ayant perdu son fils avait mis fin à ses jours en ingurgitant des médicaments. A priori, rien de criminel là-dessous, mais il faudrait bien sûr attendre les résultats de l'autopsie pour en être sûr.

Thomas remercia la voisine et s'en alla.

Il allait être quinze heures trente, et il décida d'appeler Nora. Puisqu'il était à Sandhamn, il en profiterait pour passer la voir avant de rentrer en ville. La dernière fois, elle avait beau les avoir invités, Margit et lui, il l'avait trouvée éteinte.

« Tu ne resterais pas dîner ? » Nora le suppliait. « Tu pourrais dormir sur le lit d'appoint dans la chambre des enfants. On te prêterait bien sûr une brosse à dents et une serviette. Les garçons seraient tellement contents. »

Il était clair qu'elle avait besoin de compagnie, mais Thomas hésita. Il n'avait pas fini sa journée. D'un autre côté, le temps de rentrer, il serait trop tard pour retourner travailler au commissariat. Il pouvait aussi bien prendre le premier ferry du matin.

« Bon, d'accord. Je finis juste deux ou trois trucs avant de passer.

– Tu es un ange. Je pensais faire des tacos, tu aimes ça ?

– Bien sûr. Ça fait longtemps. »

La boutique d'alimentation n'était ouverte que deux heures par jour en hiver, et Nora arriva juste avant la fermeture. Pour faire face à cette invitation de dernière minute, il lui fallait acheter davantage de viande hachée. Thomas mangeait autant qu'elle et les enfants réunis. Elle prit un panier en plastique rouge et fila au rayon boucherie, au fond du magasin.

La supérette Westerberg était le centre névralgique de l'île. Elle faisait dépôt d'alcool et pharmacie, et les résidents pouvaient en plus y retirer de l'argent liquide. Dans la boutique, on trouvait de tout, des denrées alimentaires de base au terreau et aux géraniums. L'été, il y avait toujours la queue à la caisse, mais en cette saison il n'y avait pas beaucoup de clients.

Nora se dépêcha de faire ses courses. Elle jeta dans son panier une bouteille de soda pour les enfants et un peu de chocolat noir pour le café. Puis elle alla payer. La propriétaire tenait elle-même la caisse, épicière dans l'archipel depuis quatre générations.

« Salut ! »

Nora leva la tête.

Devant elle, Johanna Granlund lui souriait. Elle était accompagnée de sa fille, qui jouait parfois avec Simon.

273

Nora avait le même âge que Johanna, elles se connaissaient depuis des années.

« Bonjour, sourit à son tour Nora. Comment ça va ?

– Bien, merci. Mais tu sais comment c'est, quand on vient d'arriver. On a toujours oublié quelque chose. »

Elle souleva son panier d'un air entendu.

« Vous venez d'arriver ?

– Oui, aujourd'hui. J'ai travaillé toute la semaine, les enfants ont dû aller au centre de loisirs. » Elle haussa les épaules. « Rien à faire. On va à la montagne à Pâques, je ne pouvais pas prendre en plus cette semaine. »

Un signal se déclencha dans la mémoire de Nora. Pelle Forsberg n'avait-il pas dit qu'il avait dîné chez eux mardi dernier ? Bizarre. Lui avait-il menti ?

« Alors vous n'étiez pas là pour les vacances ? »

Johanna secoua la tête. « Non, nous sommes arrivés aujourd'hui, les enfants et moi. » Elle regarda Nora, surprise. « Pourquoi ?

– Rien, se hâta de répondre Nora. Juste pour savoir. »

Johanna regarda sa montre.

« Bon, il faut que je file nourrir mes petits affamés. Ça fait quand même du bien d'être ici, même si c'est juste pour le week-end. À plus. »

THORWALD resta presque une semaine alité.

Vendela avait éclaté en sanglots en le trouvant par terre. Elle l'avait à moitié traîné, à moitié porté dans son lit. Là, elle avait nettoyé ses plaies, lui avait appliqué une pommade sur le dos et l'avait pansé de son mieux.

Ces soins lui avaient presque fait aussi mal que les coups de fouet de Gottfrid.

Même Kristina avait été horrifiée et avait essayé de se faire pardonner. Le soir, elle était venue sur la pointe des pieds avec un bouquet dans un verre d'eau. Penaude, elle l'avait posé sur sa table de chevet avant de se sauver.

Gottfrid ne se montrait pas : cloué au lit, Thorwald eut tout le temps de réfléchir.

Il fallait qu'il parte loin de son père.

Tôt ou tard, il déclencherait à nouveau sa colère. Ce qui se passerait alors, il osait à peine y penser. Sauf que ce serait pire la prochaine fois. Gottfrid était de plus en plus imprévisible, et sa mère était incapable de le protéger.

Personne ne pouvait le protéger.

Tandis que la douleur de ses reins lacérés s'estompait lentement, Thorwald essayait de trouver une solution.

Il lui restait encore sept ans avant d'atteindre ses vingt et un ans, la majorité. Sept longues années au cours desquelles il serait à la merci de son père.

Il ne tiendrait pas aussi longtemps. Il fallait qu'il quitte Sandhamn et toute son enfance.

Il fallait qu'il quitte Karolina.

Cette idée était bien pire que la douleur physique. Il ne pouvait pas renoncer à Karolina, le seul atome de joie de sa vie. C'était inconcevable.

Désespéré, Thorwald cherchait d'autres échappatoires, mais revenait chaque fois à la même conclusion. Il fallait qu'il parte de l'île et abandonne Karolina pour toujours.

Il lui fallut longtemps avant de trouver comment s'y prendre. Quels sacrifices étaient nécessaires pour parvenir à ses fins.

Il fallait qu'il se fasse détester. Il fallait qu'il lui fasse du mal, tellement qu'elle ne voudrait plus jamais le revoir. Si, dans son regard, l'amour était remplacé par la colère, alors le lien pourrait être tranché. S'il la blessait assez, ce serait possible. Sinon, il ne pourrait jamais se résoudre à quitter l'île.

Quand il fut sur pied, la Saint-Jean était passée depuis longtemps. À contrecœur, il évita Karolina en restant avec Arvid et d'autres camarades. Il se dérobait quand elle venait vers lui et répondait par monosyllabes à ses questions.

Il prenait sur lui et se blindait devant l'expression outragée de son visage, lui tournait le dos en faisant comme si de rien n'était. Assez fort, il lâchait des railleries sur les filles collantes qui faisaient rire tout le monde.

Elle l'entendait, il le savait.

Il pleurait intérieurement. Il gardait dans sa poche le petit chat en bois. Parfois, il lui caressait la tête du bout des doigts pour se rappeler ce qu'il devait faire.

Au bout d'un moment, elle comprit qu'il n'était plus intéressé. Son regard s'éteignit et son merveilleux sourire disparut. Elle se mit à l'éviter, à éviter ses amies. Il la voyait parfois, seule dans son jardin, Missan sur les genoux. Des heures durant, seule.

Elle était si malheureuse, et il savait que c'était sa faute. Tout était de sa faute.

« Karolina, chuchotait-il au milieu de la nuit. Pardon, je tiens tellement à toi. »

43

THOMAS avait emprunté un bureau à l'antenne locale de la police, qui occupait un bâtiment jaune au milieu du village. Il s'était connecté pour passer une heure à lire la moisson de rapports du jour avant qu'il soit l'heure d'aller chez Nora. Il attendait aussi les informations sur les habitants de Sandhamn possédant un permis de chasse. Ça devait arriver d'un moment à l'autre.

Toute la semaine, des renseignements avaient afflué. Malheureusement, il s'agissait le plus souvent d'éléments que les gens avaient trouvés sur Internet ou dans la presse, rien d'utilisable.

Son téléphone sonna.

Dans un accès de nostalgie, il avait téléchargé une chanson de Deep Purple en guise de sonnerie : les premières notes de *Smoke on the Water* retentirent dans la pièce.

Il décrocha. C'était Margit.

« L'analyse ADN vient de tomber, fit-elle sans dire bonjour.

– C'est elle ?

– Oui, à présent c'est confirmé. »

Le labo avait fait vite, se dit Thomas. Ils avaient dû traiter son cas en priorité, eu égard à l'âge de la victime et aux circonstances.

Il avait à peine racroché que son téléphone sonna à nouveau.

« Salut, c'est moi. »

Pas de nom, pas besoin.

« Salut. » Il sourit un peu, il ne pouvait s'en empêcher.

« Merci pour ton SMS.

– Il est arrivé, alors ?

– Mmm. Pour moi aussi, c'était merveilleux de te voir. »

Impossible de savoir si Pernilla était sérieuse ou le faisait marcher.

« Tu ne l'as pas mal pris, alors ? » Il fallait qu'il pose la question.

Un doux rire.

« Comment ? Tu croyais ça ? »

Thomas remarqua son reflet sur la vitre du tableau pendu en face de lui. Son visage était fendu d'un sourire béat.

« Non, pas vraiment…

– On pourrait peut-être se revoir ? »

C'était son vœu le plus cher. Le plus tôt possible. Mais il avait promis à Nora de rester dîner, et le dernier ferry était déjà parti.

« Tu as quelque chose de prévu demain ? dit-il.

– Pas de projet particulier. Je peux préparer à dîner à la maison. »

À la maison ?

Il fut frappé de constater que *la maison* restait pour lui leur ancien appartement. Il ne s'était jamais senti chez lui dans son deux-pièces de Gustavsberg, c'était juste un endroit provisoire où dormir.

Il avait tellement envie de dîner à la maison.

« Pourquoi pas ? dit-il en faisant attention à ne pas trop montrer ses sentiments.

– Je peux faire quelque chose au wok, tu aimais ça. Et puis des toasts skagen en entrée.

– Et pourquoi pas un moelleux au chocolat pour le dessert ? s'essaya-t-il à plaisanter.

– Pourquoi pas ? »

Thomas sourit à nouveau.

Elle connaissait parfaitement ses goûts. Il n'avait pas fait la cuisine depuis une éternité. Il se contentait surtout de réchauffer des plats cuisinés au micro-ondes.

« Mais il faudra m'aider. Attention, je n'ai pas l'intention de tout faire. Si tu te mets devant la télé, tu le regretteras. »

La menace était formulée avec tendresse et son sourire était à présent si large qu'il se sentit gêné devant son reflet.

« Bon, comme ça je suis prévenu.

– On dit dix-huit heures ? Tu te souviens du code ? Il n'a pas changé.

– Ça va. Je m'en souviens. »

44

NORA ÉTAIT À LA CUISINE en train d'émincer des légumes quand le téléphone sonna.

« Quelqu'un peut répondre ? » cria-t-elle en essayant de couvrir le son de la télévision dans la pièce voisine. Quand les sonneries cessèrent, elle espéra qu'un des garçons avait décroché. Quelques minutes plus tard, elle fut rassurée.

« Maman ! appela Adam du séjour. Mamie veut te parler.

– Une seconde, j'ai les mains mouillées. » Elle arracha une feuille d'essuie-tout et parvint à se sécher sommairement avant de prendre le combiné.

« Allô ?

– Salut, c'est maman. »

La veille, en rentrant du restaurant, elle avait appelé sa mère pour lui demander si elle savait qui était ce Thorwald. Elle n'arrivait pas à s'ôter de la tête l'amour malheureux de Karolina. Elle était curieuse de savoir ce qui s'était passé, mais elle n'avait pas encore trouvé le temps de passer à la villa Brand récupérer d'autres carnets. Chaque fois, elle en avait été empêchée.

« Tu te demandais si je savais quelque chose au sujet de ce garçon, Thorwald ?

– Oui. » Nora cala le téléphone sous sa joue et continua de couper les tomates. Thomas n'allait pas tarder.

« J'ai appelé Ingalill Andersson, tu dois te souvenir d'elle. »

Nora savait bien qui c'était. Ingalill habitait près de Mangelbacken et allait sur ses quatre-vingts ans, mais restait en forme et alerte pour son âge. Elle était née sur l'île, comme Suzanne, et avait passé toute sa vie à Sandhamn.

« Oh oui.

– Elle m'a raconté ce qui était arrivé à Thorwald et Karolina. Écoute ça. »

Il faisait déjà nuit quand Thomas traversa le port pour se rendre chez Nora. Une femme emmitouflée le salua en le croisant, et il répondit d'un signe de tête sans avoir la moindre idée de qui elle était. Mais c'était comme ça dans l'archipel, surtout l'hiver : on saluait toujours les rares personnes qu'on voyait.

Son téléphone sonna à nouveau.

Thomas répondit. C'était Erik Blom. Il avait l'air enthousiaste.

« On a trouvé un truc sur Jakob Sandgren.

– Quoi donc ?

– Il n'avait pas de casier, blanc comme neige. Mais on a aussi vérifié dans le fichier des affaires classées. »

Bien joué, pensa Thomas. On trouvait dans ce fichier tous les documents concernant les enquêtes n'ayant pas abouti à des poursuites judiciaires.

« Vise un peu. Quand il avait seulement dix-sept ans, Sandgren a fait l'objet d'une plainte pour violences sur une fille de son âge. Lors d'une cuite, il l'avait assez sérieusement passée à tabac. »

Erik Blom marqua une pause rhétorique.

« Et que s'est-il passé ? dit Thomas.

– Il a tout nié et ses parents lui ont fourni un alibi. Ils ont certifié qu'il se trouvait chez eux le soir en question.

– Et l'affaire a été classée.

– Exact. La fille a commencé à s'emmêler dans son récit. Elle aussi était ivre, et il n'y avait aucun élément matériel à charge. Le procureur a annulé la procédure, faute de preuve.

– Et le jeune Jakob a pu s'inscrire tranquillement à l'école de commerce.

– Quoi ?

– Rien », dit Thomas, qui mesurait l'importance de la découverte d'Erik.

Jakob Sandgren avait très vraisemblablement brutalisé Lina, comme Louise l'avait raconté. Visiblement, ce jeune homme avait une dangereuse tendance à la violence.

Thomas essaya de rassembler ses idées. De toute façon, il était coincé à Sandhamn jusqu'au lendemain matin.

« On le convoque à nouveau demain matin. Et ses parents aussi. » Puis une idée le traversa. « Au fait, vérifie si son père a un permis de chasse. »

Sur la table de la cuisine, des grands bols de concombre finement coupé, de tomates, de salade et de fromage râpé. Au centre, un grand plat de tortillas à côté d'une poêle pleine de viande hachée parfumée aux épices mexicaines. Des serviettes à carreaux rouges sortaient des verres et donnaient un petit air de fête. Une bouteille de rioja et une autre de Coca-Cola complétaient le tout.

Nora contempla son œuvre avec satisfaction. Ça avait l'air bon et accueillant. Au dessert, il y aurait du flan au chocolat avec de la crème fouettée et des tranches de banane. Un peu banal, mais les enfants en raffolaient.

Elle alla dans le séjour retrouver Thomas, qui jouait aux cartes avec les garçons. Ils jouaient au Renard affamé, une variante de la bataille : elle avait elle-même passé des soirées à y jouer avec ses copains quand elle était adolescente.

La vue de son meilleur ami avec les garçons complètement absorbés par leur jeu la mit à nouveau au bord des larmes. Ça aurait dû être Henrik, là, avec ses fils, passant un bon moment, tandis que la neige tombait dehors et que le poêle réchauffait la maison.

C'était Henrik qui aurait dû passer les vacances d'hiver à Sandhamn et profiter en famille de quelques jours au bon air.

Ce qu'il faisait en ce moment, elle ne voulait pas y penser, mais elle bénissait Thomas qui avait promis de rester pour la nuit. Une soirée de plus à ruminer toute seule l'aurait rendue folle, elle en était sûre.

« Allez, venez tous. C'est prêt. »

Elle défit son tablier. Il était bleu clair, avec plein de tout petits voiliers. Un tissu vraiment kitsch, mais qui convenait bien pour l'archipel. En tout cas, c'était ce qu'elle s'était dit en l'achetant dans une boutique de Waxholm, voilà des années.

« On ne peut pas finir la partie ? » protesta Simon.

Elle les regarda, et une vague de tendresse s'empara d'elle. Au moins, elle avait les enfants, et Thomas, quoi qu'il arrive.

Adam la dévisageait avec espoir, mais Thomas avait déjà posé ses cartes et se levait.

« On continue après manger, dit-il. Les cartes ne vont pas s'en aller toutes seules pendant le dîner. On finira la partie après. » Il lui fit un clin d'œil. « De toute façon, je vais gagner, prépare-toi, jeune homme.

– C'est nous qui décidons si tu as droit ou non à un dessert », l'avertit Adam avec un regard noir.

SANDHAMN, 1928

ILS ÉTAIENT ASSIS sur une grosse ancre noire, devant Strindbergsgården. Au dix-huitième siècle, on avait enterré d'énormes ancres tout autour du port. Elles faisaient cinq mètres de large et plusieurs mètres de haut : on y amarrait les gros voiliers.

Aujourd'hui, elles servaient surtout de terrain de jeu. Les gamins grimpaient dessus et s'y suspendaient, mais on pouvait aussi s'y reposer, comme le faisaient Thorwald et Arvid.

Il la vit arriver dans la ruelle de l'auberge. Ses tresses brunes se balançaient au rythme de ses pas. Elle portait une robe bleu clair ornée d'un galon blanc. Elle avait une corbeille sous le bras et marchait d'un pas vif et décidé. Elle allait probablement faire une course à l'épicerie.

Karolina marchait droit sur lui et ne tarda pas à le voir.

« Bonjour Karolina, dit gaiement Arvid comme elle s'approchait. Tu vas à la boutique ? »

Thorwald ne dit rien. Il baissa les yeux et se mit à dessiner sur le sable avec un bâton.

Karolina se figea, mais répondit au salut d'Arvid.

« Mère m'envoie acheter de la farine. Et du fil à coudre. »

Arvid continua à bavarder, semblant ignorer la tension qu'il y avait entre eux.

Thorwald, malheureux, continuait à triturer le sable du bout de son bâton.

Il s'obstinait à ne pas regarder Karolina.

« Il faut que j'y aille, dit-elle. Mère va se demander où je suis passée. »

Elle s'attarda encore une seconde. Timidement, elle chercha le regard de Thorwald. Puis elle tourna les talons avec un soupir presque imperceptible et se dirigea vers la boutique.

Thorwald se taisait.

Il la regarda s'éloigner, déchiré. Tout le monde voyait sûrement combien elle lui manquait.

« Pourquoi es-tu si méchant avec elle ? dit Arvid. Tu ne vois pas comme elle est amoureuse de toi ? Je croyais que Karolina était ta chérie ?

– Bah... »

Ce fut tout ce qu'il parvint à répondre. Les larmes n'étaient pas loin. Il ne voulait pas que son camarade entende sa voix chargée de sanglots.

Arvid haussa les épaules.

« Karolina Brand ne t'attendra pas éternellement. J'en connais beaucoup qui aimeraient bien lui tenir compagnie.

– Arrête ! » cria Thorwald. Il se leva d'un bond et partit en courant.

Il se rendit à la grotte de la Sirène.

C'était une marmite de l'Âge de glace, à l'ouest de l'école. Jadis, on parlait d'un esprit marin qui y aurait trouvé refuge. Les parois rocheuses étaient moussues et ruisselantes d'humidité.

Thorwald se glissa tout au fond et s'y recroquevilla. Karolina était partie avec un air si triste, comme un chiot abandonné au bord de la route. Il avait dû s'agripper à l'ancre pour ne pas se précipiter et la retenir.

Il ne désirait rien tant que la consoler, et que tout redevienne comme avant la Saint-Jean. Elle le regardait alors avec amour, et non chagrin et déception.

Mais dans ce cas, il ne pourrait plus quitter l'île.

Il vit l'image de Gottfrid. La fureur muette de son père tandis qu'il le fouettait méthodiquement avec sa ceinture en pleine nuit. La ferveur religieuse qui brillait dans ses yeux.

Il fallait qu'il s'en aille, sans tarder. Il n'y avait pas d'autre issue.

45

LES BOUGIES étaient presque consumées dans les chandeliers en laiton de la table basse. Ils ne supportaient pas bien le froid l'hiver. Leur métal s'était couvert de taches tenaces, mais ces chandeliers étaient depuis toujours dans la maison et Nora n'imaginait pas les remplacer par des neufs plus reluisants.

« Comment ça va ? » dit Thomas. À moitié couché dans un des canapés, trop petit pour ses longues jambes, il avait pourtant réussi à trouver une position à peu près confortable.

Ils avaient apporté leurs verres pour finir le rioja. Les garçons étaient montés se coucher et on n'entendait que le faible bruit du poêle en train de s'éteindre. Une bûche craquait de temps à autre.

« Comme ça », dit Nora, blottie dans l'autre canapé.

Elle s'était couvert les jambes avec un plaid gris. Le vin l'avait mise dans un agréable état de somnolence et elle était contente d'avoir Thomas avec elle.

« Monica a appelé. » Elle laissa échapper un soupir étouffé. « Elle a dit que Henrik garderait la maison et les enfants si j'insistais pour obtenir le divorce. Ça ne se fait pas chez les Linde. Elle a menacé de témoigner au tribunal sur mon instabilité psychique. »

Elle murmura cette dernière phrase. Elle aurait voulu tout raconter d'un ton léger, mais elle était soudain accablée par ce que signifiait la menace de Monica

« La vieille peau. » Thomas gémit. « Ne fais pas attention à ce qu'elle dit. Vous partagerez la baraque et aurez la garde alternée, comme tout le monde. »

Nora remonta un peu sa couverture.

Naturellement, Thomas avait raison. Au moins s'agissant des garçons. Mais elle n'arrivait pas à se défaire d'un sentiment d'impuissance, et détestait cette réaction.

« Le pavillon est à lui. Pour ça, elle a raison. Mais il ne me prendra pas les enfants. Je ne le permettrai jamais. »

Sa voix tremblait.

Elle avait beau savoir que les tribunaux décidaient presque toujours d'une garde partagée, elle redoutait ce qui pouvait se passer. Et si Monica mettait ses menaces à exécution, qu'elle faisait jouer ses relations et persuadait la cour que Nora était une mauvaise mère ? Comment se défendre ?

Ses parents n'avaient pas de grandes ressources. Elle n'avait aucune connaissance haut placée qui puisse l'aider.

« Henrik a beau parfois être un vrai salaud, je ne l'imagine pas te retirant les enfants, dit Thomas. Ne t'occupe pas d'elle, elle ne sait pas de quoi elle parle.

– Je ne supporterais pas ça. »

Ses larmes se mirent à couler. Elle ne pouvait pas les retenir.

« Ne t'inquiète pas, Nora. Ça va s'arranger.

– Mais comment ? »

Thomas se leva lestement et s'assit près d'elle. Quand il la prit dans ses bras, elle éclata en sanglots. Elle se blottit contre lui comme un petit enfant et déversa toute la frustration et la colère accumulées pendant la semaine.

« Je le hais, murmura-t-elle dans le pull de Thomas. J'aimerais qu'il soit mort. Ce serait plus facile s'il était mort, parce que je n'aurais plus jamais à le revoir.

– Là…, tenta Thomas pour la consoler.

– Comment vais-je y arriver ? murmura-t-elle. Que vont devenir les garçons, et moi ?

– Ça va bien se passer. » Il lui passa la main dans les cheveux. « Ça va s'arranger. »

287

Nora aurait voulu rester pour toujours dans les bras de Thomas et ne plus devoir penser à rien. Elle croyait avoir été malheureuse l'été précédent, quand Henrik et elle s'étaient disputés à propos de la vente de la villa Brand, mais à présent c'était pire, bien pire. Elle était si désespérée qu'elle sentait sa vie s'émietter.

Ses pleurs finirent par se tarir. Les moignons des bougies grésillaient. Avec un profond soupir, Nora se redressa et regarda Thomas, le visage baigné de larmes. Elle se sentait complètement vidée.

« Il faut que tu dormes, dit-elle en tentant un sourire tremblant. Tu dois être crevé.

– Ne t'inquiète pas.

– Je t'ai préparé le lit d'appoint. Je vais rester un peu ici avant d'aller me coucher moi aussi. »

Il se leva.

« Thomas, dit-elle. Tu es gentil, tu sais ? Tu es mon meilleur ami.

– Tu es OK toi aussi. » Il lui passa à nouveau la main dans les cheveux. « Toi et tes enfants. »

Nora ôta sa couverture et entreprit de la plier.

« Bonne nuit », fit-elle d'une voix sourde.

Nora se redressa dans son lit.

Elle était sur le point de s'endormir. Parler avec Thomas lui avait fait du bien. D'une façon ou d'une autre, elle referait sa vie avec les garçons. Mais une pensée avait surgi alors qu'elle allait glisser dans le sommeil. Ça frôlait l'impensable, mais elle n'arrivait pas à s'en défaire.

À présent elle était parfaitement éveillée.

Sa conversation avec sa mère la tarabustait. Susanne lui avait parlé de Thorwald et de sa famille, de ce qui leur était arrivé, à lui et à Karolina. Son destin avait visiblement défrayé la chronique au village, car Ingalill Andersson se souvenait encore des ragots qui avaient circulé sur l'île.

Était-il possible que ce qui lui était arrivé ait un lien avec la disparition de cette jeune fille ? C'était tiré par les cheveux, mais Nora n'arrivait pas à chasser cette idée.

Les yeux grands ouverts, elle fixait le plafond. Des années de vieille rancœur pouvaient-elles avoir causé la mort de Lina Rosén ? La solution de l'énigme se trouvait peut-être dans le passé, ce qui avait échappé à tout le monde, s'agissant de faits si anciens...

Il fallait qu'elle en parle à Thomas.

Elle se laissa retomber sur l'oreiller. Se pouvait-il qu'elle ait raison, ou n'était-ce que le fruit de son imagination ? On ne tuait pas des jeunes filles parce que ses parents avaient subi des outrages des années auparavant. Ça n'arrivait que dans les séries télé.

D'un geste las, elle retapa son oreiller et se retourna. Non, ça ne valait pas la peine d'en parler à Thomas. Il se demanderait juste ce qui ne tournait pas rond chez elle. Maintenant il fallait dormir, il était presque une heure et demie du matin.

TOUT L'ÉTÉ, Thorwald avait mis de l'argent de côté. Dès qu'il avait un moment de libre, il avait rendu des services aux vacanciers pour gagner quelques sous. Il allait chercher de l'eau, portait des malles, donnait un coup de main partout où on pouvait avoir besoin de lui.

Il évitait comme il pouvait Gottfrid et Karolina.

Chaque fois qu'il avait une pièce, il la cachait dans la petite bourse en cuir qu'il gardait dans un coin du cabanon de pêche, dissimulée pour que personne ne puisse la trouver. Avant de s'endormir, le soir, il calculait combien il avait gagné dans la journée.

L'été avait été ensoleillé, le vapeur avait amené de nombreux visiteurs. Ils se faisaient volontiers aider par un gamin qui ôtait sa casquette et leur proposait poliment ses services. Sa bourse s'alourdissait de semaine en semaine. Mais l'automne approchait et les derniers vacanciers faisaient leurs bagages pour regagner la capitale. Bientôt, il ne pourrait plus gagner davantage.

Aussi souvent qu'il le pouvait, il allait faire ses courses du côté de l'embarcadère où le *Sandhamn Express* mouillait entre deux voyages. Il observait attentivement les allées et venues de l'équipage, quand la passerelle était gardée, quand il y avait du monde sur le pont.

Après de nombreuses visites, il décida que le meilleur moment pour se glisser à bord était la fin d'après-midi, une heure environ avant le départ. L'équipage digérait alors son dîner en somnolant au soleil. La passerelle était abandonnée, avec juste une corde pour interdire le passage.

Son plan était de gagner Stockholm puis de s'embarquer sur un bateau. Par le grand frère de Karolina, il savait qu'il fallait un certificat médical pour obtenir un livret de marin. André lui avait dit qu'il y avait un docteur à Stockholm, sur une place nommée Kornhamnstorg, qui délivrait tous les certificats nécessaires. Thorwald pensait avoir assez d'argent pour le payer.

Une légère bruine tombait quand il referma la porte. C'était un dimanche après-midi, juste une heure avant le départ du vapeur.

Thorwald resta un instant sur le perron. Il laissait derrière lui la maison de son enfance sans le moindre regret, mais il s'inquiétait pour Vendela.

Que ferait Gottfrid en découvrant la fugue de son fils ? Thorwald craignait qu'il en tienne Vendela pour responsable et la punisse.

Pour cette raison, il n'avait rien dit à sa mère. Mieux valait qu'elle ignore tout de ses plans. Ainsi, Gottfrid ne pourrait pas lui arracher de secrets à force de coups.

Mais Thorwald l'avait bien regardée pendant le souper de la veille. Il s'était efforcé d'imprimer son image en lui. Les traits de son visage, ses mouvements. Ses expressions et ses gestes.

Il était important d'emporter avec lui tous les souvenirs qu'il pouvait, car il ignorait s'il la reverrait un jour. Sa mère n'avait jamais été très bavarde, mais elle avait une façon de le regarder qui exprimait son amour. Cela les réunissait et le distinguait de sa sœur.

Il savait qu'il ressemblait à sa mère bien plus qu'à son père. Ses cheveux blonds et son nez fin venaient d'elle, tout comme sa tendance à avoir des taches de rousseur au soleil d'été. Ils étaient faits pareil, elle et lui.

Après un dernier regard à la maison rouge, il se dirigea vers le port. Il portait sa besace en bandoulière. Il y avait mis quelques tranches de pain et un morceau de lard. Il n'avait pas osé prendre davantage.

La tête baissée et la casquette rabattue, il descendit vers le ponton. Il n'y avait pas grand monde dehors à cause du temps gris et couvert, ce qui lui convenait parfaitement.

En arrivant à l'embarcadère du vapeur, il regarda alentour à la dérobée. Aucun membre d'équipage sur le pont, ni aucun passager en vue.

Rapidement, il se glissa sous la barrière et monta à bord. Il longeait la coursive quand il entendit des voix qui s'approchaient. Le cœur battant, il se plaqua contre la paroi. Il n'avait nulle part où aller, et le désespoir s'empara de lui. Il allait être découvert avant même le départ du bateau.

Mais les voix venaient du pont supérieur. Elles passèrent au-dessus de sa tête et disparurent, hors de portée.

Thorwald avança encore de quelques mètres. Devant lui, une porte était entrebâillée. Prudemment, il se glissa dans l'ouverture étroite. De l'autre côté du seuil, une échelle descendait au pont intermédiaire.

Il dévala les marches et arriva dans une cale où des tonneaux et des sacs s'empilaient le long des parois. L'endroit parfait pour se cacher jusqu'à Stockholm.

Dans un coin, il avisa quelques sacs de jute estampillés à l'encre noire. Il se glissa derrière et tira en plus un tonneau vers lui pour être bien caché. L'odeur de moisi le prit à la gorge, mais c'était supportable.

Ses paupières s'alourdirent. Il était épuisé par la tension et le manque de sommeil. Il était resté toute la nuit éveillé à ressasser son plan encore et encore Il osait à peine croire ce qu'il avait déjà accompli.

Il pensa à Karolina, mais repoussa cette image.

L'instant d'après, il s'était endormi.

Il fut réveillé par un seau d'eau renversé sur sa tête. Instinctivement, Thorwald leva un bras pour se protéger. Puis il comprit que quelqu'un lui parlait.

Le bateau était en mouvement, il entendait les palpitations de la chaudière.

Encore endormi, il cligna des yeux dans la lumière de la lampe à pétrole qui se balançait devant son visage. Quand sa vue s'éclaircit, il vit un matelot face à lui et, à ses côtés, un homme d'une cinquantaine d'années en uniforme bleu marine à épaulettes dorées.

« Qu'est-ce qu'on a là ? Ça alors, un passager clandestin ! » dit le second.

Le matelot approcha sa lampe, qui éclaira directement le visage de Thorwald.

« Je l'ai trouvé derrière les sacs, dit-il. Il a dû se glisser à bord à Sandhamn.

– Comment t'appelles-tu, mon garçon ? » dit le second.

Un instant, Thorwald envisagea de se taire et de refuser de répondre. Ils ne pourraient alors pas le renvoyer. Mais il réalisa aussitôt combien il était vain d'essayer de cacher son nom. Sur l'île, tout le monde le connaissait.

À contrecœur, il marmonna son nom.

« Quel âge as-tu ?

– Quatorze ans.

– Tu t'es sauvé de chez toi ? »

La gorge de Thorwald se serra. Il hocha la tête.

« Tes parents habitent-ils à Sandhamn ?

– Oui », dit-il tout bas.

Le second regarda sa montre d'un air soucieux.

« On va devoir faire demi-tour. Il n'y a pas d'autre solution. Heureusement que nous ne sommes pas très loin. »

Le matelot se pencha et remit Thorwald sur ses pieds.

« Le capitaine ne va pas être content. Les passagers non plus », continua l'officier. Il regarda à nouveau sa montre. « Enferme-le dans la cabine avant, le temps qu'on sache quoi faire de lui. »

Thorwald était terrorisé. Il n'osait pas imaginer ce qui l'attendait quand Gottfrid apprendrait ce qu'il avait fait.

Il se jeta à genoux devant le second.

« Ne me renvoyez pas, monsieur, je vous en prie, supplia-t-il. Je ferai tout ce que vous voudrez, mais ne me renvoyez pas chez moi. »

L'officier le regarda avec une expression presque amicale. Il avait l'air de plaindre Thorwald.

« Je comprends bien que tu ne veux pas quitter ta famille sans raison, jeune homme, mais je ne peux rien faire. Nous devons te reconduire à Sandhamn. Tu es mineur, c'est ton père qui décide. »

Il tourna les talons et remonta l'échelle.

Le matelot attrapa le bras de Thorwald et le poussa devant lui jusqu'à une porte à quelques mètres de là. Il l'ouvrit et bouscula Thorwald sans ménagement dans la cabine vide.

« Et fini les bêtises, compris ?

— Oui », murmura Thorwald.

46

QUAND THOMAS DESCENDIT, il était presque huit heures
et demie. D'un rapide coup d'œil dans le séjour, il
repéra les deux garçons en pyjama devant la télé : absorbés par un dessin animé japonais.

Une bonne odeur arrivait de la cuisine : sur la table,
un grand plat de scones tout juste sortis du four. Et aussi
du beurre, du fromage et de la marmelade.

Nora lui sourit quand il franchit la porte basse : il s'y
était cogné un nombre incalculable de fois. Cela arrivait
à tous ceux qui mesuraient plus d'un mètre quatre-vingts.
La cuisine était la partie la plus ancienne de la maison
et avait des dimensions bien différentes du reste. Thomas
n'avait pas encore passé un seul été sans s'y cogner au
moins une fois.

Aucune trace des larmes de la veille chez Nora. Ses cheveux étaient encore humides et elle semblait reposée.

« J'espère que tu as bien dormi, dit Nora. Tu veux du thé ?
– Volontiers, merci. »

Il avait vraiment profité d'une bonne nuit de sommeil. C'était souvent le cas dans l'archipel, remarqua-t-il.
L'endroit était paisible, pas de voitures klaxonnant sous
la fenêtre ni autres bruits troublant le repos. Et il dut
reconnaître qu'il était très, très fatigué.

295

Thomas s'assit sur une des chaises de la cuisine et se servit. Il tartina généreusement le beurre sur son scone, avec une bonne cuillerée de marmelade à l'orange. Il sentit soudain combien il avait faim. Le premier scone disparut en un clin d'œil et il en attrapa aussitôt un deuxième.

Nora prit la théière pour remplir une tasse bleue qu'elle posa devant lui. Puis elle s'installa en face de lui. Elle tapota sa propre tasse.

« Dis, fit-elle tout bas, merci pour hier. Désolée d'avoir craqué comme ça. » Elle baissa les yeux d'un air gêné. Ses cheveux tombèrent devant son visage.

« Tu n'as pas à t'excuser.

– Je me sens vraiment beaucoup mieux aujourd'hui. Je promets d'arrêter de geindre. »

Elle leva les yeux en un sourire contrit.

« Je suis bien trop souvent venue pleurer sur ton épaule ces derniers temps. Tu dois commencer à en avoir assez. »

Thomas se récria en secouant la tête. Nora avait traversé quelques années difficiles et les larmes de la veille n'étaient pas les premières. Ils étaient amis depuis longtemps. Il était là, elle pouvait compter sur son épaule quand il le fallait.

Mais les larmes ne résolvaient aucun problème, il le savait d'amère expérience. Il voulait qu'elle retrouve la battante qui était en elle. Il fallait qu'elle s'indigne et n'en démorde pas.

« Seulement, n'abandonne pas. Tu ne peux pas laisser Henrik et sa mère te traiter n'importe comment.

– Je sais. » Son visage était grave et elle semblait décidée. « J'y veillerai, je te le promets.

– Bien. » Thomas prit une énorme bouchée. « Très bons scones, au fait. À quelle heure te lèves-tu pour avoir le temps de préparer ça ?

– Ce n'est pas très difficile. C'est un mélange tout fait. Quels sont tes plans pour aujourd'hui ?

– Je rentre en ville avec le premier ferry. Il faut que je regagne le commissariat au plus vite.

– Tu crois qu'Ingrid Österman a été assassinée ? »

Thomas secoua la tête.

« Tout indique qu'elle s'est suicidée. Sa table de chevet était couverte de médicaments en tous genres. De quoi tuer un cheval, d'après le légiste. »

Nora poussa un profond soupir.

« Pauvre Ingrid, fit-elle tout bas. Et pauvre Bengt. Figure-toi que je les ai vus au restaurant avant-hier. Ils se disputaient, ou plutôt il la disputait. Je me demande si ce n'est pas la goutte d'eau qui a fait déborder le vase.

– De fait, il nous en a parlé.

– Il lui criait dessus qu'il fallait qu'elle arrête de geindre. » Nora baissa à nouveau les yeux. « Elle avait l'air tellement malheureuse. C'est terrible de se dire qu'une fois rentrée, le soir même, elle a pris ces médicaments.

– Margit l'avait rencontrée l'autre jour. Ingrid Öster-man était très déprimée. »

Dehors, la neige avait recommencé à tomber. De gros flocons précipités par paquets contre la maison. Chez le voisin, un vieux bouleau se pliait dans le vent et, sur une de ses branches, un nid de pie penchait dangereusement.

Thomas reprit un scone qu'il tartina de marmelade. D'une main, il rassembla les miettes éparpillées sur la table. La vieille table pliante branla.

« Il ne serait pas temps d'en acheter une neuve ? »

Nora s'excusa d'un sourire.

« Un des pieds a du jeu. Il faudrait resserrer quelques vis. Henrik l'a fait cet été, mais elles ont dû à nouveau se défaire. Je m'en occuperai plus tard. »

Thomas engloutit la dernière bouchée de scone tout en se levant.

« Donne-moi un tournevis et je règle ça tout de suite. »

Le pied de table rajusté, le téléphone de Thomas sonna. Il reconnut le numéro et la voix. C'était Sachsen, de l'institut médico-légal de Solna.

Le légiste alla droit au fait.

« J'ai trouvé quelque chose. Je ne sais pas si c'est important, mais je voulais t'en parler, à tout hasard.

– De quoi s'agit-il ?

– Voilà : j'ai procédé à plusieurs tests depuis la dernière fois, et il semble bien que le bras de Lina Rosén ait été congelé plusieurs fois.

– Comment ça ? Comment ce bras a-t-il pu geler plus d'une fois ?

– Il y a eu rupture de la chaîne du froid, dit Sachsen. Si mes observations sont exactes, le bras a d'abord été congelé, puis est revenu à température ambiante, en d'autres termes il a dégelé, puis a gelé de nouveau.

– Ah bon ?

– Un peu comme si on sortait un filet de poulet du congélateur, qu'on le dégelait, puis qu'on congelait à nouveau les restes, ajouta-t-il.

– Et tu as une idée de ce que ça peut signifier ? dit Thomas sans s'émouvoir de la comparaison.

– Ça, c'est de ton ressort. Je constate juste qu'il y a eu variation de température. Tu vas devoir vérifier avec les services météo les courbes des derniers mois. Je me disais que ça pourrait peut-être permettre de préciser à quelle date le bras a été enterré. » Sachsen se racla bruyamment la gorge. « Car vous n'avez toujours pas trouvé d'autres morceaux, n'est-ce pas ?

– Non, désolé.

– Dommage. »

Thomas se souvint de sa conversation avec Staffan Nilsson dans la forêt, devant le trou où le bras avait été trouvé.

S'ils parvenaient à déterminer la date à laquelle le sol avait gelé, ils pourraient cerner le moment où le morceau, ou peut-être les morceaux, avait été enterré. Ce qui permettrait de préciser quand la jeune fille était morte.

Thomas se demanda au passage si Jakob Sandgren avait séjourné à Sandhamn plus tard, en novembre ou en décembre. Il aborderait ça lors de son interrogatoire, une fois rentré en ville. La question le taraudait : Lina Rosén avait-elle été assassinée la nuit de sa disparition, ou plus tard ? Leur aurait-il été possible de la retrouver vivante ?

« Il a gelé tard, dit-il. Et depuis, il a toujours fait en dessous de zéro, je crois. Ou bien quelques jours de redoux ?

298

Je ne me rappelle pas. Il faudra vérifier. Avant Noël, en tout cas, il n'y a eu que quelques nuits froides. Est-ce que ça aurait pu suffire pour que le bras gèle, avant de dégeler ?

– Difficile à dire, dans la mesure où il était enterré. Le sol peut rester un certain temps au-dessus de zéro alors qu'il gèle dehors, je crois. Mais ça dépend aussi de la profondeur du trou.

– Pas très profond, dit Thomas. C'est bien pour ça qu'un animal a pu déterrer le bras.

– Oui, oui, soupira Sachsen. Je ne suis pas un expert en météo. Il faut voir avec un géologue ou un météorologue si tu veux en avoir le cœur net. Enfin, en tout cas, te voilà au courant. Appelle si tu trouves d'autres morceaux.

– Bien sûr.

– Ah, au fait, dit Sachsen, je m'occupe de cette femme, madame Österman, cet après-midi, même si c'est le week-end. Ça t'évitera d'attendre trop longtemps. »

Nora avait rangé le petit déjeuner pendant que Thomas était au téléphone.

« Le légiste, dit-il comme pour se justifier.

– J'avais compris. J'espère que ça ne fait rien que j'aie écouté. »

Thomas secoua la tête.

« Ne t'inquiète pas. Mais tu sais comment c'est. Il faut garder pour toi ce que tu as entendu. »

SANDHAMN, 1928

À LEUR ARRIVÉE à l'embarcadère, Gottfrid les attendait. À la vue de sa longue silhouette en manteau noir, le ventre de Thorwald se noua.

Il regarda autour de lui dans une dernière tentative de trouver une issue. Si le matelot ne l'avait pas fermement tenu par le bras, il se serait jeté à l'eau. Mais il semblait avoir lu dans ses pensées, car il le serra plus fort et le poussa en avant.

Un autre matelot sortit la passerelle et Thorwald vit le second qui l'avait trouvé descendre à terre. Il échangea quelques mots avec son père, puis fit signe à Thorwald de débarquer.

Il parcourut en trébuchant la passerelle jusqu'aux deux hommes. La main de Gottfrid l'attrapa rudement par la nuque.

« Ce n'est sûrement qu'une bêtise de gamin, entendit-il dire l'officier. Il voulait sûrement voir du pays. Une chance qu'on l'ait trouvé avant Stavsnäs. »

Le père opina du chef et le remercia de l'avoir prévenu par télégraphe.

L'officier tourna les talons et remonta à bord. Trois brefs sifflements et le bateau appareilla.

Ils se dirigèrent vers les cabanons de pêche. Gottfrid ouvrait la marche, Thorwald courait à moitié pour le suivre. Il était tard, et la bruine s'était transformée en pluie drue.

Elle s'immiscait sous les vêtements de Thorwald, qui fut bientôt trempé et transi de froid.

Quand ils arrivèrent au port des petits bateaux, il faisait nuit. Les pontons étaient déserts, il n'y avait personne en vue.

À présent, il peut faire de moi ce qu'il veut, pensa Thorwald, désespéré. Mais ça n'avait plus d'importance, plus rien n'avait d'importance.

Il avait abandonné Karolina en vain. Il avait échoué à fuir, et il n'avait plus d'issue.

Du regard, il toisa la silhouette de son père.

Ils avaient presque la même taille, mais Gottfrid était un adulte et Thorwald avait encore un corps d'enfant. Il aurait beau faire, il ne pourrait lui opposer aucune résistance.

L'idée même de se défendre lui était impensable. Des années il avait redouté l'humeur de Gottfrid, il n'aurait jamais le courage de défier ouvertement son père.

Ils passèrent devant le cabanon de pêche de la famille. Là où Kristina l'avait surpris la veille de la Saint-Jean. Il venait de finir son petit chat en bois, il était si joyeux et plein d'espoir.

Puis Kristina était arrivée et avait tout gâché.

Son père continuait.

Il conduisit Thorwald jusqu'au cimetière. Là, il poussa la grille et se dirigea vers l'arrière d'un petit bâtiment blanc situé à l'intérieur de l'enceinte.

Gottfrid se campa devant Thorwald. Sa voix était grave et froide.

« Ne t'ai-je pas nourri et logé toute ta vie ? Tu as pu aller étudier à l'école. Tu n'as pas dû sortir en mer en pleine nuit pour que ta famille ait à manger. »

Thorwald ferma les yeux.

Il voulait en finir. Il n'avait plus d'espoir, autant que son père le punisse tout de suite, il supporterait la douleur. Mais après, où aller, que faire ?

Il avait perdu Karolina et trahi Vendela.

Les pupilles de Gottfrid étaient noires et dilatées. Il cligna des yeux et regarda Thorwald comme un corps étranger.

Tu n'es pas mon fils, disait ce regard. Tu es un ingrat, un raté, et je t'abandonne à ton triste sort. Tu n'as à t'en prendre qu'à toi-même.

Thorwald se tenait droit. Il ne comprenait pas ce qu'ils faisaient au cimetière, mais, sans quitter des yeux la ceinture de son père, il se prépara.

Gottfrid sortit une bible de la poche de son manteau. Il la brandit si près du visage de Thorwald qu'il l'effleura presque. Puis il baissa le livre en soupirant et l'ouvrit.

« J'ai prié le Seigneur de me guider. Et Il l'a fait. » Il baissa les yeux vers les caractères menus avant de regarder à nouveau Thorwald. « Tu as filé comme un voleur dans la nuit. »

Le monde se rétrécissait.

Thorwald ne percevait plus que la lourde respiration de son père et le ressac des vagues sur la plage, à quelques centaines de mètres de là. Le ciel, complètement noir, se fondait avec les sapins.

Il se souvint des pommes qu'il avait volées quelques années auparavant dans le jardin du docteur Widerström. Son père lui avait alors chuchoté à l'oreille : « Si jamais tu recommences... »

Gottfrid se pencha vers une trappe dans un talus que Thorwald n'avait pas remarquée. Elle semblait mener à une remise toute en longueur qui sentait la vieille cave.

Levant la trappe d'une main, Gottfrid poussa son fils à l'intérieur. Soudain, il se retrouva à quatre pattes dans l'espace exigu.

Gottfrid ferma la trappe, et on entendit distinctement dans le silence le bruit du verrou qu'on refermait. Puis le grincement de la grille.

Thorwald se mit à crier.

« Père, ne me laisse pas ici ! Je t'en prie, pardonne-moi ! »

Il cria jusqu'à ne plus avoir de voix, le visage ruisselant de larmes et de morve.

Épuisé, il retomba assis. Il faisait aussi noir que dans un four. Il tâtonna pour évaluer les dimensions de sa prison.

Sous ses doigts, il ne rencontra que de la terre humide. Le sol était dur et glacé, et il avait déjà si froid qu'il tremblait dans ses vêtements mouillés.

La cavité ne pouvait pas faire plus de deux mètres de long, c'était certain. Et elle était si basse de plafond qu'il était impossible de s'y tenir debout.

Thorwald se recroquevilla, les bras autour des jambes. Impossible de rien distinguer dans cette obscurité. Sous son pull, il avait toujours son argent. Mais il n'avait pas pu garder sa besace avec le pain et le lard.

Un tiraillement au ventre lui rappela qu'il n'avait rien mangé depuis longtemps. Ni bu, d'ailleurs.

Ses lèvres étaient sèches. Il les humectait avec sa langue, sans grand effet. La faim passait au bout d'un moment, il le savait d'expérience. Mais la soif était plus difficile à supporter.

Il tendit l'oreille, mais aucun bruit ne lui parvenait du dehors. Il était tout seul. La panique s'empara à nouveau de lui et il frappa la trappe à deux mains. Elle ne bougeait pas d'un pouce, et il n'arriva qu'à se faire mal aux poings. Sa voix n'était plus qu'un croassement, mais il essaya malgré tout d'appeler.

Combien de temps son père comptait-il le laisser enfermé ?

Ses paupières se mirent à trembler et il les ferma fort pour que ça cesse. Il se mit à respirer de plus en plus vite, puis sombra dans l'inconscience.

Quand Thorwald se réveilla, la lumière entrait par les minces fentes de la trappe. Il mit quelques secondes à comprendre où il était. Toujours enfermé dans un caveau au cimetière. Le jour s'était levé, il avait donc dû dormir un peu, malgré tout.

Père ne l'avait jamais enfermé aussi longtemps. Il avait parfois été puni dans le cabanon de pêche, mais chaque fois libéré après deux ou trois heures. Il n'y avait jamais été laissé toute une nuit.

Pourvu que père le relâche bientôt. Il avait terriblement faim et soif, son ventre s'était noué en une boule douloureuse.

Il regarda à nouveau autour de lui dans la pénombre. La cavité était aussi exiguë qu'il le pensait : il était cerné de terre battue et de sable.

Ses larmes l'aveuglaient. Il serra les poings en tentant de se maîtriser, mais les rouvrit bien vite : il s'était écorché les poings en tambourinant contre la trappe, et ses deux mains l'élançaient.

Thorwald laissa retomber sa tête sur ses genoux.

Père ne devrait plus tarder à revenir. Il le fallait. Alors Thorwald lui demanderait pardon et lui promettrait de s'amender. Il ne se sauverait plus jamais.

Il était prêt à promettre n'importe quoi, pourvu que son père le laisse sortir de là.

Une petite voix lui chuchotait que seul Gottfrid pouvait le sauver. Il était à sa merci. Vendela croyait peut-être toujours qu'il s'était enfui au loin.

Mais père ne pouvait quand même pas le laisser là pour toujours ?

47

THOMAS REGARDA SA MONTRE. Il était grand temps de rejoindre l'embarcadère. Le premier ferry partait dans une demi-heure.

Nora se racla la gorge pour attirer son attention.

« Je voulais te demander quelque chose...

– Oui ?

– Ne te moque pas de moi, mais j'ai eu une idée en écoutant ta conversation téléphonique.

– Bon. »

Thomas retomba au fond de sa chaise et attendit.

« Et si... » Elle s'interrompit, l'air gêné. « Et si le bras avait dégelé parce que les morceaux du corps avaient été déplacés d'un endroit à un autre sur l'île ? »

Thomas la regarda avec attention. L'instinct de Nora était bon et plusieurs fois par le passé, elle avait fait preuve d'un vrai flair policier. Ça devait venir de sa formation juridique, se dit-il. Comme les policiers, elle était entraînée au raisonnement logique et à l'analyse. Ce n'était pas par hasard qu'il fallait une licence de droit pour être commissaire.

« Qu'est-ce que tu veux dire ? »

Nora passa le doigt sur le chandelier au centre de la table.

« Je me suis demandé si le meurtrier n'aurait pas pu cacher les morceaux du corps chez lui en attendant que ça se tasse.

– Et où les aurait-il cachés ?

– Eh bien… » Elle tarda un peu à répondre. « … je me suis dit qu'il les avait peut-être mis au congélateur

– Au congélateur ?

– Oui, c'est possible, non ? » Ses joues rougirent légèrement. « On met les morceaux dans des sacs plastique, puis au congélateur pour les cacher un certain temps. »

Dans son enthousiasme, elle se leva en lui indiquant son congélateur dans un coin de la cuisine.

« Il s'agit de trouver une bonne cachette, et si on dispose d'un grand congélateur, c'est l'idéal. Personne ne va fouiller dans le congélateur de quelqu'un. En plus, pas de risque que les morceaux pourrissent et se mettent à sentir. Ensuite, rien de plus simple pour le meurtrier de sortir les sacs du congélateur et d'aller les enterrer en forêt. »

Thomas regarda son amie d'enfance. Elle était emportée par son raisonnement.

« Et il ne pouvait pas geler au moment de ce déplacement, continua Nora, car il aurait alors été impossible de creuser le sol. Le bras a donc dégelé sous terre. Puis le froid est venu, et il a regelé. »

Les yeux de Thomas trahissaient son scepticisme. « Sérieusement… »

Nora ne se laissa pas interrompre.

« Voilà une explication plausible au fait que le corps ait été découpé. Impossible de congeler un corps humain entier. » Il y avait comme une supplique dans l'expression de Nora. « Je ne raconte pas n'importe quoi, quand même ? »

Thomas se souvint des mots de Mats Larsson : il y a une logique, même tordue, dans la façon d'agir d'un criminel. Il faut effacer les traces, et le dépeçage est la façon la plus rationnelle de le faire.

Pour un être normal, cela semblait presque grotesque.

« Tu te rappelles cette femme qui conservait un nourrisson mort dans son congélateur ? C'était bien dans ton district, non ? » dit Nora.

Thomas hocha la tête. Le cas de cette mère de Gustavs-berg qui avait tué ses deux bébés juste après la naissance puis avait conservé l'un d'eux au congélateur l'avait intri-gué. On avait tout découvert après avoir trouvé le second bébé abandonné dans la forêt.

« Tu vois. Si on peut cacher un bébé, on peut bien cacher un corps en morceaux ? Par ici, la plupart des gens ont de gros congélateurs. Surtout ceux qui chassent et qui pêchent. Des petits congélateurs comme celui-ci ne leur suffisent pas. »

Elle lui montra à nouveau son propre appareil.

Thomas joignit les mains derrière sa nuque pour réflé-chir. Quelque chose le tarabustait. Soudain, il sut quoi.

« Mais oui, j'ai vu un gros congélateur, hier. Chez les Österman. »

Nora retint son souffle.

« Chez Bengt et Ingrid Österman ?

– Oui.

– Il faut que je te montre quelque chose. »

Elle se dirigea vers le séjour et revint avec plusieurs carnets noirs.

Thomas la regarda sans comprendre.

« Qu'est-ce que c'est ?

– Je les ai trouvés dans le vieux secrétaire de tante Signe. Ce sont des journaux intimes. Sa tante, Karolina Brand, les a écrits à l'adolescence.

– Qu'est-ce qu'ils ont de spécial ?

– Elle y parle beaucoup de la famille Österman. Karo-lina était très amoureuse d'un garçon, Thorwald. Il avait aussi une sœur, Kristina. J'ai demandé à maman si elle était au courant, et elle m'a dit que Thorwald était le père de Bengt Österman. »

Thomas n'avait pas tout suivi.

« Mais quel rapport avec l'enquête ?

– Son père, Gottfrid, était un affreux personnage qui brutalisait sa femme et son fils, tout en favorisant sa fille. En plus, il a déshérité Thorwald et a tout laissé à sa fille.

– Ah ?

307

– Je vais t'expliquer, s'empressa de dire Nora. Maman m'a dit que les deux branches de la famille ont coupé les ponts après ça. Bengt et Marianne n'ont aucun contact, alors qu'ils sont cousins. »

La surprise se peignit sur le visage de Thomas.

« Quoi ? »

Nora le regarda, étonnée.

« Mais tu sais bien que Bengt Österman et Marianne Rosén sont cousins, non ? »

Il secoua la tête.

« Non, je n'en avais pas la moindre idée. Bizarre que personne n'en ait parlé.

– Peut-être pas si bizarre. » Elle appuya son menton sur ses mains. « Comme ils se détestaient, il n'y avait peut-être pas grand-chose à en dire. Maman m'a raconté que toute cette famille vivait dans l'amertume. Elle se souvient de Kristina, quand elle était petite. Elle faisait comme si elle n'avait pas de frère. »

La surprise se peignit sur le visage de Thomas.

« Mais tout ça s'est passé il y a une éternité…

– Oui, mais la rancœur est toujours là, d'après maman. "Thorwald n'a pas été gâté par la vie", c'est l'expression de maman.

– Un peu comme son fils », murmura tout seul Thomas en revoyant Bengt Österman imbibé d'alcool.

Nora inspira profondément et détacha chaque mot comme si ce qu'elle allait dire nécessitait des précautions :

« Cette nuit, j'ai eu du mal à m'endormir. Je me suis demandé si les Österman pouvaient, d'une façon ou d'une autre, être impliqués dans la disparition de Lina. En raison de cette haine familiale. »

Elle ne quittait pas Thomas des yeux. On entendait la télévision en fond sonore.

Un éclat de rire de Simon les fit sursauter tous les deux.

L'image du corps sans vie d'Ingrid Österman traversa l'esprit de Thomas. Son mari assis sur le canapé taché, essayant de répondre à leurs questions. La photo de Sebastian sur la grande commode du séjour.

Une idée se fit jour.

« Louise Hammarsten nous a dit que Lina Rosén avait très mauvaise conscience depuis l'accident où Sebastian Österman avait trouvé la mort. Apparemment, c'est elle qui a poussé Sebastian à conduire le bateau. Après coup, elle s'est reproché sa mort.

– Bengt et Ingrid étaient-ils au courant ?

– Je ne crois pas. Louise a dit qu'elle était la seule à le savoir.

– Et s'ils l'avaient su, malgré tout ? » La voix de Nora était à la fois enthousiaste et inquiète.

Thomas se passa la main dans les cheveux et essaya de réfléchir.

Bengt et Ingrid pouvaient-ils être arrivés à la conclusion que Lina avait causé la mort de leur fils ? Peut-être Ingrid Österman avait-elle tué la jeune fille, seule ou avec son mari. Puis elle s'était suicidée, ne supportant plus le poids de la culpabilité.

Ou peut-être était-ce Bengt Österman qui avait tué Lina, puis sa femme quand elle avait menacé de le dénoncer.

Une personne qui perd un enfant est capable de tout, songea Thomas. Quand les verrous sautent, les limites disparaissent.

Un sentiment de honte l'envahit.

Il avait reproché à Pernilla la mort de leur fille, alors qu'au fond de lui il savait qu'elle n'y était pour rien. Il ne voulait même pas imaginer ce qu'il aurait pu faire si la mort d'Emily avait été causée par quelqu'un qu'il connaissait.

Thomas avait vraiment besoin de se concentrer.

Il saisit la théière et remplit sa tasse. Puis il se cala au fond de la chaise blanche de la cuisine et regarda par la fenêtre. Il neigeait tant à présent qu'on apercevait à peine la maison des voisins.

Bengt et Ingrid Österman habitaient toute l'année à Sandhamn. Bengt chassait probablement, comme tant d'autres dans l'archipel. Il fallait qu'il demande à Erik Blom de vérifier si l'un des époux figurait sur le registre des permis de chasse. Et il devait appeler Margit, qui avait rencontré Ingrid Österman quelques jours seulement avant sa mort. Il se demandait si elle la croyait capable du meurtre de Lina Rosén.

Les époux avaient perdu leur fils unique dans un accident auquel Lina Rosén était mêlée. Cela avait-il pu tout faire basculer ? Ou le raisonnement de Nora n'était-il que pure divagation ?

« Pourquoi auraient-ils craqué justement en octobre ? objecta-t-il au bout d'une minute.

– Peut-être n'ont-ils appris ce qui s'était passé qu'à ce moment-là. La vieille rancœur à l'égard de Lina et de sa famille s'est ravivée. Quand ils l'ont vue à Sandhamn pour la Toussaint, ils se sont décidés à... »

Elle n'eut pas besoin de finir sa phrase, Thomas avait compris.

Il prit une décision.

« Je vais appeler le psychiatre qui collabore à l'enquête et voir avec lui ce qu'il pense de ton hypothèse. »

Mats Larsson avait parlé d'alcoolisme. En l'occurrence, cela pouvait être un facteur significatif. Thomas avait vu de ses propres yeux Bengt Österman sous l'emprise de l'alcool.

Si Nora avait raison, Jakob Sandgren n'était qu'un fils à papa qui avait seulement besoin d'un sérieux avertissement pour rentrer dans le droit chemin.

Et le mobile du meurtre du Lina Rosén remontait à bien plus longtemps qu'ils n'auraient pu l'imaginer.

48

Mats Larsson ne répondit qu'après la cinquième sonnerie. Il avait l'air d'être dans un gymnase, Thomas entendait des voix d'enfants et un sifflet en arrière-fond.

Il lui résuma sa conversation avec Nora, la haine familiale, le testament injuste.

« Est-il possible que quelqu'un en conçoive assez d'amertume pour décider de se venger ?

– Tu dis que le fils des Österman est mort il y a deux ans ?

– Oui, il s'est noyé dans un accident de bateau. Il est resté coincé quand son embarcation s'est retournée. »

Thomas se souvenait encore du silence d'outre-tombe qui avait suivi la collision en pleine nuit avec le zodiac. Puis les cris de panique des jeunes qui se débattaient dans l'eau.

« Et maintenant, c'est sa cousine éloignée qui est assassinée. Avait-elle des frères et sœurs ?

– Non, elle était fille unique.

– En somme, les deux cousins se sont retrouvés l'un et l'autre sans enfant en l'espace de quelques années, résuma le psychiatre.

– Oui », dit Thomas.

Larsson réfléchit.

Thomas faisait les cent pas avec son téléphone en attendant. La théorie de Nora semblait peu vraisemblable, mais elle collait trop bien pour qu'il l'abandonne sans autre forme de procès.

Il se rappela la morte sur son lit et cet homme débraillé qui puait l'alcool. Ses grosses mains refermées sur la bouteille de vodka, à la cuisine.

Sa femme s'était-elle suicidée parce qu'elle ne supportait plus la vérité, ou avait-elle été forcée à avaler les médicaments ?

La ligne grésilla quand Mats Larsson reprit la parole.

« Il est bien sûr difficile de se prononcer sans avoir rencontré les personnes concernées, mais, en théorie, ça pourrait se tenir. Cela peut sembler absurde, mais on dirait qu'une sorte d'égalité a été rétablie entre les deux branches de la famille. »

Thomas écoutait, tendu.

« La combinaison vieille querelle, deuil profond et grosses quantités d'alcool peut sans aucun doute provoquer la fureur d'un meurtrier présumé, finit par dire Mats Larsson. Je ne peux en dire davantage sans plus d'éléments, mais je trouve que c'est une piste à suivre. Ça vaut la peine d'être regardé de plus près.

– Merci, dit Thomas. C'était ce que j'avais besoin de savoir. »

Sur ses gardes, Nora regarda autour d'elle en s'approchant de chez les Österman.

Les fenêtres n'étaient pas éclairées, aucun voisin en vue. Un 4 × 4 avec un chasse-neige fixé à l'avant était garé devant chez le voisin, mais personne ne semblait être à la maison. L'endroit était complètement désert, à part quelques mésanges qui gazouillaient dans les arbres. Timide rappel que la saison avançait, que la nuit perdait du terrain et qu'on approchait de l'équinoxe de printemps.

Sans hésiter, elle poussa la grille et se dépêcha d'entrer. La neige était sillonnée de traces de pas et elle essaya d'éviter d'en faire d'autres. Autant que possible elle marchait dans les anciennes pour que sa visite ne soit pas découverte.

Où pouvait bien être Österman ?

Il était un peu plus de onze heures, et il n'était pas impossible qu'il soit encore en train de dormir. S'il avait autant bu qu'au restaurant l'autre jour, il devait probablement être encore ivre et au tapis.

Nora n'avait aucune envie de se faire surprendre par un Bengt Österman furieux se demandant ce qu'elle fabriquait chez lui. Déjà qu'elle avait filé pendant que Thomas était au téléphone. Elle avait vaguement parlé d'aller acheter du lait avant de partir discrètement. Elle ne pouvait s'empêcher d'aller vérifier si sa théorie tenait la route. Ça ne pouvait pas faire de mal, se répétait-elle pour s'en persuader. Juste un petit coup d'œil.

Elle rabattit la capuche de son anorak. Elle regarda à nouveau autour d'elle. Pas un chat. Elle atteignit rapidement le cabanon dont Thomas lui avait parlé. C'était ouvert. Elle poussa la porte et pénétra dans le débarras.

Le congélateur était d'un blanc étincelant. Un Elektrohelios vieux modèle, grand et rectangulaire. Un cadenas sur le côté, mais ouvert. Elle l'ôta et souleva le lourd couvercle.

Le congélateur était vide.

Munie d'une lampe de poche, Nora inspecta soigneusement ses parois pour voir s'il y avait quelque chose d'intéressant : traces de sang, cheveux, tout ce qui aurait pu indiquer que les restes de Lina Rosén avaient été conservés là.

Mais le congélateur béant semblait propre. Nora rabattit lentement le couvercle et éteignit sa lampe. Elle ne trouverait rien ici. Elle tourna les talons pour s'en aller.

C'est alors que cela la frappa.

Pourquoi un cadenas sur le couvercle d'un congélateur vide ? Pourquoi vouloir le fermer ?

Ce n'était qu'un détail, mais d'une certaine façon, cela apportait de l'eau à son moulin.

Ce cadenas avait pu être utilisé quand tout autre chose que du poisson et de la viande était conservé dans le congélateur, à l'abri des regards indiscrets. Il était peut-être vide après avoir abrité de grands sacs en plastique noirs qu'il fallait cacher.

Soudain, un bruit au-dehors la fit reculer dans la pénombre. On aurait dit une porte refermée tout près de là. Par la petite fenêtre, elle devina Österman en train de descendre sur le perron.

Nora tourna la tête. Nulle part où se cacher dans ce réduit, hormis dans le congélateur. Saisie à cette idée d'une angoisse claustrophobe, elle la rejeta aussitôt.

Elle alla se plaquer contre la paroi de l'entrée, pour être cachée derrière la porte si elle s'ouvrait. À présent, elle ne pouvait plus voir par la fenêtre et elle tendit l'oreille pour guetter les pas d'Österman.

Les secondes passèrent, elle retenait son souffle. Österman se dirigeait-il vers le cabanon ?

La chance était avec elle. On entendit un bruit sourd suivi par de sulfureux jurons d'Österman. Elle risqua alors un œil par la fenêtre et le vit se remettre sur pied et s'éloigner cahin-caha en direction du village.

Nora attendit quelques minutes et se dépêcha de quitter les lieux. Mais la question demeurait : pourquoi Österman avait-il un cadenas sur son congélateur ?

SANDHAMN, 1928

« THORWALD ! Tu es là ? »
La voix le réveilla. Avait-il rêvé ? Mais il l'entendit à nouveau :

« Thorwald, tu es là-dedans ? »

Il tenta de répondre, mais n'émit qu'un râle rauque. Sa gorge était si sèche qu'il ne pouvait prononcer le moindre mot. Sa langue était collée à son palais.

« Thorwald ? »

Il essaya encore, mais rien ne sortit. Il était si fatigué, si désespérément las et assoiffé.

Combien de fois s'était-il endormi et réveillé ? Depuis combien de temps Gottfrid l'avait-il enfermé là ? Il n'en avait aucune idée. Jusqu'à présent, il avait attendu en vain, mais voilà qu'on appelait son nom. Cette voix était familière, il la reconnut aussitôt.

C'était Arvid. Arvid l'avait trouvé.

Il fallait qu'il émette un son pour que son camarade ne s'en aille pas. Péniblement, il se traîna jusqu'à la trappe et tenta de la frapper, mais il était trop faible Sa main ne voulait pas lui obéir. Il saisit alors son poignet avec l'autre main et essaya de frapper plus fort. Sans plus de succès. Épuisé, il retomba sur la terre battue.

Il ne fallait pas qu'Arvid s'en aille.

Une dernière fois, il prit son élan et donna un coup de pied dans la trappe. Elle bougea faiblement, mais cela suffit.

315

« Tu es là-dedans, Thorwald ? C'est moi, Arvid. »

Son soulagement était indescriptible. Arvid l'avait entendu.

« Il y a un cadenas. Il faut que j'aille chercher un outil. Je reviens bientôt. »

Ne pars pas, voulait crier Thorwald, ne me laisse pas ici. Mais il ne put que se recroqueviller à nouveau. Il ferma les yeux et sombra.

Quand la trappe s'ouvrit, la lumière le frappa comme une gifle. Il battit plusieurs fois des paupières et se protégea des mains comme un animal blessé.

En ouvrant les yeux, il se trouva face au visage blême et effrayé d'Arvid. Son camarade se pencha pour l'aider tandis qu'il essayait de sortir en rampant.

« Qu'est-ce qui s'est passé ? dit-il en le tirant par le bras. Qui t'a enfermé là ? »

Thorwald arriva à peine à lâcher : « Père. »

L'incrédulité se lisait dans les yeux d'Arvid, mais il ne protesta pas.

« Viens, il faut te sortir de là. »

Thorwald résista.

« Pas la maison, parvint-il enfin à dire. Pas chez père. Dois me cacher. »

Arvid acquiesca de la tête. Puis il aida son ami à sortir dans le pâle soleil du soir. Avant de partir, il referma la trappe pour que personne ne se doute de rien.

Les jambes de Thorwald ne le soutenaient pas, si bien qu'Arvid dut à moitié le porter, à moitié le traîner vers la sortie du cimetière. Ses pieds sans forces laissaient un sillon dans le sable.

« Le cabanon », murmura Thorwald.

Il indiqua un cabanon décrépit à quelques centaines de mètres de là, un peu après l'étable du boucher. C'était là que la famille d'Arvid stockait son bois et ses outils. Enfants, ils y jouaient, l'endroit était toujours ouvert.

Thorwald arriva en titubant jusqu'à la porte et se laissa tomber sur le sol.

316

« De l'eau, murmura-t-il à Arvid resté inquiet sur le seuil. De l'eau. »

Quand Arvid revint, Thorwald s'était à nouveau assoupi. Il le réveilla doucement et lui présenta un gobelet d'eau.

Thorwald but lentement, il était trop épuisé pour faire autrement. Arvid remplit à nouveau le gobelet et Thorwald continua à boire. Puis il s'adossa au mur, les yeux clos.

Arvid lui tendit un morceau de pain. D'une main tremblante, Thorwald le prit et le mangea.

Il se recoucha sur les planches grossières du sol. « Besoin de me reposer », murmura-t-il avant de fermer les yeux avec un soupir.

Arvid ne savait pas quoi faire. Il était arrivé quelque chose d'horrible à Thorwald, mais que Gottfrid l'ait enfermé, il avait peine à le croire.

Ils avaient cherché Thorwald sur l'île. On disait qu'il s'était enfui. Arvid avait été déçu que Thorwald ne l'ait pas mis dans la confidence, même s'il ne le lui reprochait pas.

Il avait vu de ses propres yeux, à la baignade, le corps couvert de bleus de son ami, ainsi que les cicatrices des coups de fouet de son père. Thorwald avait gardé le lit une semaine vers la Saint-Jean et, à voir l'air de Vendela, Arvid avait compris qu'il était vraiment mal en point.

Dans la paroisse, la façon dont frère Gottfrid punissait sa famille faisait jaser.

Plusieurs fois, Arvid avait entendu sa mère parler à voix basse avec les autres femmes de ce qui se passait chez Thorwald. Elles se taisaient toujours quand elles remarquaient qu'il écoutait. Mais Arvid était assez grand pour comprendre à demi-mot.

Que son ami ait été parfois enfermé par son père dans le cabanon de pêche, il le savait. Mais cette fois-ci, il ne l'y avait pas trouvé. Pourtant, il avait du mal à croire que Thorwald se soit enfui sans lui en parler.

C'est par un pur hasard qu'un camarade de classe lui avait dit avoir vu Gottfrid se diriger avec Thorwald vers le cimetière, le soir même du jour où il était censé s'être enfui. Intrigué, Arvid était parti à la recherche de son ami.

Il alla chercher une couverture dont il enveloppa Thorwald. Malgré le dur plancher, son ami dormait profondément. Son visage était sale, ses vêtements terreux. Un de ses bras était écorché.

Arvid faisait confiance à son camarade, c'était son meilleur ami depuis le début de leur scolarité. Mentirait-il ainsi à propos de son père ?

Il secoua tout seul la tête. Il ne pouvait pas croire ça de Thorwald. Si quelqu'un mentait dans sa famille, c'était sa sœur.

Thorwald poussa un gémissement et se retourna. Arvid remonta la couverture et se laissa glisser près de lui.

Gottfrid était prêt à enfermer Thorwald, sans eau ni nourriture : combien de temps comptait-il le laisser dans ce caveau obscur ?

Arvid hésitait. Il ne savait pas vers qui se tourner. Il aurait peut-être fallu parler à Vendela, mais il décida que c'était trop dangereux. Gottfrid pouvait lui arracher des aveux et risquait de retrouver la trace de son fils. Et de s'acharner sur lui.

Gottfrid avait sur son fils un pouvoir absolu. Jusqu'à la majorité de Thorwald, personne n'y pouvait rien.

Arvid n'osait pas parler à ses propres parents de ce qui s'était passé. Ils ne feraient qu'insister pour que Thorwald rentre chez lui, où il risquerait alors une punition pire encore. Laquelle, Arvid ne voulait même pas l'imaginer.

Tandis que Thorwald dormait, Arvid comprit qu'il fallait qu'il aide son camarade à quitter l'île pour de bon.

Il n'y avait pas d'autre issue.

49

IL AVAIT FALLU presque quatre heures pour faire venir le maître-chien à Sandhamn.

Nora était rentrée et avait parlé à Thomas du congélateur vide et du gros cadenas qui permettait d'en verrouiller le couvercle. Elle s'efforça de le persuader d'examiner ça de plus près.

Thomas songea alors à faire appel aux chiens policiers, capables de trouver des traces que les techniciens les plus expérimentés de la police scientifique étaient incapables de détecter. Ils étaient entraînés à déceler les odeurs de cadavre, même infinitésimales. S'ils trouvaient quelque chose dans le congélateur d'Österman, ce serait un indice décisif.

Il avait vu les chiens à l'œuvre, aussi impressionné chaque fois de les voir « marquer » leur trouvaille.

Comme c'était un samedi, il était impossible d'appeler directement la brigade cynophile – selon l'appellation officielle – mais il avait fini par persuader l'officier de garde qu'il lui fallait impérativement un chien. Puis il s'était occupé d'obtenir un mandat de perquisition. Cela aussi avait nécessité quelques palabres.

L'idée que Bengt Österman et sa femme aient pu perdre le contrôle un soir pluvieux de novembre avait fait son chemin.

L'interrogatoire de Jakob Sandgren attendrait.

Il était presque trois heures de l'après-midi quand l'hé-licoptère se posa devant l'auberge de Sandhamn. Le soleil ne se couchait pas encore, mais la lumière plus faible pei-nait à lutter contre le ciel gris. La neige avait cessé de tomber. Les arbres dressaient leurs branches nues fran-gées de blanc.

Thomas attendait impatiemment. Le froid pénétrait sous sa peau. Il frissonna. Il faisait toujours humide en bord de mer : on avait beau se couvrir, impossible de se pro-téger du froid.

Tandis qu'il attendait confirmation que les renforts étaient en route, il se repassa en boucle la théorie de Nora, en arrivant toujours à la même conclusion.

Si le chien marquait le congélateur d'Österman, elle aurait vu juste. Il faudrait alors faire venir la police scien-tifique et tout retourner. Arrêter Österman et lui mettre la pression. Dans le cas contraire, restait l'interrogatoire de Jakob Sandgren. Il n'était nullement mis hors de cause.

Ça valait la peine d'essayer.

C'est un beau berger allemand qui descendit docile-ment de l'hélicoptère aussitôt le rotor arrêté. La chienne vint se placer à côté de sa maîtresse, qui tendit la main pour la caresser.

Thomas la reconnut, elle avait aidé la police de Nacka dans plusieurs enquêtes. Elle s'appelait Sofia Granit, la soixantaine. Sa chienne, Raja, huit ans, était un chien poli-cier expérimenté exclusivement utilisé pour la recherche de cadavres.

Margit descendit derrière Sofia Granit. Elle le salua de la main, il lui sourit.

Quand il l'avait appelée pour lui rapporter les idées de Nora, elle l'avait écouté attentivement. Elle était sceptique quant à l'implication d'Ingrid Österman dans le meurtre, mais elle était d'accord avec lui sur la nécessité de faire intervenir un maître-chien.

« Au moins pour les Rosén, avait-elle ajouté. On peut s'occuper de Jakob Sandgren demain. Il ne va pas disparaître dans la nature en vingt-quatre heures. »

Tandis qu'ils se dirigeaient d'un pas vif vers le domicile des Österman, Thomas exposa ses soupçons à Sofia Granit.

Il y avait un bon décimètre de neige dans les rues, mais un passage avait été dégagé, ce qui les dispensait de s'y enfoncer jusqu'aux chevilles.

La chienne trottinait docilement avec eux. Ils passèrent devant la place où l'on dressait le mât de la Saint-Jean, l'été. Les Österman habitaient près de l'école, ils arrivèrent sur place en à peine dix minutes.

« Tu crois qu'il est chez lui ? » demanda Margit.

Elle fit le tour de la maison tandis que Thomas frappait à la porte. Personne n'ouvrit. Il frappa à nouveau. Après avoir attendu un peu, il haussa les épaules.

« Venez, dit-il. Le congélateur est dans le cabanon. »

Ils gagnèrent le bâtiment peint au rouge de Falun où Nora s'était introduite dans la matinée. La porte n'était toujours pas fermée à clé. Il n'y avait personne. Ils entrèrent.

Avec précaution, Thomas ouvrit en grand le couvercle du congélateur, en gardant ses gants.

« Cherche ! » ordonna Sofia Granit.

Raja avait déjà compris ce qu'on attendait d'elle. On voyait qu'elle l'avait souvent fait : son corps agile exprimait la concentration, queue frétillante et oreilles dressées.

« Cherche ! » répéta sa maîtresse.

Thomas suivait les mouvements de la chienne avec attention. Sa truffe noire ne restait pas une seconde immobile. La chienne flairait sans arrêt tout en fouillant le cabanon.

Sans hésiter, Raja s'arrêta devant le congélateur et marqua.

« Nom de Dieu », lâcha Margit à mi-voix

Thomas poussa un profond soupir.

« Content ? » Sofia Granit adressa un coup d'œil à Thomas, avant de se baisser pour flatter la tête de Raja. « C'est bien, ma fille. »

Elle donna un biscuit à la chienne et se releva, la mine grave.

« Je suppose que tu comprends ce que ça signifie. Il y a eu des restes humains là-dedans. Autrement, Raja n'aurait pas marqué. C'est un de nos chiens les plus expérimentés.

– Je comprends », dit Thomas.

Avoir vu juste ne lui procurait aucune joie, il était plutôt accablé par la douleur qu'allaient éprouver les parents de Lina.

Margit avait déjà sorti son téléphone pour appeler l'équipe de la police scientifique.

« Ça risque de durer, dit-elle en regardant sa montre. Il va bientôt être seize heures. Il va leur falloir combien de temps, à ton avis ?

– Difficile à dire. Au moins plusieurs heures en bateau. Plus vite en hélicoptère, mais ça dépend où il est reparti après vous avoir déposées toutes les deux. Fais tout ce que tu peux pour accélérer le mouvement. »

Thomas ressortit. Le soleil allait bientôt se coucher.

« La question est de savoir où est passé Österman », dit-il en regardant alentour.

Il aperçut la silhouette d'une femme qui l'observait avec curiosité d'une fenêtre de la maison d'en face. Sûrement la voisine avec qui il avait parlé la veille.

« Je reviens tout de suite », dit-il en allant frapper chez elle.

« Excusez-moi de vous déranger encore, dit-il à la femme qui vint lui ouvrir avec un tablier à fleurs. Je cherche Bengt Österman. Sauriez-vous par hasard où il est ?

– Aucune idée. Avec Bengt, maintenant, impossible de savoir. » Elle fit la même grimace que la veille. « Il a un problème avec l'alcool, vous savez.

– Merci quand même, dit Thomas en tournant les talons.

– Essayez le pub. Il va souvent y boire des bières. Ou son cabanon de pêche. Il y passe pas mal de temps. »

Thomas s'arrêta.

« Où est-ce ?

– Sur le vieux port », dit-elle avant de rentrer au chaud.

Thomas rejoignit ses collègues.

« Je pars à la recherche d'Österman, dit-il à Margit.

– Je viens avec toi. »

Thomas secoua la tête.

« C'est mieux que tu restes ici, si jamais il revenait. Il faut qu'il y ait quelqu'un. Tu peux attendre à l'intérieur s'il fait trop froid. Ça ne doit pas être fermé à clé. »

Margit avait l'air d'en avoir besoin. Il faisait bien moins douze et elle battait la semelle pour se réchauffer.

« D'accord, dit-elle. On reste en contact par téléphone. »

50

ON FRAPPA À LA PORTE.

« Tu peux ouvrir, Simon ? » cria Nora depuis la cuisine. Elle était en train de faire des brioches à la cannelle, ses mains étaient blanches de farine.

Thomas était parti attendre l'hélicoptère. Elle était pleine d'énergie. Il avait cru à sa théorie sur Bengt Österman et cette rancœur familiale : pour la première fois depuis longtemps, elle se sentait lucide, et non stupide et crédule. Toute en joie, elle avait décidé de préparer quelque chose de bon pour le goûter.

« Il y a un monsieur qui veut te parler, dit Simon sur le seuil de la cuisine.

– J'arrive. »

Nora s'essuya à la va-vite et gagna la porte, les paumes encore couvertes de farine.

Elle se trouva nez à nez avec Pelle Forsberg. Il avait une grosse écharpe autour du cou. Il la regarda gaiement en lui tendant un sac en papier blanc. D'après l'odeur, c'était quelque chose de comestible.

« Bonjour », dit-elle.

Que faisait-il là ? Nora se sentait mal à l'aise après sa conversation avec Johanna Granlund, et n'avait pas très envie de lui parler.

« Je me disais qu'on aurait pu prendre un café ? Vous avez le temps ? »

Il en mourait d'envie, difficile de dire non : Nora capitula. Ça, il insistait, on pouvait le dire. Il était plusieurs fois revenu à la charge pour l'inviter, c'était ridicule d'être aussi rabat-joie.

« Bien sûr, entrez. Mais je vous préviens, j'étais en train de cuisiner, c'est assez en désordre.

– Vous verriez chez moi, dit-il. En comparaison, c'est Beyrouth. »

Il ôta son blouson et la suivit à la cuisine. Nora lui indiqua une chaise et poussa une plaque de cuisson pour faire de la place sur la table.

« Asseyez-vous, le temps que je mette de l'eau à bouillir. J'espère que le soluble vous va, on ne boit que ça, ici.

– Moi pareil », répondit-il.

Tout en bavardant, Nora étala sa pâte et façonna les brioches, qui devaient lever. Pelle Forsberg évita heureusement d'aborder l'enquête policière en cours et Nora décida d'en prendre son parti : au fond, ce n'était pas si mal d'avoir de la visite. Plusieurs fois, elle se surprit à rire de ses remarques.

« Ça va mieux ? demanda-t-il au bout d'un moment. Vous aviez l'air si déprimée l'autre jour sur le bateau que je me suis vraiment inquiété. »

Nora réfléchit.

Oui, elle allait mieux. La veille, elle avait pleuré tout son saoul sur l'épaule de Thomas et, à présent, elle était détendue.

Le café était prêt, elle le servit. Dans le sachet de Pelle, elle trouva trois viennoiseries qu'elle disposa sur un plat. Elle s'assit et attaqua à pleines dents celle qui avait le plus de crème pâtissière. Ce n'était pas une bonne idée, mais elle se promit de surveiller son insuline de très près plus tard.

« Mmh, c'est bon », fit-elle, la bouche pleine.

Pelle Forsberg rit.

« C'est fait pour. Dites, j'ai un petit aveu à vous faire. »

Nora frémit. Que mijotait-il ? Il avait quelque chose de louche, elle l'avait toujours su. Son sourire se figea et elle le regarda, sur ses gardes.

« Je suis venu frapper à la porte l'autre soir. J'avais vu de la lumière et je voulais vous proposer un petit whisky. » Nora se redressa.

« J'ai eu très peur ! s'exclama-t-elle. J'ai cru qu'on essayait d'entrer par effraction.

– Loin de moi l'intention de vous effrayer. Pardon. Je ne me suis pas rendu compte qu'il était si tard avant d'avoir frappé. Comme personne ne venait ouvrir, je me suis dit que vous étiez allée vous coucher. » Il secoua la tête. « Ce n'était vraiment pas malin. Mais je ne pensais pas à mal, je vous le promets. »

Il avait l'air si embarrassé que Nora ne put s'empêcher de sourire.

« Bon, ça va, mais ne recommencez pas. » Elle hésita, puis se lança : « Il y a aussi autre chose que je dois vous demander. Pourquoi avez-vous dit être allé dîner chez les Granlund l'autre jour, alors que ce n'était pas vrai ? »

Pelle Forsberg parut étonné.

« Mais enfin, j'y suis allé. »

Nora fronça les sourcils. Lui mentait-il effrontément ? Elle le savait. Ce type n'était pas net.

« Je suis tombée sur Johanna en faisant mes courses et elle m'a dit qu'ils n'étaient arrivés qu'hier. »

Elle le regarda fixement, comme pour voir s'il aurait le culot de continuer à lui mentir.

Pelle Forsberg sourit.

« Elle et les enfants, oui. Mais Hasse a passé la semaine à faire de la menuiserie dans leur salle de bains. Vous pouvez lui demander, si vous ne me croyez pas. »

Nora rougit. Mon Dieu, songea-t-elle, je vois le mal partout. Pour cacher son trouble, elle plongea sur sa tasse de café et mordit à nouveau sa viennoiserie.

Elle s'était fait des idées. Tout pouvait s'expliquer simplement. L'homme de la plage était sans doute un habitant de l'île qui se promenait. Quelle idiote d'avoir eu peur.

Pelle Forsberg la regardait amicalement.

« Écoutez, il n'y a pas de mal. Mais demandez à Hasse, si vous voulez », la taquina-t-il encore.

Nora secoua la tête.

« Pas la peine. »

Elle prit son courage à deux mains. Une dernière question. Au point où elle en était, une gaffe de plus...

« Donc, ce n'est pas vous qui êtes venu le soir épier la maison des Rosén ? »

Son regard interloqué répondit à sa place.

« Mais non, pourquoi diable aurais-je fait ça ? »

Il fit un sourire désarmant et but une gorgée de café.

Nora rougit à nouveau légèrement. Mais son sourire était si franc qu'elle cessa de se sentir gênée.

Son minuteur sonna. Elle alla badigeonner ses brioches avant de les enfourner. Si ce n'était pas Pelle Forsberg, qui avait-elle donc vu sous le réverbère ? Nora essaya de revoir la scène.

Pouvait-ce être cette pauvre Ingrid Österman, poussée dans la nuit d'hiver par ses remords ? Plantée là comme une âme en peine qui aurait voulu inverser le cours du temps pour pouvoir empêcher ce qui avait eu lieu ?

Elle ouvrit son four et y glissa la plaque.

C'était peut-être elle, mais ça n'avait à présent plus d'importance. Ingrid était morte et un chien policier allait bientôt dire si le corps de Lina Rosén avait ou non été conservé chez elle.

Pelle Forsberg se racla la gorge.

« Ne vous inquiétez pas pour ça. Vous passeriez prendre le café à la maison, une prochaine fois ? »

Nora se tourna vers lui. Sa gentillesse faisait chaud au cœur.

« Pourquoi pas ? »

51

L A LUMIÈRE GRISE du crépuscule enveloppait tout, rendant flous les contours du paysage. La neige étouffait
les sons et amortissait toute forme autour de lui. Les angles
d'habitude si marqués des maisons se fondaient dans le
décor.

Thomas se dirigeait vers le cabanon de pêche de Bengt
Österman. Une rapide visite au pub n'avait rien donné.
Il y avait beaucoup de monde, mais personne n'avait vu
Österman.

Le vieux port, comme la voisine l'avait appelé, était situé
tout près de Kvarnberget, à l'est de la falaise, et donc bien
à l'abri du vent. C'était là qu'autrefois les îliens amarraient
leurs barques. Les pontons se serraient les uns contre les
autres. Ils étaient construits avec un coupe-vent, ce qui ne
se faisait presque plus de nos jours.

L'isostasie était particulièrement sensible au nord de
l'île. Les pontons du fond, jadis utilisés par les voiliers,
étaient désormais accessibles à gué. La roche avait tant
monté qu'on pouvait à peine y amarrer une yole à fond
plat. Les gros anneaux de fer scellés dans la pierre pour
y attacher les bateaux étaient désormais inutilisables car
beaucoup trop loin de l'eau.

Tout en marchant, Thomas songea à cet homme qui
avait probablement tué Lina Rosén avant de sauvagement
découper son corps.

Plus il y pensait, moins il croyait Ingrid Österman impliquée. Sachsen considérait comme peu vraisemblable qu'une femme ait eu la force de porter et de découper le corps de Lina. Mais Bengt Österman avait pu y arriver. C'était un ivrogne, mais costaud.

Il entendait encore Mats Larsson. Il y avait une logique, même tordue, dans la façon d'agir d'un dépeceur.

Bengt Österman avait-il eu une pulsion soudaine à laquelle il n'avait pas pu résister ? Ou bien était-il si imprégné de l'amertume et de la haine de son père qu'il avait juste attendu son heure ? Il considérait peut-être même son acte comme juste.

La neige se remit à tomber, la visibilité se dégrada. Thomas hâta le pas.

Arrivé au vieux port, il ne vit pas âme qui vive. Tout lui semblait désert et abandonné, quand il aperçut des traces de pas dans la neige. Elles s'orientaient vers les pontons, puis obliquaient vers les cabanons de pêche situés au bord de l'eau.

Il balaya le port du regard tout en tendant l'oreille, mais n'entendit que sa propre respiration et le sifflement du vent. Les rochers étaient glissants. Prudemment, il entreprit de descendre. S'il dérapait dans la neige, il risquait de se faire très mal.

Une odeur de tabac parvint à ses narines. Puis il vit le rougeoiement d'une cigarette dans la brume.

Bengt Österman fumait, debout sur l'épaisse couche de glace, près d'un des pontons. Il regarda Thomas comme s'il l'attendait. Comme s'il avait décidé de supporter le froid jusqu'à ce que quelqu'un vienne le chercher, qu'il puisse dire la vérité.

« J'ai quelques questions concernant Lina Rosén, la fille de votre cousine », commença Thomas.

Österman tira sur sa cigarette et, un instant, sa lueur éclaira les traits ravagés de son visage. Un muscle trembla à la commissure de ses lèvres.

Thomas s'approcha de quelques pas.

« J'aimerais savoir où vous vous trouviez la nuit de sa disparition. »

L'homme sur la glace n'avait toujours pas dit un mot.

« Je pense que vous avez rencontré Lina quand elle rentrait de Trouville, et que vous avez alors perdu le contrôle. »

Bengt Österman ouvrit la bouche.

« Je l'ai étranglée. » Dans son regard las se reflétait la certitude d'être arrivé au bout du chemin.

Thomas s'approcha encore, doucement, pour ne pas effrayer l'homme solitaire. Il faillit déraper sur le sol glissant, mais se rétablit au dernier moment.

« Elle rentrait à vélo de Trouville, continua Österman d'une voix blanche. Il était tard, il faisait nuit, un putain de mauvais temps. Je devais juste sortir le chien, mais j'avais aussi beaucoup bu. Beaucoup trop.

— Que s'est-il passé ?

— Elle a arrêté son vélo et s'est mise à parler de Sebastian. À dire que tout était de sa faute. Si elle ne lui avait pas demandé de piloter le zodiac, il serait encore en vie. Elle a commencé à pleurer, en me demandant de lui pardonner. »

Il porta la cigarette à ses lèvres et tira une profonde bouffée. Un peu de cendre se détacha. La neige tombait plus dru.

« J'ai pété les plombs, dit Bengt Österman. Je ne sais pas comment ça s'est passé. C'était sa faute, comme elle disait. » Ses lèvres blanchies se tordirent. « Il fallait qu'elle paye. Pourquoi devait-elle vivre, si mon fils était mort ? »

Il parlait comme en transe, le regard dans le vague.

« J'ai levé les mains, puis je n'ai plus lâché prise jusqu'à ce qu'elle arrête de bouger. Ça m'a fait du bien, vous pouvez comprendre ça ? »

Thomas ne dit rien.

« Sa mère et sa grand-mère ont tout pris à mon père. Tout. Il est mort sans un sou. Ma mère s'est saignée aux quatre veines pour m'élever, en économisant la moindre couronne. Kristina et ses enfants vivaient dans leur belle maison, alors que nous avions à peine l'eau courante. »

Il cracha.

« Et ils m'ont même pris mon fils. Ce que j'avais de plus précieux. Vous comprenez ce que nous avons traversé, ces dernières années, Ingrid et moi ? Plus de vie, juste une existence. »

Il se passa une main sur le menton, d'un geste découragé.

« Pourquoi devait-elle vivre si Sebastian était mort ? répéta-t-il. Pourquoi cette maudite famille devait-elle être épargnée, et nous, souffrir à ce point ? »

Derrière Österman se dessinait la silhouette des parevents du ponton. Les pieux de bois nu ressemblaient à des piloris. À travers la neige qui tombait, ils semblaient vaciller dans le vent, malgré leur solide ancrage dans les fondations du ponton.

Thomas comprit qu'Österman était dans un monde auquel il n'avait, lui, pas accès. L'éclat dans ses yeux, tandis qu'il évoquait son crime, témoignait d'une folie incompréhensible.

Bengt Österman considérait avoir agi justement en ôtant la vie à la fille de sa cousine.

Œil pour œil, dent pour dent.

« Et ensuite, que s'est-il passé ? »

Österman fit un petit geste de la main.

« J'ai compris qu'il fallait que je me débarrasse du corps. Elle ne pouvait pas rester comme ça, au milieu du chemin. Alors j'ai décidé de la ramener à la maison.

– À la maison ?

– Je voulais cacher le corps dans le congélateur. Mais j'ai vite vu qu'il n'y entrait pas.

– Alors vous l'avez découpé ?

– Oui. »

Une seconde, comme un éclair de remords passa dans ses yeux.

« J'ai l'habitude de chasser. Je sais faire. Après, je veux dire.

– Où avez-vous fait ça ?

– J'ai forcé le cabanon à bois des Grönberg.

– C'est vous qui l'avez brûlé ? »

Il hocha la tête.

« Pour que personne ne retrouve de traces. Puis j'ai mis les sacs au congélateur, à la maison. »

Thomas imagina Österman ramenant les sacs en pleine nuit pour en bourrer son congélateur. Un frisson involontaire lui parcourut le corps.

« Vous n'aviez pas peur qu'Ingrid se doute de quelque chose ?

– Non. C'était surtout moi qui utilisais le congélateur du cabanon. Ce qu'on mangeait était conservé dans le congélateur de la cuisine. Mais j'ai installé un cadenas au cas où.

– Et ensuite vous avez déplacé les morceaux ? »

Il acquiesça.

« Après un mois environ. Je les ai enterrés dans plusieurs endroits de l'île. Je ne pouvais plus les garder comme ça à la maison. Je ne le sentais pas. »

Une question taraudait Thomas depuis le début.

« Pourquoi vous donner le mal d'enterrer les morceaux ? Vous auriez aussi bien pu sortir en mer et jeter les sacs par-dessus bord. »

Bengt Österman tira une dernière fois sur sa cigarette avant de la jeter.

« C'est ici que tout a commencé. À Sandhamn. Tu es poussière, etc. Je l'ai renvoyée là d'où elle venait. »

Thomas frissonna à nouveau. L'homme qu'il avait en face de lui n'avait pas toute sa tête. Il l'observa à travers les tourbillons de neige. Était-ce un double meurtrier ?

« Avez-vous aussi tué votre femme ? » demanda-t-il en avançant de quelques pas. Ils n'étaient plus qu'à deux mètres l'un de l'autre.

Österman secoua la tête et, pour la première fois, montra ce qui ressemblait à du chagrin.

« Je crois qu'elle n'en pouvait plus. Ingrid devait se douter de ce qui s'était passé. Elle avait dû trouver mes vêtements tachés de sang, il n'y avait pas besoin de lui faire un dessin. Mais nous n'en avons jamais parlé. Jamais. »

Un accent de fierté se glissa dans sa voix.

« Je crois malgré tout qu'elle avait compris que j'avais été forcé de venger Sebastian. Peut-être pensait-elle même que j'avais bien fait. »

Thomas dégaina discrètement son arme de service. Au cas où. Il la cacha derrière son dos.

« Comme vous le comprenez sans doute, il va falloir me suivre, dit Thomas. Vous devrez aussi nous montrer où sont enterrés les autres morceaux du corps. »

Bengt Österman éclata d'un rire sans joie.

« Pour ses pauvres parents, c'est ça ? Pour apaiser leur chagrin ? Je ne vous dirai jamais rien. Ils n'ont qu'à souffrir. Vous pouvez retourner toute l'île si ça vous chante, je ne vous aiderai pas. »

Il rit à nouveau, et ce rire fit reculer Thomas.

« C'était la faute de la fille. Et de ses maudites mère et grand-mère. Elles ont commencé tout ça. Je n'ai fait qu'y mettre un terme. Kristina et sa famille ne peuvent s'en prendre qu'à elles-mêmes. »

Il cracha.

« Je n'y suis pour rien si ça s'est passé comme ça. Ce n'est pas ma faute. »

Bengt Österman leva le poing vers Thomas.

« Je ne porte aucune faute. »

Avant que Thomas puisse réagir, il tourna les talons et partit en courant sur la glace, vers l'ouest.

Il allait être minuit. Sous le grand clair de lune, les pontons semblaient dessinés à l'encre de Chine sur le rivage.

Arvid entrebâilla la porte du cabanon et passa la tête. Il regarda lentement alentour. Une fois assuré qu'il n'y avait aucun curieux, il fit signe à Thorwald de sortir.

La tête baissée, ils gagnèrent un des plus petits pontons, où était attachée une vieille barque.

Arvid se baissa pour défaire les amarres.

« Je dirai à mes parents qu'elle s'est détachée. »

Thorwald songea d'abord à protester, mais il se ravisa.

Il était resté caché ces derniers jours dans le cabanon, où Arvid lui avait apporté de l'eau et de quoi reprendre des forces. Ils avaient retourné le problème dans tous les sens, sans trouver d'autre solution. Il fallait qu'il parte avant que Gottfrid ne le retrouve.

Il avait de la nourriture et de l'eau dans un baluchon. Sa bourse en cuir avec son argent était glissée dans la doublure de son pantalon. Arvid lui avait donné son meilleur pull, pour qu'il n'ait pas froid pendant son long voyage à la rame jusqu'à la capitale. Arvid s'était aussi procuré une carte marine. Il ne fallait pas que Thorwald se perde entre les îles.

Ce clair de lune était une bénédiction. Il facilitait le voyage et donnait confiance à Thorwald. Enfin quelque chose qui allait dans le bon sens, après tous les revers subis.

« Monte, chuchota Arvid. Il faut que tu sois parti avant que quelqu'un n'arrive. »

Thorwald s'installa dans la vieille barque et saisit les rames.

Sa gorge se noua quand il chercha les mots justes pour dire adieu.

Arvid lui avait sauvé la vie. Il en était convaincu. Si son ami ne l'avait pas cherché avec une telle obstination, Thorwald aurait fini sa vie dans ce caveau du cimetière. Des mois auraient pu passer avant qu'on ne le découvre. Les mots lui manquaient. Il ne trouvait pas quoi dire. Impossible d'exprimer sa profonde gratitude.

« Merci », finit-il par lâcher. Sa voix était enrouée. Il aurait aussi voulu demander à Arvid de dire quelque chose à Karolina, mais le seul fait de prononcer son nom était trop douloureux.

Arvid poussa vigoureusement la barque pour lui donner de l'élan. Lui aussi semblait chercher ses mots.

Ce n'est qu'une fois Thorwald presque hors de portée qu'il lança :

« Sois prudent ! cria-t-il. Sois prudent à présent. »

Il sembla lever la main en guise de salut, mais Thorwald n'en était pas certain.

Il jeta un dernier regard vers Sandhamn. Sur sa gauche, au sommet de Kvarnberget, il vit la villa Brand, où Karolina était en train de dormir. Il savait exactement où était sa fenêtre depuis bien longtemps.

Sans effort, il imagina sa joue posée sur l'oreiller et ses cheveux bruns étalés tout autour. Missan à ses pieds.

Karolina.

Mille images de son visage lui vinrent à l'esprit. Karolina cueillant des fleurs. Karolina jouant au jardin avec son chat. Le sourire de Karolina quand il avait dit quelque chose de drôle qui les faisait rire ensemble sur la plage

Il ne la reverrait sans doute plus jamais. Ni Vendela. Il était peu vraisemblable qu'il revoie jamais sa mère.

Un sanglot lui monta à la gorge, mais il le refoula en tirant rageusement sur ses rames.

Tout était la faute de Gottfrid. L'effroi et l'angoisse qu'il avait éprouvés ces derniers jours s'étaient transformés en haine profonde.

« Père, je te hais, chuchota-t-il dans la nuit de septembre. Un jour, tu paieras pour ça. »

Il donna encore quelques puissants coups de rames avant de les laisser reposer sur ses genoux.

La barque glissa à la surface calme de l'eau, dans le miroitement blanc et froid du clair de lune. Il était au milieu du chenal et avait déjà dépassé la pointe de Västerudd, plongée dans l'ombre.

Sandhamn était derrière lui.

« Tu paieras, père, chuchota-t-il à nouveau. Je le jure. »

52

LA MER ÉTAIT GELÉE depuis longtemps dans la crique au pied de Fläskberget, entre le vieux chantier naval et la pointe de Västerudd.

Thomas n'hésita qu'une seconde avant de partir à la poursuite de Bengt Österman. Il se laissa glisser du ponton le long d'un poteau, puis s'élança sur les traces du fuyard qui avait déjà pris une certaine avance.

« Revenez ! » hurla Thomas de toutes ses forces dans le vent mordant. Ses poumons pleins d'air glacé lui faisaient mal et il serra les poings pour tromper la douleur et pouvoir continuer à courir.

Son téléphone sonna, mais il ne voulut pas s'arrêter pour répondre, de peur de perdre de vue Österman. Çà et là la glace, à force de travailler, avait craqué en crevasses : il fallait faire attention où l'on posait ses pieds.

Ils étaient à la hauteur de la plage de baignade quand, soudain, Österman changea de direction. Il s'éloignait à présent du rivage et courait vers le chenal qu'empruntaient les ferries de la compagnie Waxholm. Thomas réalisa qu'ils approchaient de l'eau. Il apercevait déjà les plaques de glace qui flottaient dans ce couloir sombre et menaçant. L'eau fumait, une brume glacée caressait la surface de la mer.

En cas de problème, il était mal équipé. Il n'avait pas de crochets à glace et ses grosses chaussures l'entraîneraient aussitôt par le fond s'il venait à passer à travers la glace.

Mais pas question d'abandonner la poursuite. Thomas serra les dents et se fit violence pour continuer.

Österman progressait à présent vers l'ouest, s'approchant dangereusement du chenal. Soudain, Thomas le vit s'arrêter net, comme s'il lui était arrivé quelque chose. Il resta un instant absolument immobile, puis vacilla. Au moment où il essayait de reculer, la glace céda sous ses pieds.

Österman sembla esquisser quelques pas de danse. Il tourna de-ci, de-là, tenta de revenir en arrière, mais la glace ne le portait plus.

Comme au ralenti, Thomas vit Österman chercher à se retenir à bout de bras, mais trop tard : en se débattant, il disparut dans les profondeurs noires.

Thomas l'avait presque rejoint. Il se coucha sur le ventre et rampa sur les derniers mètres jusqu'au bord de la glace. La tête d'Österman refit surface.

« Tiens-toi ! » hurla Thomas en lui tendant la main. Il était trop loin, et rampa encore un peu.

Sous lui, la glace émit des craquements inquiétants et, au loin, il vit s'approcher un ferry.

Son ventre se noua. Un gros bateau. C'était le pire qui puisse arriver. Les grosses vagues produites par les bateaux blancs, l'été, secouaient déjà sérieusement les pontons et les autres embarcations. Il n'osait pas imaginer leur effet sur de la glace déjà en train de se disloquer.

Son portable sonna à nouveau, mais il ne répondit pas. Il fallait tout de suite remonter Österman, avant que le bateau n'arrive, sans quoi ils couleraient tous les deux.

Thomas s'avança encore un peu, aussi loin qu'il l'osait. Il tendit le bras à se l'arracher. Avec ses dernières forces, il attrapa le poignet d'Österman. L'homme bougeait à peine, ses vêtements trempés le lestaient et l'entravaient.

Désespéré, Thomas se demanda comment il pourrait le remonter. Österman devait bien peser cent kilos, et encore davantage avec ses vêtements mouillés.

Le bateau approchait. Thomas entendait la pulsation de ses moteurs.

Le bruit augmentait.

Il tirait tant qu'il pouvait, mais chaque fois que le haut du corps d'Österman émergeait, la glace craquait à nouveau.

« Impossible, murmura Thomas, épuisé. Impossible. »

Si seulement il avait eu un appui, il aurait peut-être pu le hisser. N'importe quoi qui puisse s'accrocher à la glace. Sans cela, il n'avait aucune chance.

Le bruit des machines était presque sur eux. Thomas serra les mâchoires.

De sa main libre, il tâtonna pour trouver son arme de service. Il parvint à saisir le pistolet et réussit à tirer.

Pourvu que quelqu'un entende la détonation. C'était leur seule chance.

53

L ES COUPS SUR LA PORTE retentirent dans toute la maison. Les garçons, effrayés, regardèrent Nora, qui se leva d'un bond pour aller ouvrir.

En voyant la mine de Margit, elle comprit aussitôt qu'il y avait un problème.

« Thomas est là ? »

Nora secoua la tête.

« Je ne l'ai pas vu depuis un moment. Pas depuis qu'il est allé vous attendre, toi et le maître-chien.

– Il ne répond pas sur son portable, dit Margit. Ça ne lui ressemble pas. Il est parti voilà une heure à la recherche de Bengt Österman, et il reste injoignable.

– Tu penses qu'il lui est arrivé quelque chose ?

– Sais-tu où est le cabanon de pêche des Österman ?

– Oui, sur le vieux port.

– Je pars à sa recherche. »

Nora attrapa son blouson.

« Je viens avec toi. Restez ici, les garçons ! cria-t-elle par-dessus son épaule. Adam, vous restez à l'intérieur, il faut me le promettre. »

L'expression dans les yeux de Margit l'effrayait.

Si elle craignait qu'il soit arrivé quelque chose à Thomas, c'était sérieux. Margit ne s'affolait pas pour rien, c'était du moins le portrait que Thomas lui avait fait de sa collègue.

Elles descendirent en courant jusqu'aux pontons. Le réverbère solitaire n'éclairait pas grand-chose, mais assez pour qu'on voie des traces de pas sur la glace autour des pontons.

« Österman est fou. Je n'aurais jamais dû laisser Thomas y aller seul », dit Margit.

Nora ne savait pas si Margit s'adressait à elle ou parlait toute seule.

« Tu as entendu ? » cria-t-elle soudain.

Nora hocha la tête. Un coup de feu au loin. Ça avait l'air de venir de l'ouest.

Margit courait déjà dans la direction de la détonation.

« Merde, merde, merde ! »

54

LE FERRY ÉTAIT PRESQUE à leur hauteur : Thomas attendait la secousse. En fendant la surface, l'étrave soulevait impitoyablement une grosse vague devant elle.

Les premiers remous se propageaient à travers la glace. Un faible mouvement qui soulevait la surface.

Soudain, la glace se brisa sous Thomas. Impossible de continuer à tenir Österman : sa main lui échappa.

Österman avait un étrange sourire. Il était déjà étourdi par le froid.

« Ils m'attendent », murmura-t-il avant de disparaître sous la surface.

L'eau sombre se referma aussitôt.

« Non ! » Thomas poussa un cri en cherchant à rattraper Österman. Mais ses doigts glissèrent dans l'eau sans rien atteindre.

Il avait échoué à sauver le fils, et le père mourait à présent sous ses yeux. L'idée était insoutenable.

Au même instant, un craquement retentit. Il n'avait jamais rien entendu de semblable. C'était funeste, déchirant, et il comprit instinctivement que cela n'annonçait rien d'autre que la mort.

Thomas tenta de ramper en marche arrière, mais la glace continuait à céder tandis qu'il essayait de regagner le bord. Il fallait qu'il se sorte de là. Sinon, il allait lui aussi se noyer.

Trop tard.

Avec un soupir, la glace se fendit sous lui. Thomas glissa dans l'eau froide et se retrouva submergé. Le choc fut tel qu'il ne sentit tout d'abord pas le froid. C'était comme si une main gigantesque l'avait saisi et le serrait à présent de toutes ses forces.

Impossible de s'orienter. Il ne savait pas où était le haut, le bas, il cherchait désespérément quelque chose à quoi se raccrocher.

Il remonta alors et se cogna la tête contre la glace.

De l'air, il lui fallait de l'air.

Ses doigts s'agrippèrent à la surface et soudain il put à nouveau respirer, il avait la tête hors de l'eau. Il tenta de s'appuyer sur la glace lisse pour s'y hisser, mais il glissait chaque fois en arrière. Il avait beau faire, il n'avait aucune prise.

L'angoisse de mourir le déchira comme une lame acérée.

Pas maintenant, pas comme ça, songea-t-il en voyant devant lui le visage de Pernilla.

Le ciel était d'un noir d'encre au-dessus de sa tête. Il ne s'était jamais senti si petit et si seul.

Le froid était intolérable. Il n'allait pas tenir longtemps, il le savait. Ses bras commençaient à s'engourdir. C'était si pénible de se maintenir accroché au bord.

« Pernilla, murmura-t-il pour ne pas abandonner. Pernilla. »

Combien de temps s'était-il écoulé ? Il ne sentait plus ses jambes et il comprit que ses poumons n'arrivaient plus à oxygéner tout son corps. Des fragments d'informations traversaient son esprit. Dans une eau à zéro, on pouvait survivre quinze minutes. Ou cinq ?

La tentation de lâcher prise augmentait, il avait si froid. La noyade était censée être une mort agréable, il l'avait lu quelque part. À quoi bon lutter ?

« Aide-moi, Pernilla, chuchota-t-il. Pernilla, aide-moi ! »

Dans un brouillard, il se rappela le tournevis qu'il avait utilisé pour réparer la table de Nora. Quand Sachsen avait téléphoné, il l'avait mis dans la poche arrière de son jean.

Y était-il encore ? Il ne se souvenait pas de l'avoir rangé à sa place.

Gauchement, il lâcha le bord de la glace de la main droite et avec ses dents ôta son gant. S'il devait mourir, quelle importance si ses mains gelaient.

Ses doigts étaient si raides qu'il arrivait à peine à les bouger. Il parvint pourtant à enfoncer sa main dans sa poche, et sentit le bout de ses doigts effleurer du métal. Le tournevis était là.

« Mon Dieu, faites que la glace tienne », murmura-t-il en y plantant le tournevis de toutes ses forces.

Contre toute attente, il parvint à se hisser à la surface. Respirer lui faisait mal et ses vêtements se durcirent en un instant. La distance jusqu'au rivage semblait infinie.

Il essaya de se traîner vers la terre, de s'écarter de l'eau libre qui fumait à seulement quelques centimètres. Mais il avançait si lentement...

Puis il n'eut plus la force.

55

MARGIT ET NORA s'arrêtèrent près du vieux chantier naval, aujourd'hui une maison de vacances grande comme une grange. Devant elles, Fläskberget et la crique où Nora et sa famille avaient l'habitude de se baigner l'été.

Margit balayait frénétiquement l'étendue du regard, comme si, à force de volonté, elle allait faire apparaître Thomas dans son champ visuel.

« Tu vois quelque chose ? demanda-t-elle pour la troisième fois à Nora.

– Non, rien », lui répondit Nora d'une voix haletante. Elle avait un point de côté et du mal à parler.

L'obscurité était compacte, on y voyait mal. La peur voilait ses yeux de larmes. Où était passé Thomas ? Pourquoi ne venait-il pas à leur rencontre ?

Un coup d'œil à la mine grave de Margit la fit se concentrer.

Quelque chose semblait bouger au loin. Ou était-ce une vue de l'esprit ?

Elle aperçut dans le chenal les lumières d'un ferry de la Waxholm faisant route vers Sandhamn. Mais il avançait avec une lenteur inhabituelle, puis finit par s'arrêter.

Il avait dû se passer quelque chose là-bas.

Un gros projecteur s'alluma sur le pont et un faisceau balaya la surface gelée. Dans le rond lumineux, elle aperçut comme un sac sur la glace, juste au bord du chenal.

« Margit. » Elle lui toucha l'épaule. « Regarde là-bas. »

La policière se figea, puis s'élança vers la lumière.

« Sois prudente ! » cria Nora en lui emboîtant le pas.

On descendait quelque chose du bateau, sans doute un canot.

À présent, le projecteur était pointé sur la forme inerte. L'eau était dangereusement proche et les vagues produites par la manœuvre du bateau faisaient tanguer la surface gelée.

Margit courait si vite que Nora fut distancée. Elle trébucha et tomba lourdement, mais se releva aussi vite qu'elle put. Il y avait maintenant une trentaine de mètres entre elles deux.

C'était peut-être Thomas, étendu là-bas.

L'adrénaline lui donna la force de suivre Margit, malgré le vent qui la transperçait jusqu'à l'os et les petits cristaux de neige qui lui piquaient le visage de mille aiguilles minuscules tandis qu'elle courait.

Elle ne tenait presque plus debout quand elle arriva sur la berge. L'équipage du canot et Margit étaient déjà occupés à tirer la personne inconsciente vers le rivage, là où la glace était plus sûre. Puis ils se mirent à plusieurs pour la retourner.

C'était Thomas, inerte.

Il semblait couvert de glace de la tête aux pieds. Il était si pâle, les joues effroyablement creusées. Ses cheveux blonds étaient assombris par l'eau. Impossible de dire s'il était vivant ou non.

Nora était si essoufflée qu'elle ne pouvait dire un seul mot. Les mains pressées contre ses flancs, elle essayait de reprendre sa respiration.

Muette, elle vit que Margit avait sorti son téléphone et parlait avec insistance. Elle demandait un hélicoptère, c'est le seul mot que Nora saisit dans le vent.

Thomas était tellement immobile.

« Il est vivant ? » finit-elle par murmurer. C'était comme si le froid avalait ses mots avant qu'ils ne sortent de sa bouche, mais Margit semblait pourtant avoir compris la question.

Elle regarda Nora et hocha la tête.

Nora tomba à genoux à côté de son meilleur ami et lui prit la main. Il n'avait plus qu'un gant : elle serra ses doigts nus pour les réchauffer un peu.

Ils étaient si pâles qu'elle osait à peine les toucher.

Doucement, elle souffla dessus, comme si sa seule haleine pouvait insuffler vie à ces phalanges inertes. Dans la lumière du projecteur, elle vit que ses ongles étaient d'un bleu inquiétant.

« Un hélicoptère arrive d'ici quelques minutes, dit Margit. Il faut le conduire tout de suite à l'hôpital. Mais il vit, c'est le principal. »

Elle adressa à Nora un sourire tremblant. « Tu verras qu'ils vont vite nous le réchauffer. Ça va bien se passer. »

SANDHAMN, 1962

S UR LE SEUIL de la chambre, la femme avait des cheveux courts qui bouclaient un peu autour de son visage. Elle n'avait pas ôté son manteau, juste défait les boutons du haut.

Elle avait de l'allure, à quarante ans passés. Toujours blonde, mais moins que dans son souvenir.

Elle ne cacha pas son effroi en voyant son corps décharné étendu dans le lit. La peau tendue sur son crâne, son teint jaunâtre, tout témoignait de sa maladie et de sa décrépitude.

« Grand-père est mort à mon âge, dit Thorwald à voix basse. Mais lui, c'était la tuberculose, pas le cancer. »

Sa visiteuse hocha la tête en silence et avança de quelques pas. Thorwald lui indiqua une chaise. Elle hésita un instant, avant de s'asseoir.

Ils ne s'étaient plus parlé depuis l'enfance. À une seule exception. Quand il était revenu à Sandhamn après la mort de leur père. C'était là que Thorwald avait découvert que Kristina avait eu tout l'héritage. Il ne restait rien pour lui.

Vendela avait disparu en 1944. Son cœur avait lâché. Son gros corps l'avait longtemps mise à rude épreuve et, vers la fin, elle arrivait à peine à faire un pas sans être essoufflée. C'était allé vite, lui avait-on raconté. Un soir, elle s'était endormie, pour ne plus se réveiller.

Gottfrid avait attrapé une grave pneumonie quatre ans plus tard. Il ne l'avait pas soignée et, arrivé à l'hôpital, il était trop tard. Il était mort à soixante ans.

Mais auparavant, la chance avait tourné pour lui.

Quand la Direction des douanes avait démantelé son service, il s'était lancé dans l'import-export. Il connaissait bien le marché après ses années d'inspections douanières. Ses affaires étaient allées de mieux en mieux et, à sa mort, il était riche.

Il avait quitté la vieille baraque pour une maison au cœur du village. Une demeure de deux étages au crépi blanc, avec une véranda. Gottfrid avait en outre acheté des terrains sur les îles de Runmarö et Harö. Un élégant bateau avait également remplacé la vieille barque.

Mais Kristina avait tout eu.

Quand Thorwald était revenu sur l'île avec sa femme Anna et son fils, tout était acté. Obtenir sa part semblait improbable. Il avait peu d'économies après des années passées en mer, juste une santé fragile et un mal du pays toujours plus lancinant.

Comment faire valoir ses droits contre sa sœur ?

Kristina avait fini par accepter de lui laisser la vieille maison de ses parents, qui avait toujours les toilettes à l'extérieur et tombait en ruine. Elle avait gardé tout le reste et, depuis, ils ne s'étaient plus parlé.

« Je suis mourant », dit-il lentement.

Elle hocha la tête, sans rien dire. L'air dans la petite chambre devint lourd.

« Mon fils. »

Thorwald indiqua Bengt, assis dans un coin. Il l'avait appelé ainsi en souvenir de son vieil oncle, dont c'était le second prénom. Le garçon avait quinze ans, mais en paraissait moins. Il ressemblait à Thorwald, malingre et timide. Et il n'était pas lui non plus une lumière à l'école.

« Je t'ai demandé de venir pour te parler de mon fils. »

Kristina hocha à nouveau la tête, toujours muette.

« Tu dois l'aider. Je ne lui laisse rien, à part la maison. Les parents d'Anna sont morts... »

Sa phrase fut interrompue par une sévère attaque de toux.

Bengt alla chercher un verre d'eau que Thorwald but, essoufflé. Puis il reprit la parole. Le garçon retourna s'asseoir dans son coin.

« Je sais que père a laissé beaucoup d'argent. Tu ne voudrais pas aider mon garçon ? »

Il implora sa sœur du regard. Thorwald toussa à nouveau et s'essuya la bouche avec un mouchoir bientôt taché de rouge.

Kristina baissa les yeux. Elle tripotait un fil défait de sa veste.

« On a déjà parlé de ça, murmura-t-elle. Ce n'est pas moi qui ai décidé. La dernière volonté de père était que tout me revienne. Il ne te considérait plus comme son fils. Tu nous as abandonnés. »

Trente-quatre ans avaient passé depuis que Thorwald était parti à la rame dans cette nuit de septembre.

Le souvenir des heures passées dans ce caveau le tourmentait encore. Combien de nuits s'était-il réveillé couvert de sueur froide, haletant, persuadé d'être à nouveau enfermé ? Il savait juste que, depuis, il avait gardé une peur panique des espaces étroits et clos.

Et il n'avait jamais pardonné à Gottfrid.

Il ne lâchait pas sa sœur du regard. À l'époque, c'était une mignonne petite fille aux boucles blondes. Maintenant une femme dans la force de l'âge. Elle avait deux filles, Annika et Marianne. Annika avait le même âge que son Bengt, Marianne sept ans de moins. Mais les cousins s'évitaient, tant était grande la rancœur entre les deux branches de la famille. Ils ne se fréquentaient pas, alors qu'ils habitaient la même petite île.

« C'est injuste, dit-il gravement. Tu sais ce que père m'a fait.

— Tu t'es enfui.

— J'étais obligé.

— Mère ne s'en est jamais remise. Tu as disparu en me laissant seule avec mère et père. »

Un ton geignard s'était glissé dans sa voix. Un écho de son enfance, où Kristina obtenait toujours tout ce qu'elle voulait.

Thorwald se laissa retomber en arrière, il n'en croyait pas ses oreilles. Elle lui reprochait d'avoir eu davantage à faire à la maison après son départ. Il avait craint pour sa vie, et elle se plaignait d'un surplus de tâches ménagères !

« Je n'aurais pas survécu si j'étais resté. Tu le sais. »

Elle fit une moue sceptique.

« Tu exagères, comme d'habitude. Père n'était pas pire qu'un autre. Tu as oublié l'enfant difficile que tu étais. Toujours à faire des bêtises. »

Un sentiment familier d'injustice s'empara de Thorwald.

Il avait demandé à voir sa sœur pour une ultime tentative de réconciliation. Malgré son amertume, il avait cru possible de jeter un pont au-dessus de l'abîme qui les séparait.

Pas pour lui. Il était trop tard. Mais pour son fils.

La nuit, il s'inquiétait de son avenir. Comment Anna parviendrait-elle à l'élever seule après sa mort ? Chaque fois qu'il passait devant la grande maison où Kristina habitait avec sa famille, Thorwald crachait par terre. Mais il était chez lui à Sandhamn, et n'avait nulle part où aller.

« Kristina, dit-il d'une voix rauque, tu possèdes tant, ne peux-tu pas aider Bengt et Anna ? »

Ses forces l'abandonnaient. Ses mains tremblaient sur la couverture.

Du coin de l'œil, il voyait Bengt qui l'observait, inquiet. Le garçon n'aurait pas dû entendre cette conversation, mais il voulait l'avoir près de lui le temps qu'il lui restait.

Kristina se leva et se mit à reboutonner son manteau. Son visage était encore beau, mais son regard était dur.

« Je ne peux pas aller contre la dernière volonté de père, quoi que je pense. »

Kristina avait quitté la paroisse, mais pas la religion, Thorwald l'avait su par des voies détournées. Il fit une dernière tentative.

« Et que va dire Dieu de ta façon de traiter ton propre frère ? »

Elle soupira, comme si elle regrettait d'avoir mis le pied dans la chambre de malade de Thorwald et avait l'intention d'en enfouir profondément le souvenir aussitôt partie.

« Dieu n'a rien à voir dans cette affaire. Je ne peux pas t'aider. C'est dommage pour toi et ta famille, mais ce n'est pas ma faute. Tu n'as à t'en prendre qu'à toi-même. Tu as détruit la vie de mère et père en t'enfuyant. »

La haine qui montait en lui allait l'étouffer.

Elle l'avait suivi toute sa vie, lui avait tenu compagnie dans ses voyages en mer, loin de Sandhamn. Vingt années durant, il n'y était pas revenu, jusqu'à ce que son père fût mort et enterré. Alors, il était trop tard pour revoir Vendela et Karolina.

Il regarda Kristina et, dans le visage de sa sœur, il reconnut les traits de Gottfrid. Ils parlaient la même langue, avec la même certitude de leur bon droit.

Un instant, il crut avoir Gottfrid devant lui, impitoyable.

« Tu ne t'en tireras pas comme ça, Kristina. Toi et ta famille, vous le paierez. » Il leva le poing dans sa direction. « Dieu te punira, tu m'entends ? »

Elle tourna les talons et s'en alla.

Thorwald respirait difficilement. Il s'était humilié en vain.

« Papa ? » Bengt était à son chevet. « Tu veux encore de l'eau ? »

Il secoua la tête. À bout de forces.

Alors il regarda Bengt dans les yeux. Il y vit la même haine impuissante, la même colère avec lesquelles il avait vécu tant d'années.

« Dieu la punira, murmura-t-il à son fils. Il nous fera justice. Elle et sa famille souffriront pour ça. »

Épuisé, il retomba sur l'oreiller. Sa voix était presque inaudible.

« Un jour, ils paieront pour ça. »

56

Dimanche 3 mars 2007

L A FLAMME était claire autour de sa mèche fragile. Nora avait déjà éteint toutes les lampes et verrouillé la porte, il ne restait plus qu'à souffler la bougie du chandelier en laiton avant d'aller se coucher. Minuit était passé depuis un bon moment déjà.

Pourtant, elle se laissa tomber sur le canapé, hypnotisée par la flamme bleutée.

Les minutes d'attente de l'hélicoptère avaient été les plus longues de sa vie. Elle avait compté les secondes jusqu'à le voir survoler la plage avant de se poser dans le fracas assourdissant de ses turbines. Elle avait pleuré de soulagement en le voyant s'immobiliser dans un nuage de neige pulvérisée.

Voir Thomas inconscient l'avait figée de terreur. Elle était désespérée par sa propre impuissance. Et pire encore en réalisant qu'elle ne pourrait pas l'accompagner à l'hôpital, puisqu'elle ne pouvait pas laisser les enfants seuls.

Elle l'avait expliqué en balbutiant à Margit qui s'apprêtait à monter dans l'hélicoptère. La policière lui avait assuré que tout était sous contrôle. L'équipe médicale avait tout le matériel nécessaire pour s'occuper de Thomas jusqu'à son arrivée à l'hôpital. Là, on rétablirait sa température corporelle.

Une fois chez elle, Nora avait fondu en larmes en serrant les garçons contre elle, au risque de les effrayer. Mais c'était plus fort qu'elle.

Elle s'était peu à peu suffisamment calmée pour leur expliquer la situation. Puis elle avait joint Pernilla, qui était chez elle en train d'attendre Thomas. La veille, il lui avait dit qu'il devait la voir samedi soir, et Nora avait perçu à sa voix qu'il lui tardait d'y être.

Pernilla avait promis de se rendre aussitôt à l'hôpital. Elle lui donnerait des nouvelles dès que possible.

Son inquiétude se réveilla.

Pernilla n'aurait-elle pas déjà dû appeler ? Et si Thomas était gravement blessé ?

Enfin, ressaisis-toi, se dit-elle. Il était entre de bonnes mains. Elle avait vu de ses yeux avec quelle efficacité les secours l'avaient rapidement pris en charge. Ils l'avaient évacué en quelques minutes. Pernilla attendait sûrement pour l'appeler qu'il se soit réveillé et qu'on en sache davantage.

Thomas a survécu, se dit-elle avec une infinie gratitude. Il avait frôlé la mort de si près qu'elle osait à peine y penser.

Avoir eu raison au sujet de Bengt Österman ne lui procurait aucune joie. Elle était plutôt triste de la chaîne d'événements mise en branle à la fin des années 1920, quand le père d'Österman avait fui Sandhamn en abandonnant Karolina Brand pour toujours.

La mère de Nora lui avait raconté que Karolina Brand ne s'était jamais mariée. Elle était restée à Sandhamn, où elle était morte d'une péritonite pendant le dernier hiver de la guerre. Le chenal était encombré de plaques de glace freinant le bateau qui l'évacuait vers Stavsnäs. Arrivé à destination, il était trop tard. Elle avait à peine trente ans.

Que s'était-il donc passé, ce soir de la Saint-Jean où Thorwald n'était pas venu danser ? se demanda Nora. Quoi que ce fût, les conséquences en avaient été effroyables.

Elle regarda son verre de vin à moitié plein et le repoussa. Plus de vin pour un moment, ça suffisait.

Demain, ils quitteraient Sandhamn pour la terre ferme. Avec les garçons, elle regagnerait la villa de Saltsjöbaden. Il était temps pour Adam et Simon de rentrer à la maison. Elle se faisait à l'idée de revoir Henrik. Ce n'était pas de gaîté de cœur, mais elle ne redoutait plus ce moment. Il fallait qu'ils parlent calmement de leur séparation. Logement, garde, toutes ces questions pratiques qu'il fallait résoudre, quoi qu'ils pensent l'un de l'autre. L'école reprenait lundi. Il y avait beaucoup à faire.

Garde partagée, une semaine sur deux, comme la plupart des gens ?

Ça ferait peut-être même du bien à Henrik, songea Nora avec un vague sourire, d'avoir à assumer la responsabilité des enfants une semaine entière. Elle avait, tant d'années durant, assumé seule la charge du ménage. À vrai dire, elle l'avait laissé s'en décharger, mais maintenant, c'était son tour. À Henrik de préparer le goûter, de faire faire les devoirs et de préparer les casse-croûtes.

De fait, elle aspirait à voir Henrik prendre enfin sa part de responsabilités avec les garçons.

Si Monica tentait ses coups tordus, elle ferait face. Elle n'était pas juriste pour rien. Fini, la tactique terroriste de sa belle-mère. Nora s'était bien trop longtemps laissée marcher sur les pieds.

Bien fait pour Monica de devoir se confronter à une nouvelle belle-fille. La romance de Henrik avec une infirmière n'était peut-être pas ce qu'elle désirait le plus. Elle aurait préféré voir Henrik se trouver une nouvelle femme de bonne famille, noble si possible.

Cette idée fit à nouveau sourire Nora. Tout allait s'arranger, elle s'en sortirait parfaitement seule. Elle avait ses fils, un bon travail. Sandhamn était à elle, Henrik ne pouvait pas le lui enlever.

Elle se pencha et souffla la bougie.

57

« VOUS ÊTES RÉVEILLÉE ? »
C'était la voix aimable d'une femme médecin d'une cinquantaine d'années. Elle avait négligemment attaché ses cheveux châtains et des lunettes pendaient à une chaîne autour de son cou.

Pernilla regarda autour d'elle, engourdie de sommeil. Elle avait dû s'assoupir sur la banquette. Elle avait l'impression d'être dans la salle d'attente depuis une éternité, mais en regardant l'horloge murale, elle vit qu'il ne s'agissait que de quelques heures.

Il allait être deux heures du matin. Margit lui avait tenu compagnie dans la soirée, mais avait fini par céder à Pernilla qui lui assurait qu'elle pouvait rester seule.

« Vous êtes réveillée ? répéta le docteur. Je suis Harriet Ström, urgentiste de garde. »

Pernilla se redressa en se passant la main dans les cheveux. Elle se sentait encore désorientée.

« Comment va-t-il ?
— Suivez-moi pour en parler. Vous voulez un peu de café ? »

Pernilla hocha la tête et prit son sac à main. Elle suivit le docteur jusqu'à une kitchenette au fond du couloir.

« Du sucre ?
— Oui, merci », murmura Pernilla.

Elles entrèrent dans une pièce meublée d'un simple bureau. Le médecin s'y assit, et Pernilla s'installa en face.

« Donc vous êtes la femme de Thomas Andreasson ? »
Pernilla hésita, mais acquiesça.

« Comment va-t-il ? » répéta-t-elle. La tasse de café était chaude entre ses mains, et pourtant elle frissonnait.

« Savez-vous ce qu'est l'hypothermie ? »
Pernilla secoua la tête.

« On parle d'hypothermie quand la température corporelle descend en dessous de trente-cinq degrés. En cas d'hypothermie aiguë, la température chute sous vingt-huit degrés. Le corps est alors incapable de retrouver une température normale sans aide. »
Harriet Ström se racla la gorge et regarda Pernilla.

« Votre mari avait une température de vingt-huit degrés lors de son admission aux urgences. Les fonctions corporelles étaient faibles et le pouls difficilement perceptible. En cas de froid extrême, les vaisseaux se contractent et ne laissent plus passer le sang, on parle de vasoconstriction. » Elle s'interrompit. « Vous devez me dire si vous ne comprenez pas.

– Oui. »
Pernilla déglutit. Quand Nora lui avait téléphoné pour la mettre au courant, elle s'était jetée dans un taxi pour se rendre à l'hôpital. À entendre Nora, tout allait bien se passer, même si Thomas avait été sérieusement refroidi.

Mais la gravité dans le regard du docteur suggérait tout autre chose.

Harriet Ström but une gorgée de café. Pernilla lut autre chose encore dans ses yeux : de la compassion ? de la tristesse ?

« L'équipe de secours à bord de l'hélicoptère a parfaitement pris en charge votre mari. On l'a tout de suite mis sous oxygène et monitoring. »
Le sang de Pernilla se glaça. Qu'essayait-on de lui dire ?

« Mais le muscle cardiaque a montré des arythmies. Juste avant son arrivée ici, il a été victime de fibrillation ventriculaire, c'est-à-dire une sérieuse altération du rythme cardiaque, qui s'est transformée en arrêt cardiaque. »

Un poids écrasa la poitrine de Pernilla, rendant sa respiration pénible. Elle aurait voulu supplier le docteur de s'arrêter, mais ne pas savoir était insupportable. Pire encore était d'entendre ce qu'elle redoutait.

Elle se répétait le nom de Thomas.

Des images d'Emily morte dans ses bras lui revinrent en boucle, le petit cercueil blanc, le prêtre incapable de rien dire qui puisse les consoler.

Pas encore une fois, pas Thomas.

Pardon, j'aurais dû rester avec toi. Que vais-je devenir si tu me quittes à présent ?

Une prière muette sur ses lèvres. Mon Dieu, je ferais n'importe quoi, mais ne me le prends pas lui aussi.

Harriet Ström reprit la parole.

« Le personnel médical a tenté d'utiliser un défibrillateur pour remettre le cœur en route, mais la faible température corporelle a compliqué les choses. En dessous de vingt-huit degrés, on a du mal à obtenir l'effet escompté. »

Pernilla arrivait à peine à respirer. Elle regardait fixement Harriet Ström.

« Est-il en vie ? » parvint-elle enfin à lâcher.

Les mots semblèrent flotter dans l'air.

Harriet Ström serra les mains de Pernilla dans les siennes. Sa peau était chaude et sèche. Les nuits de garde avaient marqué son visage, mais sa voix était douce et pleine de compassion.

« Ils ont réussi à faire redémarrer le cœur. Mais il est toujours inconscient. »

Elle regarda Pernilla avec sympathie.

« On ne peut pas exclure des lésions cérébrales. Je suis désolée. Je suis si triste pour vous. »

REMERCIEMENTS

Voici mon troisième livre sur Sandhamn, et aucun autre n'a été plus passionnant à écrire. Le travail de documentation sur l'ancien Sandhamn a été intéressant et instructif, et m'a conduite à écumer les antiquaires à la recherche de livres sur l'archipel dans les temps révolus.

Le livre est à présent achevé et Thorwald, Karolina, Nora, Henrik et Thomas me manquent déjà.

L'histoire de Gottfrid et Thorwald est pure fiction. Elle a cependant été inspirée par l'article captivant publié dans le *Sandhamns Tidning* par Jenny Wickberg sur son grand-père Adolf Wickberg et sa vie dans l'archipel au début du siècle dernier. Mon imagination a été éveillée en lisant qu'il devait se lever à une heure et demie du matin pour poser ses filets, son père étant malade, pour contribuer aux ressources de la famille.

Une rectification : l'hiver 2007 n'a hélas pas été aussi froid que je le prétends, et je me suis permis quelques autres liber tés, par exemple dans la description du travail des douanes. Pour ces erreurs et d'autres qui auraient pu se glisser à mon insu entre ces pages, je suis la seule responsable.

Ce livre n'aurait pas été possible sans les avis et commentaires pertinents qu'ont gentiment bien voulu me faire de nombreuses personnes.

Je suis très reconnaissante de l'expertise qu'ont partagée avec moi le commissaire Sonny Björk, de la Criminelle, et le commissaire Rolf Hansson, de la police de Nacka. Gunilla Pettersson m'a généreusement aidée par ses vérifications factuelles et son aide documentaire sur Sandhamn aujourd'hui et autrefois.

Les parents, amis et collègues qui m'ont prodigué leurs conseils et leur aide sont : Lisbeth Bergstedt, Tord Bergstedt, Anita Cassmer Bergstedt, Anette Brifalk, Barbro Börjeson Ahlin, Helen Duphorn et Göran Sällqvist.

Ma brillante éditrice Karin Linge Nordh mérite un chaleureux merci, tout comme mon infatigable correctrice Matilda Lund, qui s'est donné tant de mal avec ce manuscrit. Merci également à Jenny Stjernströmer Björk et Emma Tibblin, de mon agence Stilton Literary Agency, qui travaillent dur à la promotion de mes livres.

Comme toujours, ma fille Camilla a été d'une aide précieuse en faisant les frais de mes ballons d'essai et en discutant patiemment divers aspects de l'histoire (même quand je cherchais surtout des encouragements).

Mes merveilleux fils Alexander et Leo ont une nouvelle fois supporté une mère absorbée par le processus d'écriture.

Enfin, et surtout, merci à mon Lennart chéri : sans toi, rien ne serait possible. Et surtout, ni l'écriture ni rien d'autre dans la vie n'aurait grand intérêt.

Sandhamn, novembre 2009

« SPÉCIAL SUSPENSE »

MATT ALEXANDER
Requiem pour les artistes

STEPHEN AMIDON
Sortie de route

RICHARD BACHMAN
La Peau sur les os
Chantier
Rage
Marche ou crève

CLIVE BARKER
Le Jeu de la Damnation

INGRID BLACK
Sept jours pour mourir

GILES BLUNT
Le Témoin privilégié

GERALD A. BROWNE
19 Purchase Street
Stone 588
Adieu Sibérie

ROBERT BUCHARD
Parole d'homme
Meurtres à Missoula

JOHN CAMP
Trajectoire de fou

CAROLINE CARVER
Carrefour sanglant

JOHN CASE
Genesis

PATRICK CAUVIN
Le Sang des roses
Jardin fatal

MARCIA CLARK
Mauvaises fréquentations

JEAN-FRANÇOIS COATMEUR
La Nuit rouge
Yesterday
Narcose
La Danse des masques
Des feux sous la cendre
La Porte de l'enfer
Tous nos soleils sont morts
La Fille de Baal
Une écharde au cœur
L'Ouest barbare

CAROLINE B. COONEY
Une femme traquée

HUBERT CORBIN
Week-end sauvage
Nécropsie
Droit de traque

PHILIPPE COUSIN
Le Pacte Pretorius

DEBORAH CROMBIE
Le passé ne meurt jamais
Une affaire très personnelle
Chambre noire
Une eau froide comme la pierre
Les larmes de diamant
La Loi du sang
Mort sur la Tamise

VINCENT CROUZET
Rouge intense

JAMES CRUMLEY
La Danse de l'ours

JACK CURTIS
Le Parlement des corbeaux

ROBERT DALEY
La nuit tombe sur Manhattan

Composition Nord Compo
Impression CPI Bussière en avril 2015
Éditions Albin Michel
22, rue Huyghens, 75014 Paris
www.albin-michel.fr
ISBN : 978-2-226-31714-8
ISSN : 0290-3326
N° d'édition : 19770/01 – N° d'impression : 2014815
Dépôt légal : mai 2015
Imprimé en France